Яна Вагнер

Яна Вагнер

ЖИВЫЕ ЛЮДИ

роман

РЕДАКЦИЯ
ЕЛЕНЫ ШУБИНОЙ

Издательство
АСТ
Москва

УДК 821.161.1-31
ББК 84(2Рос=Рус)6-44
В12

Оформление переплета *Виктории Лебедевой*

Издательство благодарит литературное агентство
«Banke, Goumen & Smirnova»
за содействие в приобретении прав

Вагнер, Яна Михайловна.

В12   Живые люди : роман / Яна Вагнер. — Москва :
Издательство АСТ : Редакция Елены Шубиной,
2020. — 410, [6] с. — (Кинобестселлеры).

ISBN 978-5-17-121241-4

«Живые люди» — продолжение бестселлера «Вонгозеро», роман-робинзонада, герметический триллер. Одиннадцать человек — восемь взрослых и трое детей — спрятались от эпидемии на маленьком острове посреди карельской тайги. Значит ли это, что самое страшное позади? Они выжили, но отрезаны от мира и заперты вместе. Им придется зимовать, голодать и самое главное — учиться принимать друг друга, сосуществовать тесно, бок о бок. Выбор простой: измениться или погибнуть.

На платформе PREMIER выходит «Эпидемия» — экранизация первого романа дилогии «Вонгозеро».

УДК 821.161.1-31
ББК 84(2Рос=Рус)6-44

ISBN 978-5-17-121241-4

Я всё пытаюсь представить себе, что она чувствовала, запертая вместе с сыном в собственной квартире, отгородившись от хаоса и смерти тонкой дверью с двумя финскими замками. Две недели. Две недели мучительных сомнений — выйти или остаться? Включить свет или сидеть в темноте? Наблюдать, как тает жалкая кучка консервов, полученных в последний раз, когда она решилась выйти из дома, на следующий день после того, как приходила Лиза (которая села на пол возле двери — снаружи, прямо на лестнице, и даже не просила впустить ее, а просто сидела, долго, несколько часов). Слушая из-за двери Лизино тяжелое прерывистое дыхание, она могла думать только об одном: чтобы Лиза поскорее ушла, потому что ранним утром придет продовольственный грузовик и дверь нужно будет открыть.

Взять мальчика с собой всякий раз казалось страшнее, чем оставить его дома одного, и в то утро она пошла с соседкой, потому что вместе было все-таки безопаснее, хотя какая там безопасность — две женщины. До этого с ними ходил Юра с десятого этажа, но сегодня Юра не открыл им, когда они звонили в дверь. На самом деле, он даже не подошел к двери. В объяснениях не было нужды; они слышали, как он, захлебываясь, кашляет где-то в недрах своей квартиры, и поспешно повернулись и побежали вниз по лестнице. Соседка сказала только: «Вот и Юрка...» — и блеснула темными глазами поверх плотной марлевой повязки, и больше они уже об этом не говорили; они вообще очень мало теперь разговаривали, и не только из-за повязок: просто всё было и так понятно, и не нуждалось в том, чтобы быть произнесенным.

Они бежали по стылой улице, временами увязая по щиколотку в рыхлом грязном снегу, — чистить улицы теперь было непозволительной роскошью, — и она думала: «Сорок минут, максимум — час, очередь с каждым днем становится всё меньше и меньше; ничего не случится, он не станет включать воду, не станет ковыряться в розетке, и даже если кто-нибудь — кто угодно — позвонит в дверь, он не откроет, потому что не может дотянуться до верхнего замка; он в безопасности». Они бежали, и уже видно было грузовую машину с грубо нарисованным красным крестом и жидкую разрозненную толпу людей вокруг, которую они привычно попытались оценить: да, минут сорок, если только какая-нибудь старуха (почему-то это всегда именно старухи и никогда старики) не задержит очередь, потому что забыла или потеряла талон, и тогда возникнет жалкий, визгливый, недолгий скандал, и домой удастся вернуться через час, не раньше. Бежать стало легче — по снегу, утоптанному и плотному, как асфальт, — с утра (а машина приезжала рано утром, еще затемно) здесь перебывали все, кто мог еще выйти на улицу, и их по-прежнему набиралось достаточно, в то время как во дворах уже было не разойтись из-за неряшливых сугробов с узкими, на одного человека, протоптанными тропинками. Попадались даже целые подъезды — она отметила несколько на бегу, — вокруг которых снег лежал нетронутый и чистый, без единого следа. Уже возле самой машины, из кузова которой человек в черном армейском респираторе выбрасывал серые одинаковые коробки и монотонно, невнятно повторял одну и ту же фразу: «По одному. По одному, я сказал. На шаг отойдите. Отойдите, женщина», она нащупала в кармане твердый прямоугольник продовольственного талона. Начала пробираться поближе к хмурому контролеру, стараясь не столкнуться ни с кем из прочих собравшихся возле грузовика людей, не задеть рукавом или полой пальто, и вдруг подумала: «Он не сможет открыть дверь. Если что-нибудь случится прямо сейчас, на обратном пути, когда мы понесем эти чертовы коробки, которые никуда не спрятать, которые словно кричат: смотрите, у меня есть еда, а с нами теперь нет Юры (можно считать, что Юры вообще больше нет). Если что-нибудь случится со мной. Если я не вернусь — он не сможет открыть дверь. И никто не придет к нему». Эта мысль заставила ее бежать назад еще быстрее, несмотря на тяжелую, неудобную коробку, и соседка, с такой же коробкой наперевес, едва поспевала за ней.

Она ворвалась домой, сняла пальто и в который раз подавила острое, невыносимое желание выбросить его наружу, за дверь, чтобы ни одна молекула чужого, опасного наружнего воздуха не осталась здесь, внутри, в их единственном убежище, а потом, крикнув в комнату: «Я сейчас, не выходи!», долго и тщательно мыла руки и лицо, терла толстый, уже махрящийся по краям марлевый прямоугольник хозяйственным мылом и думала: «Боже мой, как хорошо, что есть вода, только бы они не отключили воду», — и лишь после этого подошла к мальчику, понюхала его макушку и сказала: «Видишь, я недолго. Проголодался?» Он сидел на полу, над стопкой журналов, и даже не поднял на неё глаза, просто помотал головой — нет, я занят, потом.

Больше она не выходила. В конце недели соседка стучалась к ней и кричала: «Ирочка! Ириша! Вы как там?» — но она даже не смогла себя заставить подойти к двери и объяснить, почему больше не может выйти наружу. Просто не может снова идти туда, а потом возвращаться, принося на себе невидимую липкую заразу, от которой нельзя избавиться и нельзя спастись. Поэтому все время, пока соседка стучала и звала ее, она безучастно сидела на диване, а потом посмотрела на удивленного мальчика, приложила палец к губам и постаралась улыбнуться ему: тише, это такая игра, как будто мы спрятались и нас нет. Молчание из-за двери в эти дни можно было истолковать одним-единственным способом, и соседка, вероятно, так всё и поняла, потому что слышно было, как она говорит невнятно: «Боже мой, боже мой», и ее торопливые удаляющиеся шаги на лестнице.

Из коробки, которую она принесла домой в тот последний день, к концу первой недели не осталось почти ничего — початая пачка гречки, несколько банок консервированной говядины и банка сладкой кукурузы. К счастью, мальчик никогда не отличался особенным аппетитом, и она подсчитала, что ему хватит еще дня на четыре, если сама она перестанет есть совсем. В кухонном шкафу обнаружились пересохшие и безвкусные, как бумага, диетические сухарики, и еще мука, почти полный пакет. Она очень рассчитывала на эту муку, из нее получались бледные, выцветшие тонкие лепешки. «Четыре дня, — сказала она себе. — У меня есть еще четыре дня, и только потом, если ничего не изменится, только потом я подумаю, что делать дальше».

Сережа звонил каждый день, утром и вечером, и все время спрашивал: «Как вы? Вы осторожны? Что вы едите?» — и она боялась признаться ему, что пропустила уже одну выдачу продуктов и намерена пропустить следующую. Потому что он наверняка убедил бы ее в том, что это ошибка, а она знала, точно знала, что права, и выходить нельзя, и нельзя открывать дверь. Потому что в понедельник она все утро караулила возле дверного глазка, машинально задерживая дыхание, словно самый воздух, проникающий сквозь кожаную обивку, мог представлять угрозу, и не увидела никого, ни одного человека, хотя это был день, когда приезжала продуктовая машина. Лестница оставалась пустой, она не заметила даже соседки. Сереже было бессмысленно рассказывать об этом. Он все равно ничего не понял бы, не смог бы представить это оттуда, снаружи, из-за карантина. Она старалась отвечать односложно и, наконец, попросила звонить только раз в день, вечером, и говорить недолго, несколько секунд, потому что не знала, как долго еще проработает телефон; ей почему-то казалось, что с каждым звонком уменьшается и тает какой-то неведомый ресурс, подпитывающий существование гудка в трубке. Он говорил: «Я ездил сегодня, меня опять не пустили, Ирка, но ты не волнуйся, надо просто потерпеть, я что-нибудь придумаю, вы, главное, будьте осторожны». И она думала: «О, мы осторожны, мы чертовски осторожны, только у нас осталась последняя банка говядины и немного муки, а на площадке перед подъездом, которую немного видно из окна кухни, уже несколько дней нет никаких следов», — но не говорила ему, потому что и эти звонки, напоминавшие ей, что прошел еще один день, и Сережин встревоженный голос в трубке были сейчас бессмысленны и только раздражали.

В ночь со среды на четверг телефон умер. Она не узнала бы об этом, если бы не сообразила вдруг, что Сережа за весь день ни разу не позвонил. Сняв трубку около полуночи, она услышала только плотную, без потрескиваний, тишину, и в эту ночь так и не смогла заснуть. Хотя даже без этой несвоевременной телефонной смерти не заснула бы все равно, потому что именно сегодня у них, наконец, закончилась еда. Уже после того, как Антошка доел свою порцию, она неожиданно обнаружила, что бездумно и жадно слизывает остатки мясного желе с зазубренных стенок металлической банки, и почувствовала во рту вкус собственной крови, и тогда ей стало ясно, что отсрочка, которую она себе выторговала, только что кончилась. Всю ночь она просидела возле включенного телевизора; она теперь вообще не выключала телевизор, хотя уже неделю он показывал только три идущие в записи передачи по кругу, в одном и том же порядке, который она выучила наизусть: эффективные меры предосторожности в период эпидемии, обращение главного санитарного врача, списки пунктов экстренной помощи. Вот сейчас, после слов «сохраняйте спокойствие, оставайтесь на своих местах» гладко причесанная диктор запнется и еще раз посмотрит на лежащую перед ней страницу — так и есть, это та же самая запись. Их, возможно, уже нет — ни этого врача, ни этого диктора, но кто-то же должен следить за эфиром, это ведь не может происходить автоматически, само по себе, кто-то должен оставаться в огромной, похожей на толстый каменный карандаш телебашне, тускло мерцающей электрическими огнями на фоне темного неба. Может быть, рано или поздно кто-нибудь всё же прервет этот бесконечный закольцованный ряд и сообщит что-то другое, что угодно, лишь бы это помогло ей разобраться, что происходит там, за дверью, в огромном городе, и подсказало бы, что ей нужно делать.

Под утро она села на широкий пластиковый подоконник и, прижавшись щекой к холодному стеклу, стала смотреть в окно. Виден был совсем небольшой отрезок, остальное загораживал соседний дом, высокие деревья рядом с ним и яркий билборд с неуместной теперь рекламой коркуновского шоколада, но она была уверена, что не пропустит продовольственный грузовик, который скоро должен проехать здесь, потому что кроме этого грузовика по улице давно уже никто не ездил. Она ждала несколько часов, до самого рассвета, а когда проснулся мальчик и позвал ее, поняла, что грузовик не приедет; что, возможно, он не приезжал и в понедельник, просто ей не пришло в голову это проверить, и невольно почувствовала что-то похожее на облегчение от мысли, что выходить не придется, теперь незачем.

Именно тогда она нашла варенье. Банка была небольшая, полуторалитровая, с рыжими разводами ржавчины на туго прикрученной крышке, которую она долго не могла отвинтить и уже начала прикидывать, как бы поаккуратнее разбить банку, чтобы осталось как можно меньше осколков. Но крышка неожиданно поддалась, брызнув в стороны колючей сахарной пылью. Варенье было старое, почти черное и чудовищно приторное. Она попыталась выложить его на тарелку как-нибудь покрасивее, чтобы порадовать мальчика, и в конце концов у нее получилась комковатая веселая рожица — два глаза, улыбающийся рот. Столько сахара, думала она, нам хватит еще на несколько дней, если разделить его — по четыре чайных ложки утром, днем и вечером, хорошо, что есть вода, только бы они не отключили воду.

Всякий раз, пытаясь представить, чтó она чувствовала, спрятавшись с мальчиком за тонкой дверью с хлипкими замками, я возвращаюсь именно к этому дню, к этому утру, когда она считала, сколько ложек варенья может позволить себе съесть. О чем она думала, выскребая из банки твердую, неподатливую черную массу? Пришло ли ей в голову, что, если бы не ребенок, она вышла бы и, возможно, застала бы грузовик? Что даже теперь, когда грузовик можно уже не ждать, она все равно, наверное, вышла бы, но мальчику только пять, он не может долго ходить и быстро устает, и в теплом зимнем комбинезоне он ужасно неповоротливый. Они не сумели бы убежать, если бы кто-то на улице, кто-то больной, опасный, попытался остановить их, ни за что не сумели бы. Боялась ли она того, что, возможно, все-таки пропустила момент, когда всех остальных забрали, спасли, увезли куда-то в безопасное место, или проспала какое-нибудь короткое сообщение по телевизору, что-нибудь об эвакуации или вакцине? Не казалось ли ей, что они двое, она и мальчик, — последние, кто остался здесь? Последние, кто остался вообще. Потому что теперь, когда телефон молчал, а в окне виднелся только безлюдный кусок улицы, присыпанный рыхлым неутоптанным снегом, было так легко представить себе, что и Сережи, который обещал приехать и забрать их, тоже больше нет.

Она очень мало говорила об этих двух последних днях, начавшихся с банки старого варенья и закончившихся тем, что посреди ночи Сережа вдруг позвонил в дверь, потому что патрули, охранявшие город, разбежались, и он смог наконец прорваться. Я знаю только, что она открыла ему не сразу и сначала долго смотрела в глазок, пытаясь определить, не болен ли он (ведь Лиза точно была больна и именно по этой причине не просила открыть ей, а просто сидела под дверью и дышала, пока наконец не поднялась, держась за стену, и не начала медленно спускаться вниз, останавливаясь на каждом пролете лестницы). И хотя Сережа был здоров, ведь за пределами карантина ничего еще не успело произойти, там всё только начиналось, — всё, что так быстро, в считаные недели погубило громадный тринадцатимиллионный город, — прежде чем открыть дверь, она надела маску себе и Антону, и Сереже удалось уговорить ее снять эти маски лишь спустя два часа, когда после стремительных лихорадочных сборов — «Некогда, Ирка, брось, у нас всё есть, найдем мы тебе и одежду, и обувь, сейчас перегородят всё заново, и мы тогда точно не выберемся» — они уже ехали по пустынной неосвещенной трассе, оставив далеко позади и мертвый город, и взбаламученные, истерически бурлящие коттеджные поселки, перепуганные тем, что кордонов больше нет и теперь их некому защитить.

Больше я не знаю ничего. Она вообще рассказала очень немного, несмотря на то что, как только на улице темнеет и единственным источником света в доме становится тускло-оранжевая прямоугольная щель вокруг закопченной печной дверцы, нам не остается ничего, кроме разговоров. У нас еще осталось немного керосина, но мы бережем его для особых случаев, и поэтому все вечера, все без исключения, проходят одинаково: света слишком мало даже для того, чтобы чистить рыбу или чинить вещи, так что мы просто сидим в рыжем полумраке — восемь взрослых, трое детей — и разговариваем. Конечно, мы могли бы рассказывать о чем угодно, у каждого из нас за плечами целая жизнь, полная самых разных событий, только мы всегда говорим об одном и том же: о тех последних неделях перед самым концом. О том, какими мы были беспечными идиотами. О том, как мы ничего не поняли. О том, как мы опоздали и никого не успели спасти, и едва спаслись сами. Если, конечно, это вообще можно назвать спасением.

За последние месяцы мы обсудили всё это столько раз, что я выучила все истории наизусть и в мельчайших подробностях могу представить себе каждый день любого из остальных. Каждый день из нескольких недель, когда стало ясно, что ничего уже не исправить. Но единственное, о чем я никак не могу перестать думать, — это те последние два дня, в течение которых она отсчитывала ложки с вареньем: одна, две, три, четыре... Я представляю теперешнего Мишку, — большого, с незнакомым взрослым выражением лица, — пятилетним и пытаюсь понять, смогла бы я запереться и не выходить совсем, ни при каких обстоятельствах. Не открыть дверь сестре, не выйти к продовольственному грузовику. Просто повернуться спиной ко всему этому кошмару снаружи, и сделать вид, что там, за дверью, ничего нет, и существует только эта маленькая квартира и банка засахарившейся смородины. И ведь она не ошиблась. Ей действительно не нужно, ей нельзя было выходить, потому что, возможно, только по этой причине и она, и мальчик сейчас здесь, с нами.

Бывшая жена моего мужа и его единственный сын.

И я не могу перестать думать еще об одном. Знаю, что это плохо, это правда очень плохо, и я ни за что никому не призналась бы, что думаю об этом, но все равно не могу перестать. Что было бы, если бы она все-таки сделала это? Если бы вышла наружу до того, как приехал Сережа.

* * *

Я часто пытаюсь представить себе город — не тот, каким я его знала до катастрофы, а сегодняшний — опустевший и мертвый. Меня не было там, когда все началось, а чужие рассказы и обрывки телевизионных репортажей почему-то так и не захотели соединиться в моем воображении с тем, что я помнила о нем сама. Даже если бы я попробовала наложить всё, что мы увидели позже, в попавшихся нам на пути городах, на знакомые с детства улицы, — безмолвные и равнодушные вереницы бредущих вдоль дороги людей с санками в Устюжне, пустоту покинутого жителями Кириллова, — у меня все равно ничего не получилось бы: слишком не похожи на наш громадный мегаполис оказались эти крошечные северные города, каждый из которых можно было проехать насквозь самое большее за четверть часа.

То, что я не могу увидеть, как он выглядит теперь, оставленный нами город, совсем не страшно. Мне ведь некуда торопиться, и думать о нем — прекрасный способ хоть чем-то занять свои мысли. Я представляю себе его фрагментами, дольками: Битцевский парк с елками и скамейками, где мы с Мишкой гуляли, когда он был маленьким. Мясницкая улица с кафе и магазинчиками, по которым мы бегали с Ленкой в обеденный перерыв. Каток в саду «Эрмитаж». Маленький и мутный, зажатый коваными решетками пруд на Патриарших. Пыльный плоский зоопарк с чугунными церетелиевскими монстрами. Что-то возвращается мгновенно, что-то приходит с усилием, но, как только картинка наконец появляется, можно продолжать: мысленно засыпать снегом. Убрать прохожих. Выключить свет.

Я представляю себе заметенные необитаемые улицы с высокими сугробами брошенных автомобилей. Погасшие светофоры, раскачивающиеся на ветру. Облупившиеся, потускневшие рекламные щиты. Пустые и гулкие мраморные вестибюли метро. Кинотеатры с темными экранами и поднятыми мягкими сиденьями, многоэтажные торговые центры с пыльными витринами и остановившимися эскалаторами. Если бы каким-то чудом громадный город просто обезлюдел, лишился бы только своих жителей, сохранив при этом все прочие атрибуты цивилизации — свет, тепло, воду в гумовском фонтане, — какая это была бы странная, величественная картина. Город, существующий ради города. Ради себя самого зажигающий вечером фонари вдоль пустых проспектов, сам себе подмигивающий неоновым светом вывесок и переводящий стрелки огромных часов на башнях и вокзалах. Пожалуй, таким я и хотела бы его запомнить, только это невозможно. Я знаю, что всё там выглядит совершенно иначе.

Электричества давно уже нет, как не было его почти нигде во время нашего путешествия, а вместе со светом, разумеется, исчезло и тепло, и мороз проник внутрь тихих темных домов. Снег никто не чистит; он лежит на улицах, подбираясь к окнам первых этажей, скапливается на плоских крышах, и время от времени то одна, то другая не выдерживает и проваливается под его тяжестью. Эта зима не нанесет городу слишком большого ущерба. Она скоро закончится, и снег растает, но вслед за нею будут еще зимы и еще снегопады, и забьются стоки, и лопнут трубы, и весь он постепенно начнет крошиться и рассыпаться — очень медленно, не сразу, но наверняка, потому что те, кто ухаживал за ним, чистил его и ремонтировал, исчезли и уже не вернутся. Наверное, остались птицы — утки на незамерзающих прудах, вороны над пустырями; возможно, остались бродячие собаки, хотя теперь им, должно быть, нечего стало есть.

Люди тоже остались. Те, кто умер в своих домах, и те, кто умер на улице или в пунктах экстренной помощи. Они все остались там. Я представляю себе, как они лежат, скрытые милосердным морозом и темнотой, словно спящие пчёлы в сотах, каждый в своей ячейке, безымянные теперь, одинаковые, ничьи.

Но бывают дни, когда я уверена, что это невозможно. Вопреки всему, что говорили в новостях, и всему, что мы видели своими глазами, невозможно, чтобы тринадцать миллионов человек просто умерли все разом, одновременно, не сопротивляясь. Мы ведь застали только начало, и ни один из нас не видел конца; мы не можем знать точно. Доктор много рассуждал об иммунитете. У кого-то обязательно должна быть врожденная устойчивость к вирусу, говорил он, и улыбался своей детской улыбкой. Иначе не бывает, это статистика. Какой-то процент населения всегда невосприимчив к любым эпидемиям. Даже чума убивает не всех, а это ведь не чума. Наташа тогда едва не стукнула его. Не чума, кричала она, вот как! Что же вы ее не остановили? Что же вы не придумали, как им всем помочь, если это не чума? Да мы просто вымерли, как какие-нибудь мамонты, к черту вашу устойчивость, не было никакой устойчивости! Там никого нет, там вообще больше никого не осталось, и мы выжили потому, что сбежали, потому, что сидим здесь теперь, боясь высунуть нос, а она ждет нас там, снаружи, эта ваша «не чума». Потом она плакала, а он виновато сидел рядом и кивал головой, словно всё, что случилось, действительно было на его совести. Бедный, бедный доктор. Надо было ему поселиться здесь, с нами, и тогда он остался бы жив.

Иногда я думаю, что доктор был прав, и мы все-таки уехали зря. Что, вполне возможно, все самое страшное уже позади, эпидемия выгорела, и они вернулись — те, кто не заразился, (если такие действительно были) вместе с теми, кто спрятался не так далеко. А мы так и будем жить здесь, в самом центре пограничной зоны отчуждения, которую нет смысла даже охранять, потому что ни один человек не сможет пройти восемьдесят километров по тайге пешком. Мы останемся здесь, потому что наши машины, замерзающие сейчас с пустыми баками на том берегу, совершенно уже бесполезны, и мы проведем здесь год, два, десять лет — и никогда не узнаем о том, что всё закончилось.

А иногда мне кажется, что все действительно умерли. Вообще все. И мы остались совершенно одни. Последние одиннадцать человек посреди зимы. Восемь взрослых, трое детей. И я правда не знаю, что из этого пугает меня больше.

* * *

И вот еще. Почему-то мне важно знать, какое сегодня число. Нельзя сказать, что я отчетливо понимаю, зачем мне это, но первое, о чем я думаю, проснувшись, — какое число было вчера, и прибавляю один день. Даже когда мне не хочется разговаривать с ними, а мне редко сейчас хочется разговаривать, я все равно произношу вслух, чтобы и они знали. Сегодня двадцатое января, говорю я. Или: надо же, уже второе февраля. Я делаю это каждый день и, по-моему, очень их раздражаю. Они пожимают плечами, смотрят в сторону или делают вид, что не слышали. Разве что Лёня какое-то время, в самом начале, принимался морщить лоб и заявлял в конце концов что-нибудь вроде: «День работника транспортной милиции?» или «День молодежи Азербайджана?», и пока он сочинял эти дурацкие и далеко не всегда приличные варианты, мои слова хотя бы не повисали в воздухе. После Нового года он не делал этого ни разу. Мне кажется, после Нового года мы вообще перестали шутить, но это не имеет значения. Утром я открываю глаза и говорю громко: третье февраля. И если в моих часах закончится батарейка, я буду делать зарубки на стене и считать их; я не собьюсь и не дам им сбиться, потому что иначе все эти короткие одинаковые дни сольются, наслоятся один на другой и превратятся в один бесконечный сумеречный поток, в однородную безрадостную ленту.

Еще несколько недель, и в Москве снег уже, наверное, начнет понемногу таять, сугробы съежатся и отступят к газонам, обнажая участки сухого чистого асфальта. Здесь проклятая зима даже и не думает заканчиваться, словно она только взяла разгон, словно здесь всегда будет только она; заколдованное место, в котором остановилось время. И темно, все время темно. Немного светлее становится к полудню, а к трем часам снова сгущаются сумерки, и эти несколько часов все мы, несмотря на холод, вылезаем наружу, бледные, сизые и ослепшие, как кроты, чтобы впитать хотя бы немного света. И если не считать эти три коротких часа, все остальное время здесь продолжается ночь, холодная и пустая. В городе никогда не бывает такой абсолютной, беспросветной и безмолвной темноты. Городские ночи отдают желтизной уличных фонарей и наполнены звуками проезжающих машин, тихим жужжанием электроприборов, пульсом миллионов организмов, дышащих вокруг; а в этом месте, где мы добровольно заточили себя, стоит ночью отойти от дома на два шага — и всё мгновенно растворяется в плотном чернильном мраке, и ты торопишься вернуться, почти бежишь, всякий раз с вытянутыми вперед руками, боясь, что за эти несколько минут и маленький дом, в существовании которого только что не было никаких сомнений, и все, кто находился внутри, уже исчезли, пропали без следа, и сколько бы ты ни сделала теперь шагов, под твоими ладонями всегда будет только непрозрачная пустота.

Сережа говорит, что это нормально, — то, что здесь все время темно. Он говорит — так и должно быть, потому что близко полярный круг. Да только до него ведь целых четыреста километров, до этого проклятого круга, я смотрела по карте. Это единственная книга, которая у меня есть, «Атлас автомобильных дорог», и у меня масса времени; я могу сидеть над ней часами и считать. Есть множество способов сделать это: можно отмерять километры пальцем, расческой, пытаться определить на глаз; я проделала все это столько раз, что расстояние отсюда до полярного круга известно

23

мне безошибочно. Четыреста километров. Правда, я не могу оценить, далеко это или близко, и никто из нас не знает, когда в этих краях начинается весна. Мы не догадались задать этот вопрос в то время, пока у нас еще была такая возможность, а сейчас уже поздно — спрашивать некого. Очень может быть, именно поэтому мне так важно знать, какое сегодня число. Я хочу помнить о том, что рано или поздно, пусть не в апреле, но в мае, в мае уж точно эта чертова зима закончится. Четвертое февраля, упрямо говорю я, открыв глаза, прямо в раздраженное молчание. Еще четыре месяца, и будет лето.

Только вот еды у нас осталось на месяц, не больше.

Она закончилась как-то вдруг, неожиданно. Потому, что ее действительно было слишком мало для одиннадцати человек, а может потому, что никому из нас не пришло в голову всерьез начать следить за тем, чтобы растянуть припасы. То, что еды недостаточно, знали все, и никто, казалось, не позволял себе каких-нибудь легкомысленных внеурочных перекусов, но все равно было бы очень странно, посмей вдруг кто угодно, кто-то один, решать, сколько каждый из нас может позволить себе съесть за день. Это ведь была наша общая еда. Никто и не взялся бы определять теперь, кому именно принадлежала эта коробка с рыбными консервами, этот мешок сахара или пачка макарон. Все эти картонки, мешки и пакеты, которых вроде было так много, мы просто свалили в кучу в одном месте. Не существовало и никакого специального порядка, никакой договоренности о том, кто именно будет сегодня готовить. Мы просто делали это, то один, то другой; было ведь очевидно, что как минимум дважды в день нам всем нужно съесть что-нибудь горячее. И дети, дети всегда были голодны. Без сладостей и фруктов оба они, и мальчик, и девочка, очень быстро прекратили капризничать и выбирать и ели теперь быстро и много, словно какой-то инстинкт, который еще не успели расслышать взрослые, подсказывал им эту необходимость.

Первой мы прикончили картошку. Она занимала больше всего места и в последние недели вела себя странно — принялась морщиться и зеленеть, покрываясь жирными и белыми, словно опарыши, ростками. К началу февраля у нас остался один неполный мешок, и, признаться, есть ее стало уже страшновато. Кто-то (кажется, Марина) предложил оставить ее до весны и попробовать посадить, но было ясно, что картошка эта до весны не доживет, не говоря уже о том, что никто из нас не представлял себе, как именно к этому подступиться. Тем более что устроить грядки здесь, на острове, все равно не получилось бы. Остров был слишком мал и к тому же весь завален гигантскими, неподъемными валунами. Серые, рыжие и черные глыбы торчали даже из-под снега, прислоняясь к искривленным стволам растущих между ними сосен; вросшие в землю и лежащие друг на друге, они были похожи на чьи-то исполинские игрушки, беспорядочно разбросанные и забытые своим хозяином. Не было их только в одном месте — там, где стоял дом, упираясь мостками прямо в мутный белесый лед, покрывавший замерзшее озеро. «Это хорошо, Анька, — говорил мне Сережа, — эти камни — лучшая защита, настоящий крепостной вал, высокий и неприступный. Ни одна сволочь не сможет пробраться сюда незамеченной. Мы увидим любого, кто попытается навестить нас — пешком ли по льду, на лодке ли, — к острову можно подойти только в одном месте, прямо возле дома, у нас под носом. Здесь все равно ни черта бы не выросло, — говорил он, — даже если бы их не было, этих камней. Лето короткое, ночи холодные, это же тайга, ну какие тут огороды. До весны продержимся, а там утки прилетят, и будет мясо, много мяса, а потом пойдут грибы. Здесь такие белые — прямо вдоль дороги растут, их и искать не надо, нагнулся и сразу полное ведро. И брусника, знаешь, сколько тут брусники, целые поляны, как будто ее нарочно сажали, ты такого не видела никогда».

Он очень старался, Сережа, старался каждый день доказать всем нам, что мы приехали сюда не напрасно. В первую же неделю он надставил полурассыпавшийся дымоход, чтобы печь перестала наконец дымить. Потом долго и тщательно конопатил щели, сквозь которые в этот летний, хлипкий скворечник неумолимо просачивался мороз. Он пытался даже очистить жалкое наше жилище от массы разнородного, ненужного, унылого барахла, оставленного десятками безымянных рыбаков и туристов, бывавших здесь когда-то, и не смог, конечно, потому что сам этот дом, весь целиком, со своими облезлыми стенами, провисшим потолком и мутными подслеповатыми окошками состоял из этого барахла, был из него сложен. Но Сережа старался. Я думаю, он хотел, чтобы мы поняли, насколько верным, единственно возможным было его решение — уехать именно сюда, в это неуютное, безлюдное место. Хотел, чтобы кто-нибудь из нас сказал ему: ты был прав, ты спас нам жизнь, или хотя бы просто помог ему делать вид, что всё хорошо, что уже не страшно, что мы справимся. Только никто из нас не смог этого сделать, даже я. У нас просто не хватило сил. Мы были слишком измучены дорогой, двенадцатью сутками торопливого бегства, до краев наполненными неуверенностью и страхом, так что вместо облегчения сразу после приезда, когда вещи из машин были переправлены сюда, на остров, мы по какой-то неясной причине все разом провалились в глухую безнадежную апатию. То, что нас теперь окружало, давило немилосердно: вездесущий, всюду проникающий холод, короткие тусклые дни, когда солнце даже не поднимается над горизонтом, и маленький грязный дом, и нельзя было не задаваться вопросом: неужели это всё? Разве за этим мы бежали? Разве можно это выдержать? И дни сменяли друг друга: одинаковые, пустые, бессмысленные.

Он пытался выглядеть уверенно, но с каждым днем это давалось ему все труднее, особенно после того, как мы поняли, что остались одни; хотя все случившееся на том берегу и было лучшим подтверждением его правоты. Только вот чувство одиночества, навалившееся на нас теперь, когда исчез этот маленький и условный, но все-таки буфер между нашим маленьким островом и остальным миром, оказалось слишком сильным даже для него, потому что с этого дня никаких запасных вариантов для нас уже не было, и мы действительно были теперь сами по себе.

Я думаю, ему было сложнее, чем нам. Пока мы пробовали примириться с окружающей нас безнадежностью, прерываясь только на еду, сон и вялые переругивания друг с другом, именно он весь декабрь провел на озере, пытаясь научиться ловить под толстым, как бетонная плита, льдом сонную редкую рыбу, и к моменту, когда стало ясно, что оставшихся у нас консервов, муки, макарон и сахара хватит в лучшем случае недели на три, уже знал определенно, что в зимние, темные месяцы озеро нас не прокормит. Поначалу с ним ходил только Мишка. Каждый день сразу после завтрака они наполняли термос горячим чаем, укутывали лица по самые глаза и отправлялись проверять поставленные накануне сети. Потом, в январе, присоединились и остальные, но количество рыбы, которую они приносили домой, от этого почти не увеличилось. Сетей было всего две — та, которую захватил с собой Андрей, и еще одна, найденная в дачном поселке под Череповцом, и потеря любой из них стала бы для нас невосполнимой. Чтобы добраться до воды, полуметровый лед нужно было рубить тяжелыми топорами, а потом осторожно погружать сети в ледяную вязкую воду. У наших недавних соседей существовала уйма разнообразных приспособлений, не дававших сетям утонуть или примерзнуть ко льду, и Сережа, к счастью, успел подсмотреть, как они ими пользовались. Но кроме этих нехитрых в общем-то фокусов соседи явно умели что-то еще, знали какой-то секрет, которому Сережа не успел научиться, так что рыбы в наших сетях никогда не бывало много, и в основном она была мелкая и тощая, с острыми, как бритвы, плавниками, резавшими пальцы в кровь, а порезы эти заживали очень медленно.

А может быть, Сережа понимал с самого начала, что еды нам не хватит; я не знаю точно. За эти несколько месяцев мне, как ни странно, ни разу не удалось поговорить с ним по-настоящему, хотя каждую ночь мы ложились в одну постель, и всё время, за исключением трех-четырех светлых часов на озере, он был здесь, рядом. Просто мы никогда теперь не оставались одни. Это было невозможно в крошечной двухкомнатной конуре, заставленной старыми железными кроватями, как заброшенный детский лагерь из дешевого триллера. Ни в одном ее углу не нашлось бы места, в котором нашего разговора не услышал бы кто-то еще, а я с удивлением обнаружила, что совершенно не умею разговаривать с ним при свидетелях. Их было слишком много — всех остальных, мешавших мне, и они по какой-то причине занимали теперь все его время. Бывало, я часами просто пыталась поймать его взгляд, и даже это получалось не всегда. В каком-то смысле это было даже хуже тех двенадцати дней, которые мы провели в дороге, в разных машинах, потому что тогда хотя бы во время коротких, торопливых стоянок я могла подойти к нему и обхватить руками, и мне было плевать на то, что они смотрят, потому что вокруг было слишком страшно. Теперь тоже было страшно, но сегодняшний страх оказался другим, тягучим и вязким, будничным, и больше не давал мне такой свободы.

Мне кажется, в первый раз за эти месяцы я сумела поговорить с Сережей именно в тот день, когда стало ясно, что еды до весны не хватит. Вернувшись с двумя консервными банками и упаковкой гречки, Наташа сказала вдруг, ни к кому конкретно не обращаясь:

— Вы не поверите, но я только что открыла последнюю коробку с тушенкой, — и неуверенно улыбнулась, как будто это была шутка, не самая удачная, но все же шутка.

Все мы, разумеется, бросились туда, где были сложены наши запасы продовольствия, и вместо обеда два часа просидели на полу, пересчитывая банки и пакеты, пытаясь определить дневную норму. Мы даже, кажется, решили ограничиться в этот день одной банкой тушенки вместо двух, но, как бы мы ни считали, нас было одиннадцать человек — включая детей, которые ели теперь как взрослые, — и это означало, что самое позднее через месяц у нас не останется ничего.

Я проснулась посреди ночи, как просыпалась до этого сотню раз; не было случая, чтобы я не проснулась по крайней мере однажды, потому что так и не смогла научиться спать в одежде, укрываясь спальным мешком, в маленькой комнате, в которой, кроме тебя, лежит еще пять человек; казарма, больничная палата, что угодно — только не спальня. Как всегда, было душно. Я откинула ощетинившийся колючей молнией угол спальника и попыталась повернуться на бок; проклятая железная сетка кровати жалобно и громко скрипнула и разбудила меня окончательно. Сережи рядом не было. Несколько минут я лежала в темноте, слушая, как легко постукивает неплотно прикрытая входная дверь и посвистывает морозный воздух, врывающийся снаружи; затем встала, нашарила куртку, переброшенную через спинку кровати. Лежащий возле печки Пёс шевельнулся, когда я перешагивала через него, но не поднялся. Привычно пригнувшись, чтобы не стукнуться о низкую притолоку, я вышла на улицу.

Он сидел почти возле самой двери, упираясь спиной в стену, и я скорее угадала его присутствие, чем увидела его. Протянув руку, я коснулась его плеча и осторожно опустилась рядом на дощатый помост, опоясывающий дом. В лицо мне неожиданно пахнуло горьковатым дымом, и тогда я спросила с завистью:

— Где ты взял сигареты?

Сережа сделал еще одну затяжку, осветившую на мгновение его лицо, усталое и осунувшееся, с темными ямами глаз, заросшее непривычной, мягкой вьющейся щетиной (они все теперь перестали бриться и понемногу начали зарастать бородами), а потом повернулся ко мне и ответил, тихо и виновато:

— Это чай, — и прежде чем я успела рассмеяться (мы курили чай в восьмом классе, дома у Ленки, потому что не нашли сигарет в месте, где их обычно прятала Ленкина красивая рассеянная мама; у нас тогда получилась огромная, нескладная, то и дело разворачивающаяся самокрутка, и после первой же попытки стало ясно, что курить это невозможно), он протянул мне плотный бумажный столбик и спросил: — Будешь?

Курить эту гадость по-прежнему было нельзя: рот немедленно наполнила оглушительная горечь горящих чайных листьев с какой-то посторонней примесью — кажется, типографской краски. Я закашлялась и вернула ему самокрутку.

— Это ужасно, — сказала я.

— Я знаю, — отозвался он, — больше не буду. Чая тоже осталось совсем чуть-чуть, и лучше, если мы его все-таки выпьем, — но, говоря это, еще раз поднес к губам свою самодельную сигарету.

Мы сидели молча несколько минут, с головой укрытые непроницаемой тьмой и тишиной, нарушаемой разве что еле слышным потрескиванием догорающего чая в самокрутке, и я думала — вот, наконец, мы остались одни, только вместо того, чтобы разговаривать, произносить какие-то слова, задавать вопросы, я просто молча сижу рядом, и готова просидеть так сколько угодно, до тех пор, пока холод не загонит нас обратно. Он вдруг повернул ко мне лицо — я скорее почувствовала это, чем увидела, — и сказал глухо:

— Нам нужно сходить на тот берег.

— Нельзя, — сказала я быстро. — Ты же знаешь — нельзя.

Он ответил не сразу. Какое-то время молча потрошил остатки самокрутки, рассыпая себе под ноги ее тлеющую, резко пахнущую начинку.

— У нас нет другого выхода, — сказал он наконец. — Рыбаки из нас дерьмовые, и на одной только рыбе мы не протянем. На такую ораву нужно по ведру в день. Ты же видела, сколько мы приносим, ничего не выйдет. У них там было полно всего — еда, оружие, теплые вещи, ты только представь себе...

— Ну не только же рыба? — начала я неуверенно. — Мы можем охотиться, разве нет? У нас ружья и полно патронов, вы ведь даже не пробовали?..

— Сейчас зима, Аня, — сказал он терпеливо. — Я знаю, как охотиться на уток, но сейчас уток нет, и до апреля здесь не будет вообще никакой птицы. Мы ни черта не умеем, малыш, и глупо надеяться, что мы возьмем хотя бы зайца, особенно без собаки, без настоящей охотничьей собаки. Твоя дворовая образина не в счет. Мы можем ходить по лесу часами, мерзнуть, тратить силы и не найти вообще никого. Ты пойми, это не детская книжка про Следопыта, это настоящий лес, его надо знать, а я в жизни не был здесь зимой. Нам пришлось бы уходить далеко, километров на десять пешком. Отец не дойдет. А эти идиоты ничего не понимают! Ты бы видела их в лесу — топают, трещат ветками... Я дал им ружья, так они по шишкам стрелять начали, по шишкам, мать их! Как будто это корпоратив на свежем воздухе, как будто тут на каждом углу продаются патроны. Они и правда верят, похоже, что мы здесь только до весны, что потом нам будет куда вернуться.

Он взмахнул рукой и с отвращением выбросил догоревшую самокрутку далеко в снег.

— Мы еще не голодаем, — сказала я безнадежно, уже не для того, чтобы спорить с ним, а просто чтобы дать ему возможность наконец произнести вслух то, о чем он думал все это время, может быть, с самого начала, наблюдая за тем, как тают наши запасы еды, выжидая момент, когда мы тоже поймем, что до весны нам не дотянуть, и согласимся наконец с тем, чтобы совершить эту жуткую вылазку на тот берег, которой мы так боялись, так отчаянно не хотели. И тогда он повернулся, больно сжал мое плечо и заговорил яростным, сердитым шепотом:

— А мы начнем. Очень скоро — начнем. Ты не знаешь, что это такое. Никто из нас не знает, мы не умеем голодать. Нам придется урезать порции — вдвое, втрое, но через пару недель все равно останется только рыба, и ее будет мало, ее не хватит на всех. Нам придется выбирать — кто именно будет есть. Дети? Или те, кто должен проверять эти чертовы сети? Между прочим, это три-четыре километра каждый день по морозу, и надо рубить лед. А потом какая-нибудь из этих сетей примерзнет или порвется, или ее утащат какие-нибудь гребаные выдры, или просто несколько дней подряд нам не попадется вообще ничего — и всё, понимаешь, и всё. Даже если мы съедим эту твою бестолковую собаку — все равно. У нас начнут шататься зубы, Аня, и мы будем всё время спать. И когда наконец прилетят первые утки, ни у кого из нас уже не хватит сил бегать за ними по лесу. Нам непременно надо дотянуть до уток, и поэтому мы должны пойти на тот берег. Их было тридцать с лишним человек, и еды там наверняка осталось до черта, нам просто ничего другого не остается. Разве что стрелять ворон.

Сережа замолчал, тяжело дыша и все так же больно сжимая мое плечо, а я смотрела на него, стараясь разглядеть в темноте выражение его лица, и не видела, и сказала только:

— Ты не можешь решить это один.

И тогда он отпустил меня.

— Я должен, — сказал он куда-то себе под ноги. — Я устал вечно всех уговаривать. Смотреть, чтобы все припасы не сожрали в один день. Чтобы не палили на каждый шорох в кустах и не расстреляли за неделю все патроны. Устал следить за озером и убеждать их, что нельзя всем одновременно ложиться спать. Что кому-то надо всегда оставаться с женщинами в доме. Они уверены, что никто не придет, что больше некому приходить, — а это неправда. Мне надоело ждать, пока вы все включите, наконец, мозги, и поэтому я не буду больше никого слушать. Даже если они все будут против, если никто не согласится — я схожу один. Завтра и схожу. Надо просто закутать как следует лицо и не смотреть. Там все вымерзло давно и наверняка уже не опасно, а они... они, наверное, просто похожи на спящих, и еще какое-то время будут похожи. До весны точно. Нам обязательно надо сделать это до весны. Пока еще можно туда зайти. Потому что как только станет тепло, все это просто придется сжечь — целиком, вместе с едой и со всем прочим барахлом.

— У нас есть еще время.

Я протянула руку в темноту и дотронулась до его щеки, сухой и горячей, словно вокруг не было ни ветра, ни мороза.

— Обещай мне, что не пойдешь туда один. Может быть, что-нибудь изменится. Мы урежем порции, мы будем есть один раз в день, и, может, нам удастся растянуть то, что осталось, на подольше. Может быть, проснется эта чертова рыба. Или вам попадется лось. В конце концов, давай стрелять ворон. Нам нельзя на тот берег.

Стоит нам только зайти внутрь, вдохнуть однажды, прикоснуться к чему-нибудь... я не знаю, как это работает, но уверена, что этого делать нельзя, по крайней мере, до тех пор, пока нас совсем не прижмет.

Он молчал и не оборачивался ко мне. Я его не убедила, подумала я, не убедила, потому что сама не верю в то, что говорю; надо сказать что-то еще, чтобы он согласился подождать, потому что сейчас с ним никто больше не пойдет, никто из спящих сейчас за нашей спиной в маленьком тесном доме не согласится зайти туда, ворошить застывшие на холоде вещи, отводя глаза, стараясь не смотреть на тех, кто лежит там. Они ни за что не согласятся — до тех пор, пока мы в самом деле не начнем голодать.

— Давай подождем, — сказала я, — недолго, несколько недель, пожалуйста. Подождем. И тогда, даже если все будут против, я пойду с тобой.

* * *

До них было совсем недалеко — каких-то два километра пешком по льду, и в светлое время суток на фоне тускло-серого неба с нашего острова видно было уютное аккуратное облако дыма, вырывавшегося из труб двух огромных бревенчатых изб, чистых и новых, совсем непохожих на нашу жутковатую пародию на человеческое жилье. Там, в этих избах, были настоящие кровати, посуда, постельное белье. У них даже была баня — просторная, отдельно стоящая, пахнущая свежим некрашеным деревом, и тем, кто удобно и без стеснения устроился на том берегу, не приходилось мыться по очереди возле приоткрытой печной дверцы над мутным эмалированным тазом, стараясь не ступить чистой босой ногой на черные от въевшейся грязи половые доски. Электричества, конечно, не было и там, зато у них было достаточно спален, чтобы обеспечить им хотя бы какую-то, пусть минимальную раздельность, обособленность друг от друга; и еще столы — разной высоты, собранные по всем комнатам, но в достаточном количестве, чтобы все могли есть одновременно, сидя, как люди.

Они были готовы позволить нам остаться там, с ними, и не было дня, чтобы мы, безуспешно пытаясь обжиться на маленьком жалком острове, не задумались о том, правильно ли сделали, когда отказались.

Нельзя сказать, чтобы мы часто виделись с ними. Разве что Сережа во время своих рыболовных экспедиций встречался с пятью-шестью мужиками с того берега, всегда одними и теми же, которые, как и он, ежедневно проводили на озере два-три светлых часа. Они показали ему, как определять направление течения, чтобы медленный тяжелый ток ледяной воды сам расправил длинную неповоротливую сеть, и как потом закрепить ее, чтобы она не примерзла и не оторвалась. Наблюдая за его неудачами, они несколько раз даже (не без ехидных, конечно, комментариев) вручили ему пару-тройку увесистых рыбин, вывалянных в снегу, напоминавшем крупную соль, «чтобы бабы твои не смеялись». Потом выяснилось, что он так и не узнал, как их звали; мужики и мужики, не до этого было — знакомиться, задавать вопросы, разговаривать.

По сути, мы так и не узнали никого из них как следует, несмотря на то что целый месяц прожили совсем рядом, почти бок о бок. Их было тридцать четыре человека. Хотя ребенок, ради которого доктор тогда, в декабре, остался с ними, наверняка успел уже родиться, так что перед самым концом их стало уже тридцать пять — мужчин, женщин и детей, приехавших из одного и того же поселка, построенного вокруг пограничной комендатуры, — последнего крупного населенного пункта в этих местах; мы наверняка проскочили его насквозь в тот, последний день нашего бегства, и он показался нам таким же пустым и заброшенным, как и многие другие, большие и маленькие, безликие, оставленные жителями, и мы даже не успели запомнить его названия. Они все были заодно, вместе, и необходимость жить тесно, на виду друг у друга, не доставляла им, казалось, никаких мучений. Они просто приняли ее, усвоили разом, каким-то непостижимым образом в одну минуту вернувшись к спокойному и деловитому деревенскому укладу жизни, в котором нет и не может быть электричества, горячей воды, мобильной связи и продуктовых магазинов; и даже если бы вместо двух просторных и светлых домов им досталась наша темная, ветхая развалюха, они, наверное, все равно ухитрились бы как-то устроиться в ней и обжиться, не тратя времени на сожаления и жалобы.

Я думаю, мы не остались на том берегу не только из-за Сережиного разбитого лица и не из-за враждебной настороженности, с которой они встретили нас в ту ночь, когда мы гуськом вышли из леса в масках, которые они заставили нас надеть. И уж точно не из-за того, что порядок, в котором они безропотно и даже жизнерадостно существовали, показался нам таким неуютным и открытым, таким несвободным. Первая же неделя в маленьком доме на озере с его узкими комнатами лишила нас всяких иллюзий на этот счет. Мы просто никогда больше об этом не говорили. Ни разу после того ночного разговора в день приезда, когда еще можно было решить — уйти или остаться. Тогда Сережа сказал только «они другие, и их больше», и одного этого оказалось достаточно, чтобы мы единодушно согласились — нам будет лучше уйти. Мы все — даже папа, десять последних лет проживший в деревне, даже Лёня — почему-то сразу поняли: эти люди никогда до конца не приняли бы нас. И поэтому, каждый день ища глазами дым, поднимающийся из их труб, а по ночам стараясь разглядеть свет из окон, пробивающийся среди густо растущих на том берегу деревьев, никто из нас за весь декабрь озеро так и не перешел, и почти единственной нашей связью с ними так и остался доктор.

Не знаю, приняли ли они доктора. Пожалуй, он все равно не почувствовал бы их неодобрения, даже если оно и возникло. Он бывал у нас то и дело не потому, что ему неуютно было там, и уж точно его частые визиты нельзя было объяснить вниманием к дырке в Лёнином животе: за три недели она успела затянуться совсем и почти уже не болела, оставив после себя только некрасивый кривой шрам, темно-бурый, так и не побелевший. А доктор приходил все равно. Раз в несколько дней на другой стороне плоской и белой, как фарфоровая тарелка, поверхности озера появлялась его плотная фигура, издалека похожая на торопливо шагающую толстую черную птицу (девки, ставьте чайник, вон идет ваш императорский пингвин, говорил Лёня нежно), и мы всегда были рады его приходам, хоть ему и нечего, по сути, было рассказать нам. Новости с того берега, как и наши, не отличались разнообразием: холодно, пока не голодаем, рыба есть, но немного, все здоровы, пока всё тихо.

Время от времени Калина, даже на расстоянии опекая Иру с мальчиком, посылала с доктором молоко. На том берегу действительно была коза, настоящая коза, заслужившая, очевидно, отдельное место в «шишиге», на которой они так же поспешно, как и мы, бежали из своего умирающего поселка, успев собрать только самое необходимое. Молока никогда не бывало много, и чтобы получить новую порцию, нужно было вначале вернуть помятую пластиковую бутылку, в которой оно путешествовало с одного берега на другой. Дети мгновенно привыкли к его резковатому вкусу и запаху и пили жадно, без капризов. Нам нечего было послать взамен; лишней еды у нас не было, уловы были смешны, а из скудного запаса одежды, которую мы взяли с собой, могучей Калине ничего бы не подошло. В конце концов Марина отправила ей один из своих изящных золотых браслетов, и, несмотря на Лёнины насмешки (нужны ей твои цацки, Маринка, в лесу, ей бы ботинки хорошие, или шубу, или тушенки коробки две), подарок назад не вернулся, что означало — он принят.

Два раза к нам заглядывал Семёныч — вероятно, самопровозглашенный, но от этого не менее авторитетный предводитель их маленькой колонии. Оба раза он приходил один и пробыл совсем недолго. Его посещения не были похожи на приятельские визиты разговорчивого доктора; тяжело усаживаясь на одну из кроватей, он принимал кружку с горячим чаем (тогда у нас был еще чай), какое-то время молча, сосредоточенно прихлебывал, оглядывая наш жалкий, кособокий быт, а затем задавал какие-нибудь ничего не значащие вопросы вроде «не дымит печка-то?» или «кроватей — как, хватило? нормально?». И то, как мы неловко стояли вокруг него, сидящего, как неестественно и торопливо отвечали ему и с каким облегчением наконец провожали, напоминало мне ежемесячные визиты квартирного хозяина к бесправным жильцам; как будто от одной только доброй воли этого невысокого коренастого человека с помятым лицом и зависело наше право находиться здесь.

Примерно за неделю до Нового года до берега добралась наконец вторая отставшая группа, которую они ждали с таким нетерпением, и которая должна была приехать еще в конце ноября. Что ее задержало, мы так и не узнали, хотя о ее приезде нам стало известно почти сразу, потому что за доктором, в тот день гостившим у нас, с того берега послали человека. Он постучал в дверь и зашел, нагнувшись, конфузливо стянув с головы меховую шапку, и мне показалось, что я вижу его впервые в жизни, хотя, безусловно, за ночь и несколько утренних часов, которые мы провели на той стороне озера, все лица запомнить было невозможно. Проходить в дом незнакомец не стал; вместо этого он торопливо кивнул нам в знак приветствия, а затем нашарил взглядом доктора и позвал вполголоса, но настойчиво:

— Пал Сергеич, а Пал Сергеич! Приехали, — и остался стоять там же, возле двери, со смятой шапкой в руках, не объясняя больше ничего, словно эта короткая фраза содержала всю информацию, которую доктору следовало знать.

— Кто приехал? — спросила Наташа, но пришедший даже не повернулся в ее сторону.

Он продолжал настойчиво глядеть на доктора, сидевшего тут же, на краешке кровати, с пол-литровой железной кружкой в руках. Доктор всегда удивлял меня тем, сколько чая способен был выпить за один присест, — прикончив первую порцию, он застенчиво просил плеснуть ему «еще кипяточка, прямо в заварку, ничего», и мог повторять этот ритуал бесконечно, пока жидкость в кружке совсем не теряла цвет. И хотя в этот раз в руках его была самая первая, самая «чайная» порция, он вдруг резко, расплескав, поставил кружку на стол и встал.

— А Иван Семёныч что? — строго спросил он стоящего у двери незнакомца, одновременно натягивая на плечи свою бесформенную куртку. Тот пожал плечами.

— Выгружаться начали, — только и ответил он, — ты поспешил бы?..

— Пойдем, конечно, — сказал доктор и пошел к выходу.

Было совершенно очевидно, что он в одну минуту забыл и о своей вожделенной кружке, и о нас, и только когда Марина, уже в спину, испуганно крикнула ему: «Кто приехал? Что случилось?» — он обернулся и сказал своим обычным мягким, извиняющимся голосом:

— Я как раз собирался вам рассказать. Они два дня назад выходили на связь. Их двенадцать человек, у них были... неприятности по дороге, и кто-то, кажется, ранен. Мы ждали их вчера, но они не приехали, — и, предупреждая следующие вопросы, потому что Марина уже открыла рот, чтобы задать их, поднял руку защищающимся, останавливающим жестом: — Я зайду на днях и расскажу подробнее, не волнуйтесь, пожалуйста, всё в порядке, это свои.

После этих слов он вышел вслед за своим немногословным спутником, ни разу больше не обернувшись, и оставил нас гадать, кто такие эти загадочные «свои», которые приехали сегодня, до тех пор, пока кто-то не вспомнил подробнее детали того насыщенного событиями дня, в течение которого мы успели, зажмурившись от ужаса, проскочить страшный погибший Медвежьегорск, едва не потеряли папу прямо посреди безлюдной заснеженной трассы и совсем уже ночью, обессилевшие и напуганные, добрались до озера. Мы не рассчитывали никого здесь встретить, а в итоге наткнулись на кучку занявших берег людей, которые могли сделать с нами все что угодно: заставить остаться с ними и подчиниться их правилам или отобрать скудные запасы еды, одежды и топлива и прогнать нас, а то и просто без лишних проволочек перестрелять, — но вместо этого позволивших нам просто пройти мимо и стать их соседями, отгородившись ими от опасного и непредсказуемого теперь внешнего мира. Вполне вероятно, они и впустили нас потому, что ждали возвращения этих неизвестных двенадцати человек, оставшихся там, откуда сами они убежали так быстро, как только было возможно. Наверное, именно этим двенадцати было поручено собрать что-то важное. Что-то, без чего даже их приспособленная, казалось, ко всему община не надеялась дожить до весны. Мы вспомнили все, что услышали той ночью, когда, не сняв еще масок, толпились в тесной комнате с тускло полыхающей печкой, и перестали тревожиться: эта вторая пропавшая группа, почти месяц не выходившая на связь, потому что даже мощные военные рации не добивали сюда, в глушь, которую и мы, и люди на том берегу выбрали своим убежищем, действительно состояла из «своих». А сейчас, в нашем новом перевернутом мире, люди и правда строго делились на своих и чужих, и любая ошибка могла обойтись слишком дорого.

В тот вечер я лежала рядом с Сережей под раскатистый Лёнин храп в душной, как всегда избыточно натопленной комнате (они вечно настаивали на том, что перед сном необходимо набить закопченную печь под завязку, потому что «детям будет холодно», и с этим так же невозможно, некрасиво было бы спорить, как невозможно было лежать всю ночь без движения, глотая вместо воздуха пыльное тепло и запахи одиннадцати тел) и думала о том, что на берегу сейчас никто не спит. Я представляла, как все они собрались, наверное, в заставленной разномастными столами гостиной и слушают рассказы своих вернувшихся соседей — маленькая сплоченная община, в которой просто не существует условностей, так сильно осложняющих нам жизнь; в которой никто не обязан любить или не любить друг друга, принимать или не принимать, потому что принадлежность каждого из них к этой общине неоспорима. И впервые почувствовала что-то похожее на сожаление из-за того, что мы не стали ее частью.

Ни на следующий день, ни через два дня доктор не пришел, и это было понятно и не обидно. Нам легко было представить себе все эти новые хлопоты, связанные с прибытием опоздавшей группы, которая привезла с собой раненого человека и что-то еще. Что-то, достойное этого опоздания. И хотя нам, конечно, очень хотелось узнать, что именно они привезли, ради чего задержались, что они видели, что происходит сейчас там, на Большой земле, спустя месяц после того, как все мы покинули ее, что там осталось и осталось ли что-нибудь вообще, — даже тогда никто из нас так и не пошел на тот берег. Сложно сказать почему, но мы ждали, пока они сами вспомнят о нас, не желая навязывать им ни свое общество, ни свое любопытство; только соседи наши были, похоже, слишком заняты в эти дни, и даже на озере, куда Сережа с Мишкой ежедневно ходили проверять сети, они не встретили никого из обычных своих насмешливых наставников.

Тридцатого декабря Сережа поймал щуку. Она была большая, почти полуметровой длины, с острой клиновидной головой, жутковатой изогнутой пастью и злыми бессмысленными черными глазами, и попалась в наши неумело поставленные сети скорее случайно, едва не разломав непрочную деревянную конструкцию, удерживавшую их над водой. Это была такая неожиданная, такая шальная удача, что они с Мишкой не стали даже задерживаться, чтобы заново поставить сети, а вместо этого сразу побежали назад. Мишка торжественно внес безвольно обвисшую, расслабленную тушу в дом, а потом мы восторженно хлопотали вокруг в поисках йода, чтобы обработать порезы, и оба они — окровавленные, счастливые — рассказывали о том, что, когда вытащили сеть, щука была еще жива и сильно, яростно билась, словно стараясь выпутаться и прыгнуть обратно в темную ледяную воду, и чтобы остановить ее, Сереже пришлось воткнуть ей охотничий нож прямо в толстый затылок, но пока они с Мишкой пытались прижать ко льду извивающееся скользкое рыбье тело, она успела в кровь изрезать им руки своими острыми, загнутыми вовнутрь зубами.

Уже после, когда радостное волнение немного улеглось, Сережа сказал, что поймать сетью щуку, особенно зимой, особенно такую большую — невероятная редкость, на которую нечего и рассчитывать. Какая-то аномальная, почти сверхъестественная сила заставила ее подняться ко льду и попытаться пообедать горсткой запутавшихся в сети мелких серебристых рыбешек (которые и составляли обычно весь наш ежедневный улов) именно сейчас, когда самой природой ей было предписано вяло, в полусне болтаться на глубине. Но что бы ни говорили Сережа и папа, это мясистое рыбье тело, лежащее поперек шаткого стола и занимавшее почти всю его поверхность, было для нас зна́ком. Неоспоримым, первым доказательством того, что холодное, покрытое льдом озеро нам не враг, и что достаточно просто подобрать к нему ключ, расшифровать правила, по которым оно согласно делиться с нами жизнью, и можно будет не бояться голода.

Эти два дня — первый, когда Сережа с Мишкой поймали щуку, и следующий сразу за ним канун Нового года, — оказались, пожалуй, самыми счастливыми из всех, проведенных нами на озере, и я рада тому, что тогда мы еще этого не знали, потому что на самом деле ничего особенного в них не было. Нам было так же неуютно и тесно вместе, так же неловко, так же больно от воспоминаний, каждому от своих. Просто эти два события, по какому-то странному стечению обстоятельств почти совпавшие во времени — щука и неуместный здесь, но от этого еще более нужный праздник, — неожиданно погрузили нас всех без исключения в какую-то почти безмятежную радость. Окрыленные нечаянным Сережиным рыбацким успехом, Лёня и Андрей отправились вместе с ним на озеро ставить сети заново. Папа принялся неторопливо, со смаком потрошить щуку и даже со щедростью, спустя каких-нибудь две-три недели показавшейся бы любому из нас расточительной, отдал Псу все щучьи потроха, которые выбросил прямо на снег, и от которых в считаные минуты не осталось ни следа, ни капли, словно их и не было вовсе. Из гигантской головы, плавников и хвоста получилась целая кастрюля мутной, жирной, но невероятно вкусной ухи, варил которую тоже папа, в то время как мы, остальные, были только удостоены чести почистить несколько вялых, битых морозом картофелин. Под занавес папа торжественно влил прямо в кипящую, оглушительно благоухающую жидкость почти полстакана спирта; «для аромата», сказал он, улыбаясь, а после долго, зажмурившись, пробовал и досаливал, приговаривая: «Петрушечки бы, а? Лучку бы!» — но тем не менее остался очевидно доволен результатом.

Выпотрошенная и обезглавленная щучья туша и стала основным — и единственным — нашим новогодним блюдом. Несмотря на мороз, мы решили готовить ее на улице; слишком жалкими для праздничного ужина показались нам внутренности обшарпанного домика. Нам пришлось развести два костра — один, большой, чтобы не замерзнуть, и второй, поменьше, предназначенный для щуки, которая даже в облегченном виде оказалась слишком тяжела для нашей хлипкой китайской решетки, и поэтому, прежде чем запекать, ее пришлось разрезать на плоские одинаковые куски. Натирая перламутровую мякоть солью, Марина жалобно говорила:

— Ну почему я не взяла специй к рыбе, ни тимьяна, ни перца! Главное, я ведь помню даже, где они у меня стоят, вот дура!.. — И от этих ее причитаний, от прочих радостных хлопот с разведением костров, от деловитой беготни с улицы в дом и обратно, от криков «Закрывайте дверь, тепло выпустите!» на какое-то мгновение даже начинало казаться, что все это — и темнота за окном, и лес, и неуютный дом — всего-навсего обычная, суматошная, плохо спланированная поездка на чью-нибудь дачу, временное веселое неудобство которой закончится завтра же, как только выветрится хмель и можно будет снова садиться за руль.

К моменту, когда на месте первого маленького костра образовалось достаточное количество вспыхивающих на ветру углей и дошло наконец до щуки, уже давно стемнело, и небо, нависавшее в светлое время низким серым потолком, сразу же распахнулось над нами, сделалось черным и прозрачным. Мы стояли вокруг большого огня, исторгающего вверх столб вьющихся оранжевых искр, и не чувствовали холода, и вдыхали восхитительный, кружащий голову аромат шипящей на решетке рыбы; и папа сказал предсказуемо:

— Ну что, по маленькой? Проводим старый год, — и потащил из глубокого кармана бутылку со спиртом.

После неизбежной суеты с поиском подходящей посуды, споров о том, следует ли разбавить огненную жидкость или пить ее просто так, после того как Мишка дважды сбегал в дом — сначала за водой, потом за недостающими чашками, — вдруг оказалось, что мы стоим в тишине, сжимая в руках разносортные кружки и стаканы, и не можем поднять друг на друга глаза.

— Знаете, за что давайте?.. — произнес наконец Лёня. — Давайте за... ну, в общем, не чокаясь, ладно?

— Я не хочу — не чокаясь, — тихо, зло сказала Наташа. — Я не буду — не чокаясь. Ясно вам? Не буду.

— Наташка... — начал Андрей и взял ее за руку; она вырвалась.

— Мы просто не смогли к ним добраться. Эта чертова трасса, и этот жуткий мост. Это ничего не значит!..

Мы не смотрели на нее. Никто из нас не смотрел, чтобы не видеть ее лица.

— Я говорила с отцом прямо перед самым выездом, он сказал — у них все спокойно, он обещал мне! Обещал, что они никуда больше не поедут. Они в стороне, — теперь она уже плакала, — в стороне, это не Питер, это пригороды, они вполне могли...

— Рыба-то! — заорал вдруг папа так, что все мы вздрогнули. — Рыбу спалим сейчас! Мишка, а нука, посвети мне, Сережа, как же мы забыли?

И немедленно снова стало шумно и суматошно, так что сквозь весь этот гомон и папины негодующие крики жалобное Наташино «просто пропала связь — и все, я даже не... даже...» захлебнулось и затихло, растворилось в остальных звуках, а когда немного подгоревшую рыбу разложили по тарелкам, уже можно было делать вид, что этой короткой яростной вспышки просто не было.

А потом мы, стоя вокруг костра, ели рыбу. Прямо руками, вместе с обугленной корочкой, обжигаясь и втягивая сквозь зубы холодный воздух, и прихлебывали горький спирт безо всяких тостов, потому что до тех пор, пока горячая семидесятиградусная волна не поднялась и не оглушила нас хотя бы немного, говорить больше было нельзя. И конечно, эта волна очень скоро поднялась и оглушила, и мы снова заговорили, ни о чем и обо всем сразу, и не могли остановиться, как будто прорвалась какая-то невидимая плотина, стена, мешавшая нам слышать друг друга весь этот бесконечный, холодный, унылый месяц, наполненный разочарованием и крушением надежд. Полыхающий костер все выплевывал в черное небо свои искры, и не слышно было отдельных слов, а только уютный, дружный гул голосов. Мы улыбались, чокались глухо звякающими кружками, произносили дурацкие бодрые тосты, и вот уже Сережа с Андреем, подпирая друг друга и страшно завывая, запели «У це-е-еркви стоя-а-ала каре-е-ета-а», а где-то рядом Наташа с неожиданно бессмысленными, пьяными глазами кокетливо тыкала пальцем Лёне в грудь и не просила даже, а просто повторяла: «Потанцуем. Давай потанцуем», — а он улыбался и все отгораживался Мариной, держа ее, обмякшую, на весу. Потом кто-то спросил «а сколько времени?», и оказалось, что мы пропустили полночь, не заметили ее, но это никого не расстроило. «Проебали Новый год», — сказал Лёня, хлопнув себя по бедру, и мы еще хохотали, и чокались, и пили, и Мишка, спотыкаясь, уже нетвердой походкой направился к дому, а папа вдруг сказал: «А какого черта мы одни празднуем? Нехорошо как-то», — и мы тут же вспомнили про доктора, про Семёныча, про Калину-жену и ее маленького, похожего на черепаху мужа и засобирались.

— Пойду еще спирта зацеплю, что ли, — объявил Лёня. — Нехорошо с пустыми руками. Заодно павшего бойца уложу, — и, подхватив Марину на руки, понес ее в дом.

— Лёнька, черт, нельзя тебе тяжести!.. — смеясь, вслед ему прокричал папа, а Ира сказала удивительно трезвым голосом:

— Я не пойду. Останусь тут с этими пьяницами, надо же кому-то детей покараулить. Пошли, Антошка. Даша, идем, — и увела зевающих малышей.

А мы остались снаружи, и Сережа прижал меня к себе и жарко, пьяно зашептал мне «вот видишь, все хорошо, все будет хорошо», и мы даже немного покачались с ним, обнявшись, словно боясь остановиться, затормозить этот сплошной поток непрочной, хрупкой радости, а потом дверь распахнулась, и на улицу вывалился расхристанный Лёня, размахивая бутылкой, и мы двинулись в темноту, к озеру, оставив за спиной догорающий костер.

Тишина навалилась на нас стремительно, не успели мы сделать и нескольких шагов. «Черт, а куда идти-то, не видно же нихера», — почему-то шепотом сказал Лёня и прыснул. Шатаясь и хихикая, как подвыпившие школьники, мы какое-то время двигались наобум в полной темноте, пока Лёня не поскользнулся и не выразился совсем уже непечатно; и тогда Сережа выудил из кармана продолговатый фонарик, выстреливший нам под ноги голубоватым холодным светом, и сказал незлобиво: «Ты бутылку-то не разбей, учись, буржуй, у настоящего охотника всегда с собой должен быть нож и фонарик», — на что Лёня так же весело зафыркал: «Охотник, бля, зверолов... слебо... следопыт...»; и они даже какое-то время шутливо боролись на бегу, не останавливаясь и ухая, а потом все-таки затихли и успокоились, и дальше мы зашагали уже медленнее, то и дело поднимая голову и глядя вверх, в усыпанное звездами, молчаливое небо, переполненные благодарностью за то, что мы живы, пьяны и не одиноки, и несем початую бутылку спирта на другую сторону озера, к таким же, как мы, живым, теплым людям.

Карабкаясь на противоположный берег, мы несколько раз упали в рыхлый, проросший кусачими черными сорняками снег. Помогая друг другу подняться, отряхиваясь, еще раз проверили, цела ли бутылка, — она оказалась цела, — и по этому счастливому поводу отхлебнули еще по глотку, а потом Андрей предложил: «А давайте машинки проверим?» — и вместо того чтобы завернуть к празднику, к избам, мы направились к перелеску, отделявшему этот прибрежный лагерь от дороги, по которой мы месяц назад приехали сюда, потому что именно там, у самой кромки леса, мы оставили свои машины под присмотром наших соседей, не рискнув испытать на прочность недавно вставший на озере лед. Все они были на месте, все три: Лёнин пижонский «Лендкрузер», серебристый пикап Андрея и Сережин «Паджеро», плотно укрытые, прижатые к земле толстым слоем снега; и Лёня немедленно принялся смахивать этот снег, компактной лавиной сползавший ему под ноги, стараясь заглянуть внутрь сквозь покрытые ледяной коркой стёкла. «Ма-лень-кий», говорил он нежно, прижимая лицо к водительскому окошку; «ло-шад-ка моя», и от его дыхания на замерзшем стекле появлялись мгновенно снова индевеющие проталинки.

— Ну все, Лёнька, пошли, — сказал, наконец, Сережа нетерпеливо. — Спирт мерзнет, и мы тоже сейчас околеем.

Лёня неохотно повиновался, запечатлев на водительском окошке «Лендкрузера» последний мокрый поцелуй, и мы двинулись обратно по собственным следам, с каждым шагом проваливаясь в снег почти по колено. «Какого черта у них тут так темно, — ругался Андрей сквозь зубы, — посвети, Серёга», и Сережа добросовестно попытался попасть зыбким дрожащим кружком света нам под ноги, а когда это ему наконец удалось и мы снова оказались на утоптанной площадке перед двумя громадными избами и замешкались на мгновение, пытаясь вспомнить, в которой из них была устроена большая общая столовая, дверь ближайшей к нам избы неожиданно отворилась, и на пороге показалась едва различимая в темноте человеческая фигура.

— Стойте! — глухо крикнул стоявший в дверях человек и предупредительно вскинул руку ладонью вперед.

— С Новым годом! — весело заревел Лёня и поднял над головой бутылку спирта, но бледно-голубой кружок Серёжиного фонарика уже испуганно нащупал дверной проём, человека, стоявшего в нём, и вздрогнув несколько раз, прочно застыл прямо на его бледном, закрытом маской лице.

Человек зажмурился и поднес руку к глазам, загораживаясь от света.

— Стойте, — сказал он ещё раз, гораздо тише. — Не вздумайте приближаться.

Лёня опустил руку, и спирт тяжело плюхнул внутри бутылки.

— Доктор? Ты? — спросил он неуверенно, хотя было уже совершенно ясно, что это действительно доктор, который, несмотря на явно слепящий свет фонарика, словно приклеенный к его лицу, убрал ладонь, чтобы нам легче было узнать его, и произнес все так же глухо:

— Я боялся, что вы придете именно сегодня. Вам нельзя сюда, уходите.

— Что случилось?.. — спросил папа, как будто оставались еще сомнения, как будто маску, закрывающую это круглое знакомое лицо, и то, как тяжело, как нетвердо он стоял, с усилием упираясь плечом в косяк двери, можно было истолковать как-то иначе, по-другому.

Доктор махнул рукой.

— Идите домой, — сказал он. — Они меня не послушали. Я говорил, что нужен карантин, а они не послушали меня. Вам нельзя здесь. Вы ничем уже не поможете.

Мы стояли и смотрели на него, замершего в плену холодного голубоватого света, молча, со страхом, а потом Наташа резко, коротко вдохнула и сказала:

— Это нечестно. Нечестно, — и прижала руку ко рту, и отступила на шаг, и только потом заплакала.

А доктор еще раз махнул на нас рукой — прогоняющим, почти равнодушным жестом; видно было, что стоит он из последних сил, и мы попятились, повинуясь взмаху этой руки, а затем повернулись и двинулись прочь, не решаясь, не желая больше смотреть на него, чувствуя одновременно и мучительный стыд за свое поспешное отступление, и животный, инстинктивный ужас, гнавший нас как можно дальше от этого места. Когда мы были уже шагах в тридцати, он вдруг сказал что-то еще, только мы не расслышали его слов, потому что снег скрипел у нас под ногами, а кровь испуганно стучала в ушах; так что нам пришлось остановиться и развернуться к нему еще раз, и только тогда мы сумели разобрать, что он говорит — уже еле слышно:

— Важно... это важно... подождите... масок недостаточно, я ошибся... Это контактная, контактная инфекция, слышите?.. Нужны еще перчатки, обязательно перчатки, и не вздумайте возвращаться!..

И тогда мы побежали, увязая в снегу, жмурясь от хлещущих по лицу прибрежных сорняков, прямо на слабый свет нашего почти догоревшего новогоднего костра, и прыгающий, обезумевший кружок фонарика метался под нашими ногами. Мы бежали вместе и не вместе, по отдельности, в одиночку, не оглядываясь друг на друга, падая и поднимаясь, как звери во время лесного пожара, и последнее, что мы успели услышать сквозь громыхающий, оглушительный страх, было:

— ...надо сжечь! Сжечь, слышите? Нельзя заходить!..

* * *

Первую неделю января мы провели, смотря в небо, — не сговариваясь, ничего не обсуждая. Казалось, на какое-то время мы вообще потеряли способность говорить, оглушенные единственной мыслью — безжалостная, неразборчивая чума догнала нас. В тот самый миг, когда мы поверили, что убежали достаточно далеко, она разыскала нас даже здесь, посреди засыпанного снегом леса без дорог, без человеческого жилья. Лениво протянула свой длинный отравленный язык и скользнула им по краю нашего маленького уязвимого убежища — легко, беспрепятственно, как будто в нашем бегстве с самого начала не было ни малейшего смысла, как не бывает смысла в отчаянных усилиях измученного, обезумевшего от страха грызуна, забавляющих его когтистого истязателя: я вас вижу, я знаю, где вы, мне ничего не стоит убить вас, вы ничего не сможете мне противопоставить, я вползу к вам с каплей воды, с порывом ветра, и вы даже не заметите, как ваша смешная, нелепая битва будет проиграна.

Из беглецов мы превратились в наблюдателей, беспомощных и пассивных, достигших точки, за которой ничего не осталось. Нам больше некуда было бежать, и теперь изо дня в день мы могли только следить за этапами жалкой и бессмысленной борьбы, происходившей на том берегу, в двух километрах от нас, гадая, сколько времени понадобится чуме, чтобы победить их, этих едва знакомых нам людей. Мы ничего не знали об их борьбе. Не знали, все ли они больны и сколько из них еще живы. Единственным свидетельством того, что борьба еще продолжается, служили едва различимые на фоне низкого серого неба столбы дыма, поднимавшегося из печных труб. Чтобы разглядеть берег, нужно было выйти из дома и пройти по вмерзшим в лед деревянным мосткам до самого края, туда, где густо растущие на острове деревья не загораживали обзора; и я не могу сосчитать, сколько раз за эти дни мы поодиночке, стараясь не столкнуться друг с другом, подходили к этому краю и поднимали глаза вверх, потому что до тех пор, пока дым поднимался, еще можно было делать вид, что не всё кончено, что каким-то невероятным, неизвестным способом им удастся спастись, пусть не всем, пусть хотя бы кому-то из них. А потом наступил день, когда мы не увидели дыма, сколько бы ни вглядывались в мутный горизонт. И хотя это еще можно было объяснить себе — пасмурная погода, плохая видимость, сильный ветер, нужно подождать до завтра и попробовать еще раз, — дыма не было ни назавтра, ни еще через день. И берег, и небо над ним выглядели пусто и безжизненно, необитаемо. Обманываться не было больше смысла. Она победила, и мы остались одни.

Наверное, нам следовало сделать что-нибудь; что угодно, принятое в таких случаях. Мы могли выпить, не чокаясь, могли вспомнить их имена — те, что успели узнать, и произнести вслух. В конце концов, мы просто могли поговорить о них. Однако по какой-то странной причине мы не стали делать ничего. Напротив, мы перестали упоминать их совсем, словно их никогда не было. Словно вся эта маленькая колония, неожиданно вынырнувшая из небытия на самом краю нашего путешествия и спустя какой-нибудь месяц снова в него нырнувшая, оказалась не более чем галлюцинацией, померещившейся нам где-то посреди испуганной кутерьмы последних проведенных в дороге дней, как если бы мы заснули где-то между Медвежьегорском и этим маленьким островом. Заснули и увидели сон, который уже закончился и о котором нет смысла вспоминать. Весь следующий месяц мы просто существовали — вяло, апатично, молча, открывая рот только затем, чтобы произнести простые слова, касающиеся маленьких ежедневных будничных дел, не думая о будущем, не строя планов, истощая скудные запасы еды, теряя силы. Только в день, когда оказалось, что еды почти не осталось, а точнее — позже, ночью, когда мы с Сережей сидели на обледеневших деревянных мостках, и он произнес «нам нужно сходить на тот берег», а я ответила быстро, быстрее, чем успела обдумать его слова — «нельзя», реальность вдруг почти осязаемо перестала двоиться и *совместилась*, встала на место, как будто рассеялся хмель, как будто со щелчком закрепилась наконец нужная линза в медицинской оправе, и стали видны все строчки проверочной таблицы на противоположной стене.

В этой настоящей реальности, которую мы все неожиданно осознали, на том берегу стояли два огромных бревенчатых дома, доверху забитых мертвецами, и как бы мы ни выкручивались, рано или поздно нам обязательно нужно было перейти озеро и войти туда, и обыскать каждый угол, собирая все, жизненно нам необходимое — крупу, консервы, лекарства, оружие, топливо и множество полезных мелочей, о которых мы не подумали, собираясь в дорогу, которыми не успели запастись сами.

Сережина идея не вызвала споров. Наутро после ночного разговора, перед тем как уйти с Мишкой на озеро проверять сети, он сказал спокойным, будничным голосом, как будто это не мы целый месяц притворялись, что на том берегу нет и не было никаких домов, как будто весь этот месяц мы только и делали, что обдумывали способ, надежный и безопасный, проникнуть туда и не заразиться:

— Если надеть маски и перчатки, если ничего не трогать голыми руками, я думаю, ничего не случится.

И папа, быстро вскинув голову, подхватил:

— Перчатки, в конце концов, можно сжечь.

А Ира сказала:

— Вот еще, достаточно просто прокипятить, разведем костер на улице, согреем воды в тазу, консервы на всякий случай можно еще спиртом...

Это даже не было похоже на начало разговора, на самое первое обсуждение предстоящей опасной вылазки. Напротив, все выглядело так, словно решение уже принято и осталось только договориться о деталях. Тем более странно, что после такого оживленного, полного идей утра ничего, по сути, не изменилось, потому что ни назавтра, ни через неделю этот сложный план, включающий все возможные меры предосторожности, так и не был осуществлен.

Мы тянули. Даже после того, как закончились консервы. И потом, когда не осталось ни крупы, ни макарон; когда кончился чай. Даже когда нам почти полностью пришлось перейти на рыбу, а ее было мало, и в некоторые дни не было вовсе;

когда подошли к концу запасы сухого молока, когда мы все, даже дети, могли позволить себе есть только один раз в день, и порции стали совсем крошечными, — мы тянули время, потому что между обсуждением этого плана, с которым никто не спорил, с которым все были согласны, и его выполнением существовала огромная разница, заключавшаяся в том, что говорить о необходимости перейти озеро можно было сколько угодно, а вот сделать это на самом деле оказалось невероятно, нечеловечески страшно. Это был еще не голод, хотя Псу не доставалось уже почти ничего, кроме самых несъедобных и жестких рыбных очистков, и он проглатывал их, не жуя, а затем тяжелым неприятным взглядом провожал каждый съеденный нами кусок. Я боялась, что в какой-нибудь момент он не выдержит и сделает что-нибудь такое, из-за чего все остальные перестанут ему доверять. Я не дам тебя съесть, думала я. Ты мне нужен, даже не знаю зачем, но ты мне нужен. Нам бы только дотянуть до весны. Это был еще не голод, не настоящий голод, хотя дети стремительно становились прозрачными и сонливыми, словно повинуясь какому-то встроенному закону сохранения энергии; хотя мы, взрослые, уже начали терять в весе — у Мишки запали щеки и ввалились глаза, и даже Лёнин громадный живот существенно уменьшился в размерах, угрожая вот-вот превратиться в пустую складку кожи; хотя каждое утро, когда я чистила зубы жесткой, смоченной в теплой воде щеткой, на снегу оставались теперь розоватые следы, а во рту — привкус крови. Несмотря на все это, мы еще не начали голодать по-настоящему, у нас еще оставалось время.

Февраль почти закончился, и хотя мороз, сжимавший наш хлипкий дом со всех сторон, нисколько не ослаб, дни стали заметно длиннее; и мысль о том, что мы все-таки протянули целый месяц на жалкой кучке консервов и свежей рыбе, позволяла нам всякий раз откладывать неизбежный пугающий поход на ту сторону еще на неделю вперед, еще на несколько дней. На потом, когда сети снова окажутся пустыми. Когда случится что-нибудь еще, не оставив нам другого выбора. И, просыпаясь каждое утро, я по-прежнему отсчитывала вслух — двадцать шестое февраля, двадцать седьмое. Скоро весна, мы дотянем, мы сможем дотянуть, нам не придется туда идти.

В то утро я проснулась и поняла, что не знаю, какое сегодня число. Сережа был уже одет и возился с термосом, наливая согретый на печи кипяток. В последние дни я перестала чувствовать, как он поднимается с кровати, как с облегчением распрямляется ее продавленная сетка, потому что спала теперь крепче и тяжелее, чем раньше, иногда даже пропуская момент, когда он уходил, когда все они уходили, оставив меня наедине с этими женщинами. Которые и теперь, после двенадцати дней пути и трех месяцев неуютной и тесной жизни здесь, на озере, оставались такими же чужими, как в первый день. Которые не были мне нужны — не были бы, если б не это невыносимое одиночество, падающее на меня сверху в миг, когда за Сережей, Мишкой и папой закрывалась дверь, и отпускающее только в момент их возвращения; если бы не этот нестерпимый обет молчания, словно висящий над моей головой, делающий меня невидимкой. У них были спасительные, объединяющие хлопоты вокруг детей, и казалось, это вынужденное соседство не доставляет им никаких неудобств; они говорили — принеси воды, подбрось дров, посмотри в окно, не идут еще? Они не стали подругами, я видела, что не стали, но это совершенно им не мешало; я же чувствовала себя попавшей в детский сад, куда меня определили в середине года, когда все уже знакомы друг с другом, а я лишняя, я одна, и даже если попытаться подойти и присоединиться к чужой непонятной игре, меня все равно не примут, на меня просто не обратят внимания. Больше всего мне хотелось забиться в угол и молчать, или спать весь день, или уйти в лес и не возвращаться, пока не вернутся мужчины. Я даже пыталась ходить с ними на озеро, но с первого же дня поняла, что не справляюсь, что мне холодно, что я мешаю Сереже своими жалобами. Мне не было места нигде.

Поэтому, проснувшись, я вначале испуганно нашарила его глазами и, только убедившись, что он еще здесь, что я еще не одна, спросила:

— Какой сегодня день?

Сережа обернулся.

— Я не помню, — сказала я. — Високосный год или нет?

— Черт его знает. — Он пожал плечами и снова наклонился над термосом. — Какая разница?

Мне хотелось сказать: «Большая, большая разница!» — потому что это было важно — знать, какое сегодня число, двадцать девятое февраля или первое марта. Но я ни за что не сумела бы объяснить ему, он не услышал бы. У него был термос, который нужно наполнить кипятком, его ждали сети, покрытые ледяной коркой, а у меня впереди — пустой бессмысленный день, еще один из целой череды таких же, только теперь я даже не знала, какой он по счету, и этого уже нельзя было вынести. Сережа завинтил наконец крышку термоса и позвал:

— Лёнька! Всё готово, ты идешь?

Из-за тонкой перегородки, разделявшей комнаты лишь наполовину, раздался Лёнин зычный зевок, яростно заскрипели пружины. Я смотрела в Сережину спину и знала, что он уже не обернется. Подхватит сейчас свой термос и выйдет за дверь. Подняв голову, он прислушался к звукам за перегородкой и начал было еще раз:

— Лёнька... — но не успел закончить фразу, потому что низкая, ведущая на улицу дверь распахнулась, и в проеме появилось растерянное Мишкино лицо.

Мишка обвел нас глазами и сказал, обращаясь, как мне показалось, только к Сереже:

— Там дым.

— Где — дым? — переспросил Сережа удивленно.

— На том берегу, — ответил Мишка. — Там дым, понимаешь? — И, не сказав больше ни слова, убрал голову и захлопнул входную дверь.

* * *

Столб дыма — густой, похожий на толстый восклицательный знак, — вызывающе тянулся вверх над растущими на берегу деревьями, распадаясь на отдельные темные облачка уже где-то совсем высоко; погода была безветренная. На узких мостках, жалобно прогнувшихся под нашим весом, места для всех не хватило. Сережа, выбежавший первым, стоял возле самого края, напряженно вглядываясь вперед — туда, где, плотно укрытые лесом, прятались от глаз бревенчатые избы наших мертвых соседей, где стояли наши засыпанные снегом машины и где — мы знали точно — уже полтора месяца не было ни единой живой души. После Мишкиных слов мы все почти одновременно вскочили и бросились к выходу, на бегу набрасывая одежду. Выбегая из дома, уже в дверях я столкнулась с папой, почему-то спешащим назад; лицо у него было напряженное, он почти сердито отпихнул меня, ворвался внутрь и немедленно принялся громыхать чем-то в сумрачной глубине комнаты, и появился на улице только после, когда мы уже толпились снаружи, толкаясь на тонком дощатом помосте, опоясывающем дом, дыша друг другу в затылок.

— А ну-ка, — раздался его хмурый голос где-то позади меня.

Работая локтями, он начал прокладывать себе дорогу вперед, к внешнему краю мостков, и наша неустойчивая толпа вздрогнула и рассыпалась, освобождая ему проход.

Из-за спин мне не было видно ничего, кроме дыма. Я хочу увидеть берег, подумала я, хочу увидеть — что там, и даже встала на цыпочки, вытянув шею, но уперлась взглядом только в массивные Лёнины плечи.

— Отойди-ка, Мишка, — деловито сказал папа, и тонкая узкоплечая фигурка сразу же послушно, с готовностью качнулась назад, едва не сбив меня с ног.

Быстро протянув руки, я обхватила его, чтобы он не свалился с мостков, и снова, в который раз, удивилась тому, какой он худой и твердый, как ломкое молодое дерево. За несколько проведенных на озере месяцев он как будто вытянулся вверх и высох, отросшие спутанные волосы уже падали ему на глаза, только он не позволял мне подстричь их. Он вообще ничего теперь не позволял мне, занятый серьезными мужскими делами; его больше нельзя было трогать руками, тормошить, его даже почти невозможно было заставить мыться, и он уже начал пахнуть козленком, мой мальчик, мой незнакомый маленький сын. Мишка нетерпеливо стряхнул мои руки и попытался было снова нырнуть назад, в толпу, но я схватила его за рукав.

— Что там? — спросила я. — Ты видел что-нибудь? — И тогда он повернул ко мне возбужденное, почти радостное лицо и ответил:

— Дым, мама! Дым! — как будто удивляясь тому, что я не радуюсь вместе с ним.

— Кто-то выжил, да? — растерянным, тонким голосом спросила Марина (кажется, уже не в первый раз). — Получается, кто-то все-таки выжил?..

Этого не может быть, подумала я. Мы смотрели в небо каждый день, здесь просто некуда больше смотреть, мы бы заметили.

— А полтора месяца этот кто-то святым духом там грелся? — рявкнул папа раздраженно.

Он уже добрался до края мостков и стоял теперь рядом с Сережей.

— Не говори ерунды. Это кто-то другой. Кто-то новый. И этот кто-то, — продолжил он после паузы, — уже знает, что мы здесь.

Обернувшись к нам, папа поднял руку, показывая в небо над нашими головами. Мы невольно расступились и посмотрели вверх, уже понимая, чтó там: пусть и не такой же густой и черный, но поднимающийся так же высоко, выдающий нас с головой дым из нашей собственной печной трубы. Поэтому, пока остальные стояли с задранными к небу лицами, я взглянула на папу и поняла наконец, зачем он возвращался в дом. Во второй, свободной руке, стволом вниз и чуть в сторону, он держал свой тяжелый длинный карабин, и стоило мне увидеть этот карабин, в животе у меня нехорошо, неприятно заныло.

— Что будем делать? — спросил, наконец, Лёня. Папа пожал плечами.

— Ждать, — сказал он просто. — Идти туда незачем. Мы не знаем, кто они, не знаем — сколько их. На берегу у них преимущество, а сюда, на остров, незамеченными они не доберутся. Будем дежурить по очереди, чтобы не было сюрпризов. Рано или поздно они придут к нам сами.

— Или не придут, — сказал Сережа, и все обернулись к нему. — Если они сунулись туда без защиты, через пару дней уже некому будет приходить.

Мы не подумали только об одном, и это стало ясно почти сразу после того, как мы вернулись в дом: в отличие от людей, появившихся на том берегу, мы не могли ждать бесконечно. У нас просто не было такой возможности теперь, когда не осталось ни консервов, ни круп, а обе наши сети, приносившие ежедневно горстку тощей рыбы, ждали посреди озера, закрепленные на самодельных деревянных треногах. С края мостков можно было разглядеть их, чернеющих посреди льда в нескольких сотнях метров от острова. Добраться туда, не рискуя быть замеченными, нам ни за что бы не удалось.

— Самое позднее завтра нам придется проверить сети, — сказал Сережа, когда они сидели с папой у колченого стола, разложив по нему весь небольшой арсенал, имевшийся у нас с собой: три Сережиных ружья и папин видавший виды, поцарапанный «Тигр». Мишка караулил снаружи, и через мутное оконное стекло я видела его разочарованный тощий силуэт; он отчаянно требовал выдать ему одно из ружей, но вместо этого папа сунул ему бинокль («Твое дело — предупредить, глаза у тебя молодые, смотри в оба, два километра открытого пространства, увидишь что-нибудь — что угодно — стучи, понял?»). В комнате резко, вкусно пахло ружейным маслом.

— Как на ладони будем, — с досадой возразил папа.

— Нам нельзя без сетей, — сказала Ира.

Она сидела на Наташиной кровати, крепко обнимая обеими руками мальчика, который смотрел на лежащие на столе ружья с восторженным, жадным интересом.

— Нельзя без сетей. Детям нужно есть, нам всем нужно есть.

Мы помолчали. Наконец, папа поднял карабин и посмотрел в окно через длинный, похожий на подзорную трубу оптический прицел.

— Есть одна идея, — сказал он. — Серёга, пойдем-ка, крышу посмотрим.

Спать мы легли рано, но кроме негромкого сопения детей и треска дров в печи, в темном доме не было в эту ночь ни одного привычного звука, словно все лежали без сна, неподвижно, и смотрели в темноту. Настороженная тишина нарушалась только негромким скрипом входной двери: мужчины сменяли друг друга каждый час, потому что снаружи, на морозе, дольше было просто не выдержать. Мучительно, как всегда, хотелось есть, но есть теперь хотелось постоянно, и гораздо мучительнее оказалось это пассивное, вынужденное ожидание. Почему они не пришли сегодня? Чего они ждут? Кто они вообще, эти люди, появившиеся в тот самый момент, когда мы уже почти поверили, что остались здесь одни, что больше никто не придет?

Они не пойдут ночью, думала я, ворочаясь на жестком матрасе. Никто не пошел бы ночью: они не знают озера, окна у нас не горят, дыма в темноте не видно. Они заблудятся и ни за что не выйдут к острову, они будут ждать до утра и пойдут только потом. И еще я думала: что, если они вообще не придут? Если они так же, как мы, затаились на своем берегу и так же не спят сейчас, ожидая нападения, потому что это единственное, чего мы можем ожидать теперь друг от друга. Что мы будем делать тогда?

Наверное, я все-таки заснула ненадолго, на какое-то мгновение закрыла глаза и открыла их, когда уже рассвело. В комнате никого не было. На печи, булькая, кипела вода в эмалированном чайнике, снаружи раздавались негромкие голоса. Что-то глухо стукнуло по дощатой стене дома и сразу после тяжело зашуршало, поползло по крыше вниз, грузно ухнуло и залепило снегом маленькое подслеповатое окно. Я сунула ноги в ботинки, надела куртку и вышла за дверь. Все они были там. Сережа с Андреем держали шаткую,

73

криво сбитую деревянную лестницу, по которой папа, цепляясь своими огромными валенками за каждую надтреснутую ступеньку, лез на крышу. Карабин болтался у него на спине, лестница жалобно скрипела, с крыши градом сыпался вниз потревоженный снег. Внизу, в отчаянии заламывая руки, метался Мишка.

— Давайте я! — умолял он, видимо, уже не в первый раз. — Ну давайте я!..

— «Я» — последняя буква алфавита! — донеслось сверху, и в то же мгновение прямо Мишке под ноги рухнул неровный лист серого ломкого шифера. Ударившись в опоясывающий дом деревянный помост, он раскололся на несколько частей.

— Андреич! — заорал Лёня, подходя. — Песок из тебя сыплется! А то давай, может, я залезу?

— Я тебе залезу, — ворчал папа с крыши. — Тебя еще три месяца на голодном пайке держать, вот тогда полезай.

Я оглянулась к Лёне. Он стоял, задрав голову, и дурашливо, весело орал что-то еще, но глаза его не улыбались. Присмотревшись, я вдруг поняла, что все они — и Андрей, и Сережа, и танцующий под лестницей Мишка — напряжены и сосредоточены, что за спиной у каждого — ружье, и что даже стоят они так, чтобы ни на мгновение не выпустить из вида противоположный берег и плоскую ледяную поверхность озера. Я спрыгнула с мостков в снег и отошла на несколько шагов, чтобы видеть крышу. Папа уже успел взобраться на самый верх и сидел теперь прямо на ее пологом коньке, широко расставив ноги. Повернувшись, он поймал мой взгляд и улыбнулся.

— Анюта, — попросил он, — принеси-ка мне термос с кипяточком. Там на печке чайник. Вскипел уже, наверное.

Мне до смерти не хотелось уходить сейчас, так и не узнав, что происходит, что́ именно они задумали, но я не рискнула спорить с ним и послушно направилась в дом. Я спрошу, сейчас выйду и спрошу. Весь этот театр рассчитан на детей, чтобы их не пугать; они не ели уже целые сутки и вчера весь вечер ныли и нервничали. Сняв чайник с огня, я нашла термос, налила в него кипяток и поспешно выскочила на улицу. Меня не было от силы несколько минут, но, едва оглядевшись, я поняла, что опоздала с вопросами, потому что Сережа, Андрей и Лёня были уже далеко, метрах в пятидесяти от берега. Я видела их удаляющиеся спины. Они шли небыстро и настороженно, три отчетливые темные фигуры на белом и рядом — желтая четвероногая тень. Я испуганно поискала глазами Мишку. Он был здесь, возле лестницы, его не взяли, слава богу, они его не взяли, и тогда я снова спрыгнула с мостков и крикнула вверх:

— Куда они?.. Папа!

Он лежал теперь на животе, упираясь в крышу локтями, и удобно пристраивал свой длинный карабин на двуногий металлический упор. Не поворачивая головы, он сказал:

— Мишка, возьми у мамы термос, — и протянул руку, словно ожидая, что между этим его приказом и моментом, когда термос окажется наверху, пройдет не больше секунды.

Мишка поспешно отскочил от лестницы, как резиновый мячик, бросился ко мне и схватился за ремешок термоса. Только я не разжала пальцы и спросила еще раз, уже у него:

— Куда они?

— Так сети же, — сказал Мишка нетерпеливо. — Сети забрать.

Он дернул за ремешок и взлетел по лестнице вверх, разбрызгивая прилипший к ботинкам снег.

— Все нормально, Аня, — раздался сверху папин голос. — Тут метров пятьсот, не больше. Дальше они не пойдут, а я за ними послежу, мне отсюда хорошо видно.

— Не волнуйся, мам. — Мишка уже спускался обратно. — Им просто сети забрать, это быстро. Просто забрать. Куда мы без сетей.

Как я могла пропустить момент, в который мы поменялись местами, думала я, сидя возле Мишки на мостках и вглядываясь в слепящую белизну. Вот — три темных силуэта; на этом расстоянии уже невозможно определить, кто есть кто. Вот, впереди, чернеют вмерзшие в лед деревянные опоры, на которых висят наши сети, а дальше, за ними, чуть наискосок — обломки каких-то приспособлений, обычный озерный мусор, оставшийся после наших соседей, опрокинутая на бок металлическая бочка и пара разломанных ящиков. Черная полоска леса на той стороне. Уверенный, широкий столб дыма. И две — нет, три незнакомые человеческие фигуры, отделившиеся от темной береговой линии.

Не помню, кто из нас увидел их раньше. Знаю только, что едва успела вскочить на ноги, думая — закричать? Молча бежать вперед, чтобы предупредить Сережу? Я пробежала бы эти триста–четыреста метров быстрее, чем люди, идущие к нам с того берега, даже если бы они заметили, что я бегу; они были пока слишком далеко. Я не крикнула и не побежала, я просто не успела, потому что Мишка вскочил и, сунув два пальца в рот, свистнул — оглушительно, так, что у меня заложило уши, я и не подозревала, что он умеет так свистеть; и в ту же самую минуту что-то загрохотало над нашими головами и звучно шлепнулось к нашим ногам — термос с полуотвинченной крышкой, из которого дымящимися толчками потекла горячая вода, и снег вокруг немедленно подобрался и съежился, словно внутри стеклянной колбы был не кипяток, а кислота.

— Аня, — прозвучал сверху папин голос прямо мне в затылок, так близко, будто папа стоял у меня за спиной. — Девочки, берите детей и марш в дом.

Краем глаза, потому что отвести взгляд от озера было нельзя (они услышали свист? услышали или нет?), я увидела длинный матовый ствол карабина, торчащий над невысоким коньком крыши причудливым, зловещим флюгером, и откры-

Яна Вагнер

ла рот, чтобы сказать папе, лежащему на крыше: стреляйте, ну стреляйте, чего вы ждете? Мы ничего не знаем об этих людях; зачем они здесь? Что им здесь нужно? Мне все равно, даже если они не хотят плохого; там Сережа, я не знаю, услышал ли он, как Мишка свистнул. Что, если звук отнесло ветром? Мне все равно, стреляйте. Пусть они остановятся, пусть уйдут.

— Далеко, — сказал Мишка севшим, незнакомым голосом, и я поняла, что это больше не мысли у меня в голове, что я говорю вслух.

— Далеко, — повторил он, не оборачиваясь ко мне. — Рано стрелять, они должны подойти поближе.

— Марш в дом, я сказал! — заревел папа, и за нашими спинами сразу затопали по мосткам торопливые шаги, стукнула дверь.

— Я не пойду, — отрезал Мишка, все еще не оборачиваясь, и поднял висевший на шее бинокль.

Глаза у него слезились от ветра, щеки горели красным. У меня здесь нет младенцев, которых нужно спасать, подумала я. Только этот упрямый шестнадцатилетний мальчик, которого я не смогу затащить внутрь, даже если попытаюсь сделать это силой.

— Я тоже не пойду, — сказала я. — Дай мне бинокль, слышишь? Быстро! — И, протянув руку, рванула ремень.

Мишка взглянул на меня, совсем коротко, и не стал спорить. Неожиданно покорно нагнул голову и позволил биноклю соскользнуть.

Замерзшим металлом обожгло кожу; картинка дрогнула и расплылась, мечась по пустынной, белесой ледяной равнине. Видно было только снег, редкие черные кусты, неровную цепочку следов, я их не вижу, черт, я не вижу. И тут я увидела. Они еще не добрались до сетей, еще продолжали идти вперед, и я даже подумала было, что Мишке нужно свистнуть еще раз, что они его не услышали, но тут Сережа (теперь я точно знала, кто из них Сережа) снял ружье с плеча. Зачем они идут? Им надо бежать обратно; почему они не бегут?

— Они встанут возле самых сетей, — зашептал Мишка, — дальше не пойдут, так и надо, мам.

И тогда я поняла, что это и был их план, поняла их напряженные, сосредоточенные лица. Они знали, что стоит им выйти на лед, те, другие, тоже покажутся.

Я смотрела сквозь примерзающий к щекам бинокль на медленное, бесконечно медленное сближение. Три черные фигуры с одной стороны озера, три — с другой, словно за ночь кто-то незаметно расположил посреди пейзажа огромное зеркало. Потом мне пришло в голову еще одно, такое же странное сравнение — больше всего они напоминали сейчас опасливо, неохотно сходящихся дуэлянтов. Хотела бы я знать, понимают ли те, другие, где именно проходит линия, невидимый барьер, за которым до них дотянется папин карабин. Я увидела, что Сережа дошел наконец до деревянных опор с висящими на них сетями и остановился, что Лёня с Андреем встали возле него, что даже Пёс, про которого я совсем забыла, на которого даже не смотрела, замер и больше не двигается. Что чужие трое — все мужчины — какое-то время еще продолжают идти вперед, а потом все-таки понимают что-то и останавливаются тож, и долго, несколько нестерпимо длинных минут стоят неподвижно, словно думая, что им делать дальше. Они не подойдут, думала я, не сделают больше ни шагу. Ни те, ни другие. Просто будут стоять вот так и смотреть друг на друга, и единственным результатом этого жуткого утра будут сети, которые, судя по всему, удастся-таки спасти, но мы так и не узнаем, кто эти люди с той стороны, и каждую ночь будем ждать их возвращения, только теперь они будут осторожнее. И тут я увидела, как Сережа медленно поднимает вверх руку и машет, а затем, нагнувшись, кладет ружье в снег и, сложив ладони рупором, кричит — не нам, а тем, другим, — что-то неслышное, потому что слова его немедленно сносит ветром, и делает еще несколько нерешительных шагов вперед. Чтобы поймать в фокус ту, вторую группу, мне всякий раз нужно метнуться взглядом, сдвинуть кадр, и несколько панических секунд я боюсь, что потеряла их, что пропущу какое-нибудь важное движение, как будто от меня зависит что-то. Как будто пока я смотрю — пристально, не отводя глаз, — ничего плохого не может случиться. Вот они, незнакомые трое, всё еще неуверенно топчутся на одном месте, а потом один из них все-таки тоже поднимает руку и, освободившись от своего оружия, идет к Сереже.

Вот сейчас он, наверное, уже перешел линию, подумала я, разглядывая хорошо различимое теперь лицо незнакомого человека, закрытое черным военным респиратором; но в руках у него ничего нет, и стрелять сейчас папе ни к чему. Кроме того, судя по всему, человек догадался, что эта линия, за которой он был в безопасности, существует, и что теперь она пройдена, потому что старался все время встать таким образом, чтобы между ним и островом оставался Сережа. Я смотрела, как они разговаривают, как нешироко, аккуратно жестикулируют, как оборачиваются и смотрят в нашу сторону, как чуть позже к ним подходят остальные — Лёня и Андрей, и двое с той стороны. Я не знала, много ли прошло времени — десять минут или полчаса, и даже когда разговор, очевидно, подошел к концу, когда троица в камуфляжах и респираторах развернулась и отправилась к своему берегу, и потом, пока наши вынимали сети, пока шли назад, я все стояла, прижав бинокль к лицу, боясь пошевелиться. А насколько окоченели пальцы, державшие бинокль, — до какой-то неживой, стеклянной хрупкости — почувствовала уже после, когда Сережа шагнул на берег и сказал: «Мишка, сеть перехвати, надо повесить, запутается».

Позже, дома, папа кричал Сереже:

— Другой был уговор! Другой! Какого черта ты поперся вперед? Они должны были дойти до бочки, надо было ждать, пока они сами не подойдут!

— Не подошли бы они, — устало отбивался Сережа. — Ты же сам видел, не собирались они подходить.

— Ну и не подошли бы!

Папа выглядел плохо, лицо у него было серое, покрытое болезненной перламутровой испариной.

— С ними надо было поговорить, — сказал Сережа. — Нам не нужна здесь война. А если б ты выстрелил в бочку, они бы тоже начали палить.

— Они с калашами, все трое, Андреич, — примирительно вставил Лёня. — Куда нам против них с охотничьими ружьями. Из этих троих только у одного черта рожа умная, а двум другим думать нечем. Услышали бы выстрел — и разбираться бы не стали, в бочку, не в бочку. Постреляли бы нас, как зайцев.

В стену дома постукивали вывешенные снаружи, постепенно застывающие на морозе сети, из которых никто еще не успел выбрать скудный улов этого дня, а мы сидели внутри, стараясь держаться поближе к печке, медленно оттаивая, отогревая застывшие руки чашками с дымящимся кипятком, и никак не могли согреться. Как только наступила первая пауза в разговоре, Наташа грохнула чайником по закопченной чугунной крышке печи и спросила:

— Ну что — вы закончили? А то, может, нам еще подождать? Кто-нибудь собирается рассказать, что там вообще произошло?

— Ну, как... — начал Лёня и посмотрел на свои руки.

Чашка прыгала в них, как сумасшедшая, и он вдруг улыбнулся, не смущенно, а даже, пожалуй, весело; и я неожиданно поняла, что ему все это нравится: и прогулка с ружьями, и незнакомые «черти с калашами», осторожные разговоры посреди озера и даже собственный страх. На контрасте с усталыми измученными остальными Лёня — толстый шумный Лёня со своими плоскими шутками и пижонскими замашками — в самом деле получает удовольствие. Да что там. Он в восторге.

— Вот какое дело... — сказал Лёня тем временем и, нагнувшись, поставил чашку на пол, возле своих ног, а потом повторил задумчиво: — Вот какое дело... Они ни черта нам не отдадут. Ни еды, ни лекарств, ни топлива — ни чер-та, — и обвел нас взглядом, явно смакуя тишину и выражения наших лиц.

Видно было, что Сережа собирается что-то возразить ему, но он только поднял предостерегающе широкую, все еще слегка прыгающую ладонь и добавил:

— Я не говорю, что они так сказали. Я говорю, что я понял. Они сказали: мол, загрузили тела в «шишигу» и отогнали подальше. А остальное *барахло*, сказали, вынесли на улицу и сожгли. Барахло. Только одежка на них не очень по размеру, а?

— Да ладно тебе, — хмуро отозвался Сережа. — Он же вроде сказали, они погранцы, как Семеныч.

Лёня вдруг хихикнул — радостно, торжествующе, словно ждал именно этого возражения, а потом откинулся назад на скрипучей кровати и сложил руки на животе.

— Как они держали автоматы, видел? — спросил он, все еще улыбаясь. — Да ладно тебе. Ну какие из них погранцы. Они вообще не военные. Это зэки, Серёга. Может, я и не прав, просто разговор у них такой... в общем, я почти уверен, это зэки. У них никого с собой нет — ни семей, никого, только они трое. И если мы хотим хоть что-нибудь получить с того берега — это если они сами, конечно, от заразы там не помрут, — нам придется их перебить.

* * *

Не случилось ни того, ни другого. Видимо, нашим новым соседям просто не суждено было погибнуть ни от смертельно опасной зараженной среды, в которую они так беспечно вломились, ни тем более от нашей руки. Всю следующую неделю они деловито, весело копошились на том берегу, приводя в порядок свое новое хозяйство. Оказалось, что, усевшись на невысокой крыше нашего дома с биноклем в руке, все-таки можно разглядеть и широкие просторные избы, и пространство перед ними, и даже то место у самой кромки леса, где мы спрятали наши бесполезные теперь машины. Так что в свободное от рыбной ловли время кто-нибудь — чаще папа и Мишка, но иногда и остальные, — бывало, и по нескольку раз в день взбирался теперь наверх по шаткой деревянной лестнице, чтобы, вернувшись, рассказать нам новости. Жгут матрасы и постельное белье, говорил вернувшийся с крыши наблюдатель. Или: ковыряются с сетями, не похоже, чтобы они были опытные рыбаки. В один из таких дней Мишка скатился с лестницы поспешно, с грохотом, едва не поломав хлипкие, косо прибитые ступеньки, и, распахнув настежь входную дверь, возбужденно крикнул прямо с порога:

— Снегоход! У них снегоход!..

А чуть позже мы смогли убедиться в этом сами, потому что трое незнакомых мужчин, поселившихся теперь в двух километрах от нас, буквально на следующий же день принялись разъезжать на этом снегоходе по озеру открыто, и как оказалось, совершенно бесцельно, просто для забавы, нисколько не прячась от наших глаз. Один сидел за рулем, второй обычно стоял у него за спиной, а третий шел пешком, то и дело останавливаясь, пока двое ездоков нарезали вокруг него залихватские круги, вздымая клубы белесой снежной пыли.

— Это ж сколько у них бензина, у говнюков, — с яростным сожалением, зло сказал папа, наблюдая за этими нарочитыми, бессмысленными, бесшабашными играми. — Где ж они его взяли, хотел бы я знать.

У них был не только бензин. У них теперь было все, о чем мы могли только мечтать. Два, целых два огромных просторных дома, набитых полезными, незаменимыми вещами. У них были консервы и крупы, варенье и сахар, и оставшееся от погибших пограничников оружие, и прекрасные, надежные военные респираторы. И самые разнообразные рыболовные снасти, которые были им даже не нужны, потому что мы ни разу — ни разу — не видели, чтобы они ставили сети, им просто незачем было ловить эту проклятую, тощую зимнюю рыбу. Им вообще ничего не нужно было делать, потому что наследство, свалившееся на них нечестно, несправедливо, случайно, обеспечило им верных несколько месяцев беззаботной сытой жизни, за которой мы наблюдали на расстоянии, завистливо и горько, проклиная себя за нерешительность, потому что только теперь нам стало ясно, какую бездарную, глупую, роковую ошибку мы совершили. Ведь достаточно было подождать неделю, максимум — две, а после мы просто обязаны были задушить в себе этот унизительный, тошнотворный, суеверный страх и пойти на тот берег, и взять все, что было так необходимо и нам, и детям — недоступное теперь и чужое, не наше.

На третий, кажется, день они зажарили козу. Я не знаю, как она умудрилась выжить в остывшем нетопленом доме, после того как его обитатели умерли и перестали ухаживать за ней, доить ее, следить за тем, чтобы у нее была вода и пища. Я вовсе ничего не знала о козах; никто из нас не знал. С крыши был виден только бесславный финал, легкомысленный шашлык, увенчавший ее короткую и бессмысленную жизнь. Им не было нужно ее молоко — к чему оно трем взрослым мужикам, питавшимся тушенкой и макаронами из бездонных, щедрых, буквально свалившихся им на голову запасов? Им не хотелось возиться с ней. Она была для них просто мясом, занятным разнообразием в рационе. Спустившись с крыши, Сережа сказал только «козу жарят», и хотя мы ни разу ее не видели, не имели ни малейшего представления о том, пестрая она или белая, сердитая или дружелюбная, все мы разом представили себе ее освежеванной, насаженной на вертел оскверненной тушкой, и невозможно было не чувствовать горечи и бессильного сожаления, потому что мы, конечно, отнеслись бы к ней, к этой безымянной козе, совершенно иначе. Просто нам не предложили такого выбора.

Несмотря на все это, мы ничего им не сделали. Мы даже не строили таких планов, невзирая на Лёнино незнакомое, неприятное и, пожалуй, пугающее оживление, с которым он нет-нет да и заводил эти странные, повисающие в воздухе разговоры о том, что их всего трое, что нельзя позволить каким-то пришлым сомнительным мужикам так нагло, так незаслуженно пользоваться всем, что осталось на том берегу и в чем так сильно нуждались мы сами, чтобы безболезненно дотянуть до весны; только разговоры эти так и не получили поддержки. Это было дико даже представить, не говоря уже о том, чтобы хладнокровно и неторопливо придумать и привести в исполнение какой-то план, какой-то спокойный, безличный способ расправиться с этими пришлыми, чужими мужчинами, о которых мы ничего не знали и которые, в сущности, ничего еще не сделали нам плохого — кроме, пожалуй, того, что оказались смелее, расторопнее и удачливее нас.

Совершенно очевидно, им хватило осторожности, чтобы сделать противоположный берег снова пригодным для жизни, избавиться от тел, сжечь все, что нужно было сжечь, и при этом не заразиться, потому что прошла уже неделя с момента, когда мы впервые увидели дым, а они всё так же бодро, жизнерадостно разгуливали с той стороны, живые и невредимые, а мы наблюдали за ними в бинокль, сменяя друг друга, дежурили по ночам, ставили сети с другой стороны озера, и кто-то из мужчин, обязательно с оружием, всегда оставался теперь с нами, на острове, просто на всякий случай. И случай этот представился довольно скоро.

Они пришли на восьмой день, будто так же, как и мы, какое-то время просто наблюдали, выжидали какой-то негласно необходимый карантинный срок, в течение которого нужно было понять, безопасно ли дышать с нами одним воздухом, и, только убедившись в этом, признали нас годными для знакомства. Мы заметили их еще издалека. В то утро впервые выкатилось яркое, нежданное солнце, к середине дня бесследно растворившее серые низкие облака, которые три месяца плотной непрозрачной крышкой висели над нашими головами, и за которыми вдруг обнаружилось высокое и синее чистое небо, и немедленно стало легче дышать, и даже всюду проникающий жадный мороз как будто посторонился и отступил на время. Может быть, именно благодаря всему этому, увидев три темных силуэта на льду, на этой нашей нейтральной полосе, мы не испугались сразу и не предположили плохого, а просто наблюдали за их приближением скорее с любопытством, чем со страхом. Окажись в этот день на острове Лёня, возможно, этот визит не состоялся бы вообще или закончился бы какой-нибудь бессмысленной перестрелкой, предупредительными выстрелами в воздух, но Лёни не было. Еще утром он и остальные ушли на озеро, на другую его сторону, которую нам не видно было с берега, а с нами остался Андрей, вызывавшийся караулить чаще, чем другие. Рыбалка, судя по всему, вообще не очень-то ему нравилась, вся эта возня в холодной воде, долгие походы пешком туда и обратно, и он с удовольствием проводил время на крыше, защищенный от ветра огромной папиной плащ-палаткой, наброшенной прямо поверх толстой стеганой куртки, лениво постукивая по гулкому шиферу всякий раз, когда ему требовалось заново наполнить термос кипятком.

Я сидела возле окна, и поэтому, наверное, мы заметили их одновременно, я и Андрей. Их появление на льду само по себе ничего еще не значило, потому что мы видели их на озере и раньше. Они вообще не очень-то прятались, эти трое, упражняясь со снегоходом или исследуя остатки окаменевших на морозе рыболовных снастей, так что, прежде чем реагировать, надо было присмотреться к ним, понять, что́ именно они собираются делать. Я встала коленями на продавленный матрас, положила локти на подоконник и приготовилась ждать. Где-то за моей спиной Марина с раздраженным грохотом мыла посуду в эмалированном тазу, а Ира терпеливо, монотонно уговаривала хныкающих детей выйти на улицу. В последнее время они сделались невыносимы; им было скучно здесь, нестерпимо скучно без игрушек, без развлечений. Они то плакали, то дрались между собой, и требовали внимания, которое никто, кроме Иры, не готов был дать им, а потому они оба, и мальчик, и девочка, с какой-то цыплячьей настойчивостью следовали за ней всюду и больше всего мучили именно ее. Они даже тревожно стояли под дверью всякий раз, когда ей случалось выходить без них из дома; точно так же, как я следовала бы за Сережей, если бы могла себе это позволить здесь, на глазах у всех. Видит бог, я бы делала то же самое, если бы только было можно.

— Надо выйти погулять. — Ира повторила эту фразу, наверное, в третий или четвертый раз, с одной и той же убаюкивающей интонацией, заглушая их пронзительные, тонкоголосые протесты.

— Мы сейчас оденемся и пойдем, да? Будем лепить снеговика...

У нее, должно быть, нервы, как канаты, подумала я, морщась от этого непрекращающегося, сверлящего шума. Ровно в этот же момент Марина особенно яростно, железно громыхнула, и оборачиваться мне совсем расхотелось. Вместо этого я продолжила смотреть в окно, прислонившись лбом к холодному стеклу, и именно тогда, наконец, поняла, что трое мужчин на озере не гуляют бесцельно, а идут в нашу сторону, но прежде чем я успела сказать или сделать что-то, что угодно, Андрей, скорее всего, тоже это понял. Он не стал палить в воздух или кричать что-нибудь угрожающее, сложив руки рупором; на самом деле, он не стал делать вообще ничего — просто снова постучал по крыше, разве что чуть громче и настойчивее, чем обычно, и Наташа, выбежавшая было на этот стук, почти сразу вернулась обратно и передала нам:

— Там эти, трое... идут к нам. Надо бы за нашими сбегать, наверное?

Бежать было недалеко — требовалось просто спрыгнуть с мостков на лед и обогнуть остров. Сделав несколько десятков шагов вдоль его заросшего кривыми деревьями каменистого бока, щурясь от слепящей, сверкающей на солнце белизны, я сразу же увидела Сережу, Мишку и остальных: они были от меня метрах в трехстах, не дальше. Я не стала кричать, чтобы звук моего голоса не отнесло ветром обратно, в сторону наших незваных гостей, и как-нибудь не настроило их на менее дружелюбный лад. Почему-то я была уверена в том, что идут они — вот так, открыто, не прячась, — совсем не случайно, и главное было сейчас не испортить ничего паникой и поспешностью, но тем не менее я не шла, а бежала, — так быстро, как только могла, обжигая легкие ледяным воздухом.

Мужчины сидели на корточках возле вынутых на лед сетей, издали напоминавших неопрятную кучу мокрых, выплюнутых озером водорослей, и кажется, как раз выбирали из них рыбу; все, кроме Лёни. Он-то и заметил меня первым, и поспешно дернул Сережу за рукав, и быстро, на ходу снимая ружье с плеча, зашагал ко мне еще до того, как остальные успели подняться на ноги. Поравнявшись со мной, он не остановился и даже ни о чем не спросил, а напротив — ускорил шаг, тяжело, шумно дыша и грузно топая, так что я не стала ждать, пока Сережа, Мишка и папа догонят нас (они бросили рыбу и сети и тоже побежали), а вместо этого, круто развернувшись, последовала за Лёней, на ходу пытаясь придумать слова, которые бы заставили его — не остановиться, нет, но хотя бы отказаться от готовности выстрелить сразу, в первое попавшееся незнакомое лицо. Только он шёл слишком быстро, словно забыв об одышке и о дырке в животе, и я никак не могла нагнать его. К тому же, я совершенно не знала, что́ именно буду ему говорить.

Чтобы вернуться на остров, надо было снова обойти его. Сережа оказался прав: камни, крепостной стеной наваленные по всему берегу, не позволили бы сделать этого ни в одном другом месте. Мы свернули — Лёня, а за ним и я — и на несколько десятков секунд оторвались от тех, кто спешил за нами. Мои отвыкшие от движения, слабые мышцы жалобно ныли, горло горело. Я, кажется, дышу уже громче, чем он, кто бы мог подумать, что он вообще способен так быстро бегать, этот толстый, массивный человек, несущийся вперед, как бульдозер, с каждым выдохом выбрасывая в морозный воздух мутное густое облако пара. Из-за его широкой спины мне никак не удавалось разглядеть, что там происходит, на берегу, но я должна была обогнать его, должна была попасть туда первой, пока он не сделал что-нибудь такое, что потом уже никак не получится исправить. Я протянула руку, и крепко вцепилась замерзшими пальцами в плотный край его зимней куртки, и рванула. От неожиданности он развернулся ко мне вполоборота, и тогда я увидела выражение его лица, в котором не было уже вообще ничего знакомого, оно было очень страшное, это лицо, и совершенно чужое. Мне немедленно захотелось разжать пальцы, и остановиться, и никуда больше не бежать, остаться здесь, просто переждать все, что обязательно сейчас произойдет. «Пусти», — приказал он резко и зло, но вместо того, чтобы исполнить его приказание, я зачемто повисла на нем, как клещ, задыхаясь, понимая, наконец, что́ именно должна сказать ему: «У тебя охотничье ружье, и ты успеешь выстрелить раз, может быть — два, и необязательно вообще попадешь; ты один, а их трое», — но воздуха не было, и времени произносить все эти слова не было тоже, так что я просто яростно замотала головой. Свободной рукой (той, в которой не было ружья) он сгреб меня в охапку, тяжело, болезненно охнув, оторвал от земли и поволок дальше, вперед. Именно так, в неестественном, насильственном объятии, мы взобрались на берег. И немедленно поняли, что опоздали. Потому что трое незнакомцев в камуфляжах уже стояли там, на мостках, ведущих в дом, а единственным препятствием между ними и входной дверью была одинокая фигура Андрея. Лёня поставил меня на снег и перестал дышать.

Ружье висело у Андрея за спиной. Спустившись с крыши, он не снял его с плеча, как будто все время, в течение которого незнакомцы неторопливо переходили озеро, он просто стоял тут, на мостках, и ждал, пока они подойдут. Лицо у него было скорее удивленное, чем настороженное. Казалось, он даже собирался что-то сказать, как-то их поприветствовать, и меня мгновенно, неприятно кольнуло воспоминание — совсем свежее, соленое и страшное. Я быстро взглянула на Лёню и поняла, что он тоже сейчас вспомнил именно это — сумеречную лесную дорогу под Череповцом и четверых мужчин, лениво вышедших прямо из леса, и дурацкий разговор ни о чем, и то, как веселый человек в лисьей шапке, не переставая улыбаться, почти по-приятельски положил руку ему на плечо, легко развернул к себе и быстро ударил ножом в бок. А может быть, Лёня вспомнил об этом сразу же, как только увидел меня на льду, и все время, пока мы бежали назад, думал только об этом и ни о чем больше. Он стоял, широко расставив ноги, сжимая в руках ружье, и совсем не дышал. Он сейчас просто молча выстрелит в ближайшую к нам камуфляжную спину, поняла я, а потом в следующую, и с такого расстояния точно не промахнется, только третьего выстрела у него уже не будет, а он совсем не думает сейчас об этом, он вообще ни о чем сейчас уже не думает.

Я открыла рот, еще не зная, чтó именно буду делать, не уверенная даже, что в этом остался хоть какой-нибудь смысл. Андрей уже заметил нас, увидел поднимающийся ствол Лёниного ружья, потому что выражение его лица изменилось, и три незваных гостя, стоявшие возле него на мостках, уже начали было оборачиваться назад, к озеру. Вот сейчас, подумала я, прямо сейчас, но тут дверь за спиной Андрея открылась, и в проеме показалась Ира — без куртки, в одном свитере, — и я услышала, как Лёня со свистом выпустил из легких воздух, потому что на руках у нее была девочка, Лёнина маленькая дочь, и в тот же самый момент тускло-черный масляный ствол резко нырнул вниз, опустился, прижатый Сережиной ладонью. На берег уже поднимались папа и Мишка, а Сережа крепко обнял Лёню за плечо и громко, приветливо сказал прямо в камуфляжные спины:

— Здорово, мужики!

* * *

У него было странное имя — Анчутка. Он так и сказал: «Анчутка» — и широко, обезоруживающе улыбнулся, и протянул Лёне руку — ладонью вниз, и даже нетерпеливо потряс этой ладонью в воздухе, будто говоря — ну давай, пожми ее, чего ты ждешь, так что Лёне пришлось принять эту требовательную ладонь и сжать ее, а что еще ему оставалось. Я смотрела на него во все глаза, и потому перемены, случившиеся в его лице, были заметны мне отчетливо: пока он перекладывал ружье в левую руку, пока тянул вперед освободившуюся правую, ноздри у него по-прежнему были раздуты и дышал он все так же тяжело, больше всего напоминая в эту минуту остановленный на полном ходу поезд, но к моменту, когда их ладони встретились, это был уже прежний, знакомый Лёня, балагур и рубаха-парень, и вынужденное это рукопожатие неожиданно вышло сердечным, словно встретились старые добрые знакомцы.

Пока мы стояли снаружи, на мостках, он был единственным, кто представился, этот человек со странным именем. На самом деле, с момента, когда он обернулся и увидел нас, и до тех пор, пока мы не зашли в дом, только он один и разговаривал. Переходя от одного к другому, он протягивал руку все тем же непривычным, настойчивым жестом, повторял это непонятное слово и улыбался. Он был крупный, ширококостный, с большими обветренными ладонями, красноватым, покрытым оспинами лицом и не по-северному черными и блестящими, словно две маслины, глазами, и вел себя с нами, как дирижер, управляющий растерянным, несыгранным оркестром; и хотя я уверена, что мы вовсе не собирались приглашать их зайти, именно из-за него каким-то непостижимым образом мы все-таки оказались внутри сразу же, как только это знакомство закончилось. Кажется, он просто толкнул низкую дверь плечом и вошел, и никто из нас — даже Ира, стоявшая в дверном проеме прямо у него на пути, — не успел ни задержать его, ни возразить.

Уже внутри, в перетопленной душной комнате, он быстрым неуловимым движением снял с плеча автомат и, наклонившись, задвинул его под ближайшую кровать, а затем отбросил расстеленный поверх кровати спальный мешок и сел на видавший виды полупрозрачный вытертый матрас — удобно, широко расставив ноги, чем немедленно напомнил мне Семёныча, сидевшего на этом же самом месте с точно таким же выражением лица, и я почти готова была услышать «ну что, нормально устроились? печка не дымит?».

Вместо этого он сказал только:

— Смешной у вас дом, — и опять улыбнулся, и эта широкая, мальчишеская улыбка снова преобразила его до неузнаваемости.

Только после этого он снисходительно представил нам двух своих спутников. Маленький щуплый мужичок в тяжелой военной куртке, которая явно была ему велика, оказался Лёхой. Он все еще угрюмо и как-то неуверенно топтался возле самой двери и встрепенулся, только услышав свое имя; тогда он поднял голову и показал в улыбке тускло блеснувшие железом зубы. Второго, совсем молоденького, лет двадцати пяти, с ярким румянцем во всю щеку и густой, по-детски взлохмаченной шевелюрой, звали Вова. «Вова-хохол», — уточнил зачем-то человек, сидевший на Наташиной кровати, и продолжил: «Он у нас молодой, вы его не обижайте», — и коротко, беззлобно хохотнул, отчего румянец на Вовиных щеках сделался как будто еще пышнее.

— Ну что, может, чайку? — произнес затем наш незваный гость, явно не желая отказываться от своей ведущей дирижерской партии; тем более что никто из нас по-прежнему не был готов взять инициативу на себя.

— Чайку бы, а? — повторил он, размашисто опустил свои большие ладони на колени, туго обтянутые защитного цвета хлопком, и выжидательно огляделся.

— У нас не осталось чая.

Я сказала это совершенно неожиданно даже для себя самой.

— Он закончился. И кофе тоже нет. Если хотите — есть кипяток.

Тогда он повернулся ко мне и несколько секунд очень внимательно, без улыбки, разглядывал. Лицо у него было скорее некрасивое, даже неприятное, но глаза оказались теплого, почти шоколадного цвета, обсаженные короткими густыми ресницами, и ничего зловещего в этом широком обветренном лице я не увидела, совершенно ничего. Потом он переспросил:

— Как — нет чая? Вообще нет? — и обернулся к юному смущенному Вове, и скомандовал: — Ну-ка, Вова, сгоняй за чаем, одна нога здесь, другая тоже!

Румяный Вова бросился к выходу — с готовностью, поспешно, едва не стукнувшись головой о низкую притолоку. Наблюдая, как он сражается с дверью, большой человек в камуфляже добавил:

— И к чаю чего-нибудь прихвати, детишкам, понял?

Кроме желтой картонной упаковки чая Вова принес еще огромную коробку, украшенную аляповатыми открыточными цветами. Под крышкой, в золотистых пластмассовых гнездах, дремали одинаковые, как патроны, полукруглые, чуть сплющенные с боков конфеты, отлитые из старого, будто подернутого сединой шоколада. При виде этих конфет рот немедленно наполнился горькой, тягучей слюной, и я тут же представила себе, как протяну сейчас руку и возьму ее, тяжелую и прохладную, и надкушу выпуклый подсохший бочок, еще не зная, какая именно начинка прячется под хрупкой корочкой — приторно-сладкое резиновое варенье или коричневатая вязкая нуга с осколками пахучих орехов. Вместо этого я мысленно прибавила три к одиннадцати (четырнадцать человек), и поднялась, и стала ставить чашки на стол; обязательно нужно, чтобы всем нам хватило чашек, неизвестно, когда нам еще представится такая возможность — выпить настоящего крепкого чая, пусть даже без сахара, меда или варенья.

— Я еще сгущенки принес, — смущенно пробасил Вова и стукнул банкой об стол. — И какие-то, не знаю, вафли, что ли.

Они были шоколадные — целиком, до самой сердцевины, до самого неподатливого темного нутра. Я успела съесть две штуки. Две, раскусывая каждую надвое и позволяя ей раствориться во рту, стремительно, жадно, всей внутренней поверхностью щек впитывая сахар, который закончился у нас почти два месяца назад, и только потом подумала о том, что должна остановиться, потому что ни эту ополовиненную пачку чая, ни початую коробку с конфетами наши гости, конечно, с собой не заберут, а это означает, что всё это мы сможем растянуть, отложить и расходовать затем аккуратно, вместо того чтобы бездумно съесть такое невероятное богатство в один присест; и тогда я взяла обеими руками обжигающе горячую чашку и отвернулась, чтобы не видеть больше этой распахнутой, лежащей на столе коробки, но все равно не смогла заставить себя сделать ни глотка, и какое-то время просто сидела с закрытыми глазами, слушая, как растворяется у меня во рту, исчезает густое и сладкое шоколадное эхо — быстро, слишком быстро. А потом я открыла глаза и сразу же снова натолкнулась на изучающий, внимательный взгляд сидящего напротив меня чужого человека.

— Еще одну, — не спросил, а скорее приказал он, и, не дожидаясь ответа, небрежно пошарил в коробке, и протянул мне изящную шоколадную капсулу, которая в его грубых пальцах с темной каймой вокруг плоских ногтей смотрелась чужеродно и неуместно.

— Анчутка — это же не имя? — сказала я, вместо того чтобы взять ее, и снова удивилась, потому что совершенно не собиралась этого говорить. — Как вас зовут на самом деле?

— Не имя, — согласился он и швырнул конфету назад, в коробку, и протянул мне свою большую ладонь. — Если тебе больше нравится — можешь звать меня Валера. Валера, Бессонов фамилия. Так лучше?

Они просидели у нас до самой темноты. После короткой чайной церемонии человек, назвавшийся Анчуткой, вытащил из глубокого камуфляжного кармана две аккуратных бутылки «Столичной» и щедро, многозначительно водрузил их на стол.

— За знакомство, — сказал он веско, сворачивая пробку у первой бутылки и протягивая ее вперед, к Сережиной чашке, тем же требовательным движением, каким прежде, утром, предлагал свою квадратную ладонь; и никто из нас снова не сумел воспротивиться. Послушно проглотив остатки чая, мы подставили свои кружки, одну за другой, под тягучую прозрачную струйку, льющуюся из горлышка.

Разливал он с размахом, расплескивая капли по вытертой клеенке, покрывающей стол. Для того чтобы всем хватило, пришлось откупорить и вторую. Получив свою чашку назад, я увидела, что она наполнена горькой, остро пахнущей жидкостью почти до половины.

— Ну, — произнес наш напористый гость и оглядел нас.

Я не хочу это пить, подумала я, с отвращением заглядывая внутрь своей чашки. Смешавшись с остатками чая, водка окрасилась ржавым, на поверхности дрожало несколько чаинок. Я склонила голову и понюхала чашку, и от едких водочных паров мой пустой желудок возмущенно содрогнулся. Не хочу. Какого черта.

— А ты, хозяйка, что не пьешь? — спросил Анчутка, и, подняв на него глаза, я снова поймала его серьезный, пристальный взгляд.

— Не люблю водку, — сказала я, подавив тошноту. — Даже запах не переношу.

— А ты ее не нюхай, — предложил он. — Водку нюхать незачем, ее пить надо.

Я поднесла чашку к губам и попыталась сделать глоток. Для чего я это делаю? Какой в этом смысл? Что ему вообще от меня нужно?

— Обидишь, — добавил он с нажимом, и тогда я зажмурилась и глотнула.

— Вот и ладно, — сказал он удовлетворенно и в ту же секунду перестал наконец смотреть на меня. — А теперь рассказывайте.

Через полтора часа, спохватившись, мы послали Мишку выбрать из брошенных на льду сетей рыбу. Водка к этому моменту давно уже успела закончиться, и в ход пошли наши скудные запасы спирта. Чтобы всем хватило, его пришлось разбавлять кипяченой озерной водой. Закуски, кроме шоколада, не было никакой, и после первых же нескольких глотков в ушах у меня зашумело, а щёки сделались горячими; я незаметно отставила полупустую чашку в сторону, но теперь этого никто уже не замечал, потому что все были заняты разговором. За окном темнело, глаза у меня слипались, в печке весело трещали дрова. Забравшись с ногами на кровать, я прислонилась спиной к сыроватой дощатой стене и разглядывала этих трех незнакомых мужчин, которых мы так боялись, от которых мы ожидали только плохого, и которые вместо этого явились к нам среди бела дня с конфетами и сгущенкой. Может быть, все в конце концов будет хорошо, думала я, это просто новые соседи, живые люди по ту сторону холодного озера, они ничего нам не сделают. Хотя бы потому, что у нас нет уже ничего, что могло бы им понадобиться.

Вместо того чтобы говорить о припасах, оставшихся на том берегу, о том, что у нас закончилась еда, о том, что мы боимся не дожить до весны, мы почему-то снова вернулись к карантину, к двум страшным неделям нашего бегства из Москвы, к мертвым Череповцу и Медвежьегорску, которые нам пришлось миновать; как будто ничего более важного, чем эти две недели, проведенные в пути, не случилось в нашей жизни ни до, ни после, и все остальное даже не заслуживало упоминания. А когда наши истории закончились, заговорили гости. Они рассказали, что их путешествие началось неподалеку отсюда, в окрестностях Суоярви. О том, что́ именно они там делали, судить по этому рассказу было сложно, потому что, так же как и наш, он начался с момента, когда люди в Суоярви начали умирать. Случилось это незадолго до того, как пропала связь, и крошечный приграничный городок со своей единственной больницей и двумя поликлиниками захлебнулся сразу, в первую же неделю эпидемии. Маленькая больница быстро переполнилась, а затем и вовсе закрылась, лишившись большей части персонала, и как только стало ясно, что помощи извне не будет, наступил отчаянный и опасный хаос. Обезумевшие от страха, оставшиеся в живых горожане первым делом смели хлипкие запоры продовольственных складов и магазинов — только для того, чтобы убедиться: продуктов в городе нет. Почти одновременно выяснилось, что не осталось и топлива: немногочисленные заправки в городе и его окрестностях были пусты, высушены до дна. «И вот тогда эти добрые люди занялись друг другом, — мрачно сказал Анчутка и дернул щекой, — а мы решили, что пора валить». И румяный Вова печально закивал в подтверждение его слов. У них был раздолбанный армейский уазик с полупустым баком, два пистолета «макаров», калашников с неполным рожком и почти никакой еды. Вместо того чтобы рвануть на озёра, они поехали в противоположном направлении, к большим городам, — то ли рассчитывая, что там еще существует какой-то порядок и можно будет просить помощи, то ли, напротив, ожидая, что в городах этих никого уже не осталось и все необходимое можно будет получить не спрашивая.

При попытке попасть в Петрозаводск они наткнулись на вооруженные блокпосты, перекрывшие дорогу. Карантин, объявленный с опозданием, не помог никому: ни тем, кто был внутри, ни жителям ближайших окрестностей. Лежащая на трассе, связывающей Питер с далеким Мурманском, окруженная кордонами, которые, словно пробки, заткнули все въезды и выезды, трехсоттысячная карельская столица агонизировала мучительно и долго, несколько недель, и все это время беженцы из маленьких карельских городов, тратя последние литры драгоценного топлива, бесконечным потоком стекались зачем-то к ее границам с безумным иррациональным упорством, как муравьи, стремящиеся к центру своего разрушенного муравейника в поисках припасов и надежды, и, не получив ни того, ни другого, разочарованные, перепуганные и опасные, распылялись затем по облепившим Петрозаводск поселкам, внося в их и без того мрачную действительность дополнительный ужас и беспорядок.

Именно там, в одном из окрестных поселков, наши гости разжились дополнительным топливом и кое-каким провиантом. «Ну, как разжились — украли, — просто сказал Анчутка и криво улыбнулся. — А что было делать, не замерзать же. Народ там был уже пуганый, злой, палить начали еще на подъезде, сначала по колесам, потом — так, да и взяли мы немного, только чтоб уехать». Я сразу вспомнила старика, вытащившего нас, замерзающих и отчаявшихся, из перемета, преградившего нам путь где-то между Вытегрой и Нигижмой, предложившего нам безопасность и теплый ночлег, и то, как спустя каких-нибудь двенадцать часов после его бесхитростного великодушного поступка мы поступили с ним — мы, хорошие люди, с детства привыкшие к мысли, что красть нельзя. Вспомнила его лицо, холодное и брезгливое, когда мы, держа его на мушке, сливали топливо из цистерны, стоявшей у него во дворе, и его последние слова, обращенные к нам. «Странные вы люди», — сказал он. Странные —

вы — люди. И как только это горькое воспоминание оформилось и набрало вес, я подумала: а ведь мы не рассказали об этом нашим новым знакомцам. Сделали вид, как будто между мертвым Череповцом, заброшенным Кирилловом и страшным полупустым Медвежьегорском не было ничего, кроме безлюдной оледеневшей дороги. Мы вообще об этом не упомянули, потому что по-прежнему хотим казаться хорошими людьми. Не странными — хорошими. И тем не менее их простое признание — «украли, не замерзать же» — оказалось по-своему и честнее, и человечнее того, что сделали мы.

Дорога от Петрозаводска сюда, к Вонгозеру, заняла у наших гостей три с лишним месяца. Расстояние это можно было преодолеть за несколько дней, только в отличие от нас у них не было такой цели. На самом деле, до последнего момента они вообще не подозревали об этом маленьком озере, затерявшемся посреди заваленной снегом тайги; в этом холодном, недружелюбном северном крае нашелся бы десяток озер побольше и пощедрее нашего, так что они просто перемещались от одного полувымершего поселка к другому, пополняя скудные запасы продовольствия и бензина, промышляя грабежом и мародерством. Они рассказали нам об этом, не стесняясь и не утаивая бесславной природы своей победы над смертью, как если бы не сомневались в том, что и мы, так же как они, ни за что не сумели бы добраться сюда, не нарушив человеческих правильных законов. И они были правы, потому что за двенадцать проведенных в дороге дней мы, конечно, успели нарушить их и сами: тогда, в Нудоли, покупая последнее топливо у людей, не имевших еще ни малейшего представления о том, на какие бесполезные бумажки они меняют драгоценный, жизненно важный ресурс. И позже, в дачном поселке под Череповцом, отказав в помощи обреченной маленькой семье. И потом, в крошечной деревне посреди озер, воруя топливо у единственного человека, встретившегося нам на пути, который был готов бескорыстно помочь нам. И, наконец, только что. Об этом было сложнее всего не думать; только что мы сбежали, испугавшись болезни, и оставили умирать тридцать с лишним человек, умирать мучительно, медленно, наблюдая с другого берега за тем, как вездесущая смертельная зараза побеждает их. Отсчитывая дни до тех пор, пока можно будет, не боясь и ничем не рискуя, перейти озеро и завладеть их запасами.

Рыба, принесенная Мишкой с озера, замерзшая в камень за те несколько часов, что пролежала на льду, успела оттаять в алюминиевом ведре возле печи и наполнить душную комнату резким солоноватым духом, а мы всё сидели над разоренным, никому не нужным столом с початой коробкой шоколада, сжимая в руках чашки с недопитым разведенным водой спиртом, и слушали — жадно, тревожно, потому что вдруг осознали: мир за пределами небольшого озера, предоставившего нам убежище, мир, который мы считали окончательно, необратимо погибшим, все еще существует где-то там, в ста с лишним километрах отсюда. И мы не последние живые люди на земле, потому что наши гости, наряженные в камуфляжные костюмы с чужого плеча, не далее чем неделю назад еще были тому свидетелями — пусть недоброжелательными и мимолетными, но свидетелями. За три долгих зимних месяца, в течение которых мы прятались здесь, на острове, пугаясь собственной тени, они успели исколесить этот негостеприимный холодный кусок планеты вдоль и поперек в поисках места, где можно было бы бросить якорь, и за это время успели столкнуться с огромным количеством выживших — недоверчивых и враждебных, но живых. Таких же, как мы. Пытающихся построить жизнь на обломках. Теперь они, эти трое, рассказывали нам о слухах, путешествующих от поселения к поселению с такими же, как они, скитальцами — слухах, распространявшихся так же надежно, как если бы их передали по радио, и укоренявшихся мгновенно.

О том, что где-то в Уральских горах есть целый подземный город, безопасный и здоровый, сытый, теплый, в котором укрылось правительство, необходимое, чтобы управлять тем, что осталось от густонаселенной когда-то страны; и ученые, призванные искать вакцину, способную победить эту жадную, непримиримую чуму; и артисты — художники, певцы, музыканты, которых посчитали достойными спасения. И еще военные, которые защищают их всех от вторжения извне — от таких, как мы, предоставленных самим себе, обреченных, никому не нужных.

О том, что еще дальше, где-то между Красноярском и Благовещенском, — в местах, куда не достают автомобильные дороги, а по рельсам уже некому ездить, потому что поезда замерли на станциях отправления, замерзшие и пустые, — остались невредимые, нетронутые болезнью сёла, поселки и деревни, большие и маленькие, богатые и бедные. Они перешли, конечно, на натуральное хозяйство, живут охотой и рыболовством; топлива у них нет, и чтобы добраться из одной деревни в другую, снова, как во времена Ермака, нужны лошади, и лошадей этих надо подковывать, и люди, живущие там, вспоминают, как их предки ковали железо, чтобы делать подковы и топоры, плуги и бороны, наконечники для копий и стрел. Готовятся к тому, что рано или поздно всё, что отделяло их от дикой жизни — патроны, антибиотики, синтетические непромокаемые ткани, двигатели внутреннего сгорания, — закончится, и останется лишь то немногое, что они способны изготовить собственными руками.

В самом конце они рассказали нам, завороженным, замершим, охваченным нежданной и нечаянной уже надеждой, о том, что недалекая финская граница, к которой они сунулись было на второй неделе своих злоключений, оказалась живой и невредимой, и отшвырнула их, подобравшихся так близко, отпугнула выстрелами и кордонами.

— Обстреляли, слышишь, натуральным образом обстреляли, — с каким-то восхищением сказал Анчутка под оживленные кивки двух своих молчаливых сообщников, которые словно бы проснулись на этой части его рассказа. — Гребаные чухонцы, у них наверняка все по-другому, понимаешь? У них там порядок, у них всегда был порядок, не то что этот бардак вокруг, они наверняка придумали что-нибудь, закрыли вот границы, ввели положение какое-нибудь чрезвычайное. А что, маленькая страна, запросто могли выжить, я б не удивился. Смотрят на нас в телескопы свои, или по спутникам там, и радуются — понял? Радуются. — Здесь он жадно отхлебнул из своей кружки и продолжил хмуро: — Электричество у них там. Вся дорога от погранперехода и дальше — светлая, фонари горят, понял? Порядок у них. Технику военную нагнали к границе и стреляют, сукины дети. Нам бы прорваться к ним, пидарасам, навести шороху.

После этих его слов Сережа вдруг не к месту, неожиданно засмеялся искусственным, чужим, предназначенным для незнакомцев смехом, который я терпеть не могла. Я подняла на него глаза и увидела, что он пьян, что он пьянее всех остальных, пьянее папы, едва пригубившего содержимое своей кружки, пьянее Андрея, угрюмо и неприязненно молчащего в дальнем углу и мрачнеющего с каждым глотком, пьянее массивного Лёни, единственного, кто улыбался нашим незваным гостям широко, дружелюбно, словно это не он несколько часов назад готов был выстрелить в их безоружные спины, загородившие вход в наш маленький кособокий домик. Пьянее меня, хотя мне пришлось выпить добрых сто граммов «Столичной», а потом еще сделать несколько глотков отвратительной смеси спирта с водой. И уж тем более пьянее нашего гостя, все так же по-хозяйски уверенно сидевшего посреди нашей крошечной комнатки, широко расставив ноги, обутые в добротные высокие ботинки на шнуровке. На принужденный Сережин смешок он дернулся, и обернулся, и посмотрел на Сережу, и улыбнулся. И мне совсем не понравилась его улыбка.

— Прорваться, — с усилием сказал Сережа и протянул руку, стараясь ухватить нашего гостя за рукав, но промахнулся, неловко скользнув пальцами по изодранной клеенке. Мне даже показалось, что рукав этот, лежащий на столе в пятнадцати сантиметрах от Сережиной руки, нарочно несколько отодвинулся в тот самый момент, когда рука была протянута.

— Глупо проры...ваться. Можно по тайге, в обход. Только не дойти пешком, тут места́ надо знать. Ты вот знаешь?.. Места́?.. А я — знаю. У меня и карта есть.

Язык у него заплетался, лицо было отекшее, с тяжелыми полуопущенными веками. Я с ужасом поймала себя на мысли, что мне неловко видеть его таким, особенно сейчас, в присутствии этих чужих мужчин, старший из которых ответил ему, прищурившись:

— Да ну? Карта? Выходит, повезло нам, что мы тебя встретили.

— Вы...ходит, — кивнул Сережа, по-прежнему не попадая взглядом никуда, кроме облупившихся дощатых стен и потертой клеенки. И хотя ни один из наших гостей больше не улыбался, я немедленно рассердилась и задохнулась, потому что на фоне уверенного и широкого, затянутого в камуфляж и совершенно трезвого Анчутки Сережа неожиданно как-то выцвел и побледнел, как будто его стерли ластиком, и смотреть на него было сейчас неприятно.

— Повезло, — повторил Сережа и кивнул еще несколько раз, а затем вдруг опустил лицо на лежащие на столе локти и задышал — тяжело и глубоко, сонно.

— Вова! — гаркнул вдруг Анчутка оглушительно и грубо и засмеялся, потому что юный Вова тоже норовил прикорнуть, прислонившись румяной щекой к железной спинке кровати.

— Не спи, Вова, домой пора!

И длинный, по-птичьи тонкий Вова немедленно вздрогнул, поднялся, качнувшись, словно подброшенный пружиной, свесил на грудь свой длинный каштановый чуб и принялся застегивать нетвердыми пальцами широкую военную куртку. Маленький молчаливый Лёха тоже вскочил — легкий, непьяный, с замкнутым непроницаемым лицом, и через минуту все трое уже были в дверях, не сделав, как я и надеялась, ни малейшей попытки забрать принесенные ими початую коробку конфет, чай и прочие сокровища; и тогда я, опять совершенно неожиданно для самой себя, пошла за ними следом, потому что оставался еще один вопрос. Тот, что мы не успели задать им. Вопрос этот был важнее слухов об уральском убежище, о выживших сибирских деревнях, о неприступной финской границе; важнее всего, о чем мы говорили в этот вечер, и задать его нужно было именно сейчас. Сегодня, пока они не ушли к себе, на тот берег. Чтобы задать его, мне надо было как-то привлечь к себе внимание этого большого непонятного человека, заставить его обернуться и снова посмотреть на меня, только вот по какой-то причине я не смогла произнести вслух ни имя, ни странную его кличку, вместо этого протянула руку и сжала его толстый камуфляжный рукав.

— Постойте, — сказала я, и он повернул голову. — Подождите. Скажите... там осталось что-нибудь, на том берегу? Какая-нибудь еда. Консервы, крупа, может быть?..

Он не отвечал. Он вообще не шевелился, рассматривая меня удивленно и насмешливо, и тогда я продолжила:

— Понимаете, у нас все закончилось. Вообще все. Осталась только рыба, и ее очень мало, а вы... Вы же нашли там что-нибудь?

— Что же вы ни разу туда не сходили? — спросил он после паузы, показавшейся мне бесконечной.

Я покачала головой.

— Не было там ничего, — сказал он спокойно и посмотрел мне прямо в глаза. — Ну, как — ничего. Куча покойников, это да. А еды у них никакой и не было толком. Так, слезы одни.

Увидев мое разочарованное лицо, он улыбнулся — тепло, дружелюбно.

— Не горюй, хозяйка. Что там до весны осталось. А потом к чухонцам рванем, покажем им кузькину мать. Тут до границы каких-то восемьдесят километров. Они там жируют, а мы с голоду дохнем. Потерпи.

С этими словами все трое вышли за дверь, впустив в дом струю колючего морозного воздуха, и растворились в темноте.

— Ты-то дохнешь с голоду, — с ненавистью сказал Лёня, как только мы остались одни, и зло сплюнул себе под ноги, прямо на черный дощатый пол; никакой улыбки на его лице больше не было. — С припасами-то на сорок человек. Говорил я вам, ничего они нам не отдадут. Ничего.

* * *

Как только за нашими гостями закрылась дверь, Ира поднялась с места, где сидела молча, неподвижно, не участвуя в разговоре, отвлекаясь только на мальчика, время от времени подбегавшего, чтобы взобраться к ней на колени, и пересчитала оставшиеся в коробке конфеты. Мы сложили сладости в жестяную коробку из-под чая, чтобы не добрались вездесущие мыши, и вернулись к своим заботам. Несмотря на поздний час, рыбу, которую Мишка принес с озера, и которая таяла теперь в ведре возле печи, нужно было почистить и приготовить еще сегодня, чтобы утром, проснувшись, можно было позавтракать горячим. Это был обязательный ежедневный ритуал, отказаться от которого даже на день было бы непозволительной роскошью. Иногда похоже было, что мы здесь только и делаем, что чистим эту проклятую рыбу, варим ее, а затем пытаемся оттереть закопченные на огне кастрюли нагретой в тазу водой. Исколотые острыми плавниками пальцы покрывались при этом жирной несмываемой копотью, которая буквально впитывалась под кожу, окружая ногти темной каймой, и хотя мы старались сменять друг друга за этим занятием, руки у нас, у всех четверых, были теперь одинаковые, с сухой растрескавшейся кожей и обломанными ногтями, страшные, старые руки.

Дети уже заснули — усталые и сытые, с перепачканными шоколадом лицами; их не стали будить и просто перенесли в соседнюю комнату. За столом, неудобно сгорбившись и положив голову на руки, тяжело дышал Сережа, даже не заметивший ухода наших непрошеных визитеров, а мы сидели над ведром, поближе к печи, чтобы лучше разглядеть скользкие рыбьи тушки в неярком свете, льющемся из приоткрытой печной дверцы. Возле наших ног, не шевелясь, лежал Пёс, жадно провожая глазами каждое наше движение и время от времени с шумом втягивая носом воздух. Легко отщипнув красноватый спинной плавник одним из Сережиных ножей, Ира бросила его Псу и сказала задумчиво:

— Четырнадцать штук осталось. Если давать детям по конфете в день, хватит на неделю.

Ты не посчитала Мишку, подумала я. Всякий раз, когда вы говорите «дети», то считаете только своих, маленьких, а когда я пытаюсь спорить, он же первый возмущенно отказывается от любых привилегий, несмотря на то что они означают — больше еды, меньше работы. Он стал такой же прозрачный и бледный, как и малыши, только вместо того, чтобы ныть и требовать внимания, он рубит дрова, выбирает сети, мерзнет на озере. Он не взрослый, что бы вы ни говорили, у него запали глаза и провалились щеки, и всякий раз, когда я смотрю на него, у меня сжимается сердце.

— Ты не посчитала Мишку, — повторила я вслух, не поднимая глаз и не поворачиваясь к ней; я сказала это маленькой оттаявшей рыбке, которую держала в руках. Сейчас я могла это сделать, потому что Сережа спал, а Мишки не было рядом — вооружившись фонариком, они ушли с папой за брошенными на льду сетями, и он не мог возразить мне.

— У нас не двое, а трое детей.

Она не стала спорить, даже не ответила. Она вообще почти никогда не обращалась ко мне, эта спокойная женщина, которую мой муж вывез из мертвого города, не сказав мне ни слова, даже не предупредив меня, что уезжает за ней, словно боялся, что я помешаю ему поехать, словно думал — я не пойму, что он должен спасти мальчика, что не может уехать без него. Как будто я могла запретить ему сделать это. Как будто я вообще что-нибудь могла ему запретить. Она не ответила, как не отвечала мне никогда, и только ниже склонила голову над рыбой. Я сама каждое утро буду давать ему по конфете, подумала я, сжав зубы, даже если мне придется кормить его насильно, и только попробуйте возразить мне хоть словом, только попробуйте заявить, что он не заслужил этого. Только ко попробуйте.

— Тоже мне богатство, четырнадцать шоколадок, — фыркнула Наташа. — Знаешь, Анечка, а ты ему понравилась, этому громиле. В следующий раз забудь про чай и сладости, проси сразу зубную пасту и стиральный порошок. Или не знаю. Коробку тушенки, например. По-моему, он тебе не откажет.

Она улыбнулась — широко, неприятно, как улыбалась раньше, весь первый год нашего знакомства с Сережей, который достался мне со всей этой компанией друзей его прежней семьи, знавших его дольше и лучше, чем знала его я.

Он ожидал, что я подружусь с ними, он был уверен, что это легко, и не чувствовал подвоха. И видит бог, я старалась. Весь первый год, который мы провели в бесконечных встречах с этими чужими людьми, был наполнен неловкостью и паузами, осторожными расспросами о женщине, которую они привыкли видеть с ним рядом, приподнятыми бровями, вежливыми неискренними улыбками. Какое-то время мне и в самом деле казалось, что я смогу преодолеть недоверчивую, выжидательную настороженность, с которой они относились ко мне. Только я не нравилась им, этим людям, для которых мое появление в Сережиной жизни было не более чем поводом для ленивых сплетен, второстепенным светским анекдотом, о котором рассказывают за ужином общим знакомым; у меня не было шанса понравиться им, никакого — потому что они тоже не нравились мне, а я никогда не умела прятать свои чувства достаточно глубоко, чтобы их нельзя было заметить со стороны.

И тем не менее всё было очень вежливо, очень пристойно — тщательный, аккуратный театр, который мы все разыгрывали для Сережи, а он был слишком счастлив и беззаботен, чтобы увидеть что-нибудь, кроме собственных иллюзий. Ему хотелось верить в то, что все хорошо, и люди, которые дороги ему, не могут не понравиться друг другу. Поэтому раз в неделю, а иногда и чаще мне приходилось встречаться с ними и терпеть, и больше всего мучений — я это точно помню — причиняла мне именно эта миниатюрная улыбчивая женщина, небрежная и кокетливая, с детским капризным голоском, которая владела собой настолько хорошо, что ухитрилась ни разу — ни разу за три года нашего тягостного знакомства, — не выпасть из образа. Я не помню ни одного открытого противостояния, ни одной ссоры — только широкие, полные яда улыбки и едкие слова, произносимые дурашливо и невсерьез, слова, застревавшие у меня внутри колючками, не дававшими спать по ночам. Всё, что она говорила, было неслучайно, и адресовано точно в цель, и для того чтобы парировать, потребовалось бы такое же, как у этой женщины, хищное и острое чутье, позволявшее ей безошибочно определять тонкую невидимую грань между оскорблением и шуткой. Я выбрала молчание.

Это было проще — молчать и притворяться, и старательно искать поводы для невстреч. Осторожно, так, чтобы Сережа не понял, до какой степени страшит меня эта вынужденная тесная дружба, я придумывала себе недомогания, срочные дела; я готова была любыми способами убеждать его остаться дома или даже отпускать его туда одного, только бы не видеть никого из них, и ее в первую очередь, и в конце концов преуспела в этом настолько, что не оставила ей почти ни единой возможности дотянуться до меня. Но только почти. Потому что год спустя за свадебным ужином в маленьком кафе на Патриарших именно она (а не кто-то из близких мне людей) почему-то сидела по правую руку от меня и в паузах между тостами и поздравлениями нежным, мяукающим голосом, тонувшим в веселых застольных беседах и предназначенным только для моих ушей, успела сказать, что платье полнит меня «самую малость, Аня, или ты немного набрала вес?», кольцо пошловато — «это Сережа выбирал, да? Мужчинам все-таки нельзя доверять покупать украшения», и что лет пять назад, когда Сережа был еще женат на Ире, «между нами такое что-то промелькнуло, знаешь, как это бывает, но мне, конечно, это было совершенно ни к чему, я очень рада, что вы теперь вместе, ты замечательно ему подходишь, ты такая... смирная», и к концу праздника я до крови прокусила нижнюю губу, мечтая ударить это улыбающееся напудренное личико или хотя бы упереться каблуками неудобных свадебных туфель в тяжелый стул, на краешке которого она балансирует с прямой спиной и по-змеиному изогнутой шеей, и опрокинуть его — с грохотом отшвырнуть как можно дальше от себя, чтобы со стола на пол со звоном полетела хрустальная дребедень.

Хмель уже отпустил меня, оставив только тупую ноющую боль в висках и легкую тошноту. Водка и шоколад, сцепившиеся у меня в желудке, привыкшем в последние месяцы только к водянистому, едва соленому рыбному бульону, никак не

могли улечься и бунтовали. Господи, думала я,
с отвращением вдыхая запах оттаявшей разогре-
той рыбы, неужели когда-нибудь наступит день,
когда мне больше не придется это есть. Я отдала
бы правую руку за кусок мяса, за ароматный, про-
жаренный совсем чуть-чуть, истекающий розова-
тым прозрачным соком, присыпанный крупны-
ми зернами свежеразмолотого перца; я съела бы
его безо всяких соусов, даже без вилки и ножа,
зажмурившись, разрывая зубами нежное упругое
мясо; хотя — к черту австралийскую говядину,
к черту триста дней зернового откорма, я согласна на курицу, обычного подмосковного бройле-
ра, зажаренного в меду, с чесноком и травами,
с хрустящей золотистой корочкой; согласна даже
на вареную колбасу — один, всего один толстый
перламутровый кружок, состоящий из целлюло-
зы и пищевых красителей, уложенный на пыш-
ный, воздушный кусок белого хлеба. Мне все равно, только бы не видеть больше этого алюминие-
вого ведра, до половины наполненного резко
пахнущими рыбными трупиками, плавающими
в талой холодной воде, только бы больше никогда не прикасаться к этой склизкой чешуе, не резать пальцы колючими плавниками. Охотничий нож с толстой неудобной ручкой вдруг дернулся и соскользнул с тощего рыбьего хребта,
и широкое лезвие обожгло мне левую руку. Я ох-
нула и выронила нож, и прижала раненую руку
ко рту, и почувствовала солоноватый привкус.
Вот тебе твой стейк с кровью, сказала я себе.

Это единственное, на что ты можешь сейчас рассчитывать.

Как же так вышло, в тысячный раз подумала я, не поднимая глаз, трогая языком глубокий порез на указательном пальце, ощущая во рту вкус собственной крови; как же это получилось? Чем я заслужила эту ежедневную пытку, за какие грехи расплачиваюсь здесь — каждый день, каждую минуту? Как будто мало было потерять маму, бросив ее умирать в закупоренном кордонами городе, оставить дом, который мы так любили, на разграбление неизвестным больным мародерам, потерять даже надежду на достойную человеческую жизнь, вытерпеть столько ужаса, убегая от волны — безжалостной, наступающей нам на пятки, — только для того, чтобы мерзнуть в этой грязной развалюхе? Голодать, гадить под елками, как бродячие собаки? И ведь я все это смогла бы принять как должное и была бы благодарна за то, что мы — я, Мишка и Сережа — остались живы, уцелели, спаслись, ей-богу, смогла бы, если б не презрительная и холодная бывшая жена, с утра и до самого вечера делающая вид, что меня не существует. Если б не ее неулыбчивый ребенок, забирающийся к Сереже на колени в ту же секунду, как тот входит в дом, и висящий на нем до тех пор, пока его не уложат спать — в соседней комнате, за тонкой деревянной перегородкой, из-за которой слышен каждый звук, каждый вздох. Если бы не эта женщина и этот мальчик, потому что, пока они находятся рядом, я не могу заставить себя протянуть руку и потрогать Сережу, обнять его, прижаться к нему, и то, что он мой, давно уже мой, я чувствую теперь только ночами, лежа с ним рядом на продавленной железной кровати, и во время торопливых мимолетных соитий, происходящих снаружи, на морозе, возле предательски скрипящей дощатой стены. Если бы не эта вторая, сочащаяся ядом женщина, с которой у меня не было сил бороться даже тогда, пока все остальное было в порядке, и которая по-прежнему одной фразой способна надолго лишить меня спокойствия.

— ...Не думаю, что это разумно — кокетничать с этими животными, — говорила она в эту самую минуту. — Бог знает, сколько времени у них не было женщин. Я бы лучше вовсе с ними не заговаривала, особенно когда защитник твой лежит лицом в коробке из-под конфет.

Она слегка качнула головой в сторону неподвижно обмякшей Сережиной фигуры за столом, и кошачья улыбка вновь изогнула ее губы, но прежде чем я успела раскрыть рот и ответить хоть что-нибудь, Ира стряхнула приставшую к ножу требуху обратно в ведро, вытерла лоб тыльной стороной ладони и сказала:

— Странно. Я не заметила, чтобы ты отказалась от шоколада. Посмотри, сколько всего они принесли. Полбанки сгущеного молока осталось, и печенье, и чай. Ты хоть представляешь, как это нужно детям? Да если после каждого разговора с этими животными мне будет чем накормить ребенка, я буду говорить, пока у меня язык не отсохнет. — Тут она подняла голову и продолжила мягко, ласково, хотя глаза ее при этом нехорошо блеснули: — У тебя просто нет детей, Наташа. Наверное, поэтому ты не понимаешь.

Наташина улыбка мгновенно сползла, как будто ей в лицо плеснули кислотой. Я смотрела на нее жадно, с любопытством, и думала: вот оно, твое слабое место, о котором я за три года не сумела догадаться. Вот как можно тебя остановить, заставить замолчать, стереть эту мерзкую фальшивую улыбку. И еще я подумала: а ведь они тоже, оказывается, не друзья, эти две женщины, столько лет дружившие домами. Хотела бы я знать, на какой ноте закончилась эта дружба и была ли она вообще.

— Сильно порезалась, Аня? — поспешно спросила Марина тонким испуганным голосом.

Черта с два тебе интересно, сильно ли я порезалась, подумала я, ты просто не любишь неприятных разговоров. Ты не хочешь конфликтов, потому что каждая ссора в этом крошечном тесном доме мгновенно разбухает настолько, что, пожалуй, способна выдавить наружу мутные оконные стекла. И когда они клюют меня или, как сейчас, клюют друг друга, ты не принимаешь ничью сторону, ты боишься и просто стараешься заговорить о чем-то безобидном, нейтральном, отвлечь их внимание, потому что рано или поздно им это надоест, и тогда они примутся за тебя тоже.

— Ерунда, — сказала я и вынула палец изо рта. Бледные обескровленные края пореза немедленно снова окрасились красным. Я опять взялась за нож.

Оставшуюся рыбу мы чистили молча.

* * *

Назавтра они принесли сигареты.

Это была кислая пахучая «Ява», четыре смятых белых пачки с красными буквами (советский «Лаки Страйк», пошутил Сережа), но ничего ароматнее, вкуснее и долгожданнее я не смогла бы вспомнить, сколько бы ни старалась. Как только пачки оказались на столе, еще теплые после широкого Анчуткиного кармана, я уже не отводила от них глаз. Кажется, было что-то еще: кусок хозяйственного мыла, две упаковки макарон и небольшой, надвое перевязанный полиэтиленовый пакет сахара. При других обстоятельствах я непременно обрадовалась бы этому неожиданно свалившемуся на нас богатству, но стоило мне увидеть эти четыре продолговатых бумажных кирпичика, и я смотрела только на них. Потому что мы не курили четыре месяца, если не считать наших с Сережей январских ночных экспериментов с чаем, и не было дня, чтобы я не чувствовала этой острой жажды, этого покалывания под языком, которое было сильнее голода, сильнее всего остального. Я протянула руку и на мгновение задержала ладонь над сокровищем, небрежно брошенным на клеенку, и подняла глаза, чтобы убедиться в том, что могу в самом деле сжать пальцы и поднять невесомую картонную упаковку, сорвать хрустящий тонкий целлофан, отогнуть фольгу, ухватить один из двадцати туго набитых табаком бумажных столбиков и поднести его к губам, и поджечь.

— Только в доме не надо курить, — неприязненно проговорила Ира. — Здесь же дети.

В этот миг мне было наплевать и на нее, и на детей, которыми она вечно прикрывалась, и на то, что подумают обо мне эти пришлые мужики, которые, без сомнения, поделились с нами тем, что вовсе им не принадлежало, что досталось им только благодаря их безрассудному и рискованному вторжению в два уже захваченных смертью дома на том берегу озера. Я позволила первому глотку горьковатого дыма наполнить легкие и зажмурилась. Кто бы мог подумать, что сильнее всего мне не хватало именно этого — не горячей ванны, не разнообразной еды и даже не одиночества, которое казалось иногда настолько необходимым, что я выбегала на улицу и торчала там, на морозе, сколько могла выдержать, лишь бы не видеть этих лиц и не слышать этих голосов. Кто бы мог подумать, что примирить меня со всем этим, хотя бы на время, может одна крошечная сигарета.

Следом за мной закурили и мужчины, не обращая внимания на Ирины яростные протесты, и душная комната быстро наполнилась голубоватым дымом.

— Чаю-то нальете в этот раз? — спросил Анчутка и подмигнул мне.

Он снова по-хозяйски уселся на кровать. Черт, подумала я, как же не хочется сейчас вставать, бросать драгоценную сигарету, докуренную всего до половины. Вот только и сигареты, и чай принес этот большой непонятный человек, сидящий сейчас на нашей с Сережей кровати с выжидательной улыбкой, сказала я себе, глядя прямо в эту улыбку, и ты сейчас встанешь, как миленькая, и заваришь ему чай в той большой кружке, которую так любил доктор; а попросит еще одну — заваришь еще, и будешь ему улыбаться, несмотря на то, что он тебе не нравится, как не нравятся и оба его молчаливых спутника, и ты предпочла бы, чтобы они, все трое разом, провалились пропадом, оставив на том берегу нетронутые сокровища, без которых вам не дожить до весны.

— Чаю, — откликнулась Ира, прежде чем я успела подняться с места. — Конечно, сейчас.

— Мы чего пришли-то, — начал Анчутка, когда железная докторова кружка уже дымилась перед ним. Широко расставив локти на шатком, жалобно кренящемся столе, он обхватил ее толстыми, покрасневшими от мороза пальцами, но пить не стал, как будто она нужна была только как источник тепла.

— Я смотрю, вы по рыбе большие мастера?

— Да ладно, мастера, — буркнул папа. — Полведра в день от силы вытаскиваем, вот и все мастерство.

Анчутка прервал его на полуслове, нетерпеливо махнув рукой.

— Всяко лучше, чем мы, — сказал он. — Мы нашли там до черта всяких приблуд рыболовных, но я последний раз рыбачил, когда мне лет десять было. Не люблю я это дело и не умею, но рыба сейчас нужна, жрать-то нечего...

В этом месте папа сморщился, как от зубной боли, а Лёня шумно выдохнул; сейчас, подумала я, сейчас один из них скажет что-нибудь о припасах на сорок человек, и эта дружелюбная беседа разом превратится во что-то совсем другое. Но в комнате по-прежнему было тихо, и Анчутка, как будто и не заметивший этой пантомимы, спокойно повторил:

— Жрать-то нечего. Так что вы возьмите нашего молодого в обучение. Пускай он с вами пару раз на озеро прогуляется и посмотрит, что вы там с сетями делаете.

— Не вопрос, — быстро сказал Сережа, словно боясь, что кто-то, папа или Лёня, все-таки ляпнет что-нибудь лишнее. — Мы сегодня на озеро пойдем сети ставить. Пусть идет с нами. Только одно условие.

— Условие? — переспросил Анчутка, прищурившись. — Ну, говори свое условие.

— Сети у нас всего две. У вас на берегу их должно быть штук шесть, не меньше. Я видел. Вам так много не нужно, а нам позарез, — сказал Серёжа. — Отдайте нам половину — и я научу вашего молодого ловить подо льдом.

Он сказал «у вас на берегу», думала я, разглядывая их, сидящих над нетронутым чаем друг напротив друга за колченогим столом. Он сказал «у вас», а значит, мы больше не оспариваем этого — все, оставшееся от наших умерших соседей, теперь принадлежит этим троим. Лёня будет очень недоволен, сказала я себе и почему-то улыбнулась, не понимая даже, чему я, собственно, радуюсь, а Сережин собеседник неожиданно засмеялся и протянул через стол свою широкую обветренную ладонь, отняв ее от кружки.

— По рукам, — сказал он. — Будут тебе твои сети.

Чаю они так и не выпили — ни Анчутка, ни Серёжа, хотя Ира поставила чашку и перед ним тоже. Размокшие пакетики с желтыми картонными хвостиками бессмысленно раскисали в остывающей воде, а они все сидели друг напротив друга, прикуривая сигареты одну от другой, и обсуждали рыбу, которой в проклятом озере должно быть полно, и до которой при этом почти невозможно добраться; уток, которые прилетят только в апреле, и черт их знает, когда именно — в начале или в конце; ягоду, которая наверняка должна быть здесь, под снегом, не всю же ее выбрали в этой глуши — только как ее искать под метровой, могучей белоснежной толщей, не копать же где попало. Они говорили о том, что хорошо бы попробовать взять лося или кабана — двести, а то и триста килограммов прекрасного свежего мяса, и никакой холодильник не нужен, вынести на улицу, и через пару часов все замерзнет в камень, храни хоть до весны.

Ты доволен, думала я, глядя на Сережу, который словно проснулся во время этого долгого оживленного разговора. Вот теперь ты доволен. Четыре бесконечных унылых месяца ты пытался разговаривать с нами о том же самом, и никто из нас — даже папа, превратившийся после страшного приступа на безлюдной зимней дороге в собственную тень, даже Семёныч с его несчитанными, но подразумевавшимися запасами консервов, не говоря уже о Лёне с Андреем, способных разве что день за днем вяло таскаться за тобой на озеро выбирать жалкий ежедневный улов, — никто не готов был поддержать тебя в том, что здесь, в лесу, прямо под нашими ногами должно быть что-то, кроме пятнадцати тощих рыбин в день. Просто надо попробовать это добыть. Мы все сдались — сразу, как только закончились макароны и зубная паста, и все это время, пожалуй, просто готовились умереть; и единственным человеком, с которым ты можешь наконец поговорить о том, как нам дотянуть до тепла, оказался этот чужой, посторонний мужик, который слушает тебя живо и внимательно. Настолько, что, кажется, будь у него с собой бумага и карандаш, он делал бы пометки.

Мы, остальные, не заслужившие ни чая, ни места в этом разговоре, оказались просто безмолвными зрителями — все, кроме мальчика, которому спустя каких-нибудь десять минут надоело молчать и слушать. Он подошел поближе и немного постоял возле стола, уставившись Сереже в лицо.

— Па-па, — раздельно и требовательно сказал он голосом своей матери.

Она всегда говорила именно так — раздельно и требовательно. Ей нужно было принести воды, потому что мальчика пора искупать, или еще раз — в который уже? — проверить окно в той, второй комнате, где они спали; и даже если окно оказывалось в порядке, должна быть где-то щель, надо посмотреть как следует и найти ее, потому что из нее дует, особенно ночью, и мальчик простудится. И Сережа немедленно вскакивал, отставляя в сторону тарелку с жидкой ухой, откладывая сеть, которую пытался починить, с какой-то неприятной, виноватой поспешностью, словно этому требовательному голосу ни в коем случае нельзя было отказать.

— Пап! — возмущенно повторил мальчик, но ответа так и не дождался. Постояв еще с полминуты, он полез к Сереже на колени.

Протискиваясь, он наступил мне на ногу и качнул стол. Налитая доверху, нетронутая Сережина кружка выплюнула на клеенку коричневатую прозрачную лужицу. Я сжала зубы. Ему пять лет, сказала я себе в тысячный раз. Всего пять. Молчи.

— ...Ружей у вас сколько? — говорил как раз Анчутка. — С калашами только дураки охотятся.

Фиг попадешь. Да и патронов у нас — хрен да ни хрена.

— Да не в ружьях дело, — не отвлекаясь, отвечал Сережа, отводя руки мальчика (уже вскарабкавшись к нему на колени, тот крепко взялся своими маленькими ладонями за Сережин подбородок, безуспешно пытаясь развернуть к себе его лицо).

— Семёныч сказал, тут зверя нет. Не вокруг базы. Сам подумай: тут дым, запахи... Нужно подальше уходить. И места знать надо, а мы их не знаем, я зимой тут раньше не был никогда...

— Так он тебе и рассказал свои места, Семёныч твой, — усмехнулся Анчутка, — когда у него своих ртов...

Сережа нахмурился и отцепил наконец от себя мальчика, по-лемурьи висевшего у него на плече, и, не глядя, поставил его на пол.

— Он был отличный мужик, между прочим, Семёныч, — заметил он сухо и неприязненно. — И остальные тоже.

— Что ж вы их тогда оставили — так, — тихо, угрожающе отозвался Анчутка, внезапно подаваясь вперед; стол страдальчески всхлипнул и покачнулся, снова выплескивая чай из кружек. — Этих ваших отличных мужиков. Сколько они там пролежали — месяц? Больше? Они к кроватям примерзли, слышишь? Их вместе с простынями вытаскивать пришлось. Еще немного — их бы лисы какие-нибудь жрать начали, или кто тут водится, — и Семёныча твоего, и баб, и...

Тут он взглянул на мальчика, стоявшего теперь ровно посередине между ним и Сережей, и осекся.

— Ты конфеты принес? — серьезно спросил мальчик. — Мама сказала, можно одну в день только.

И тогда этот большой сердитый человек вдруг опять улыбнулся и, легонько подтащив к себе мальчика, взлохматил его тонкие и светлые, отросшие за четыре месяца волосы.

— Мама, значит, сказала? — спросил он.

Мальчик кивнул и нетерпеливо дернул головой, уворачиваясь от огромной чужой ладони.

— Поищу, — пообещал ему Анчутка. — Посмотрим, может, и остались у меня твои конфеты. Ты вот что, — продолжил он, обращаясь уже к Сереже, — ты давай поехали завтра со мной, покатаемся тут вокруг немножко. У нас снегоход, ну ты видел, наверно. Бери свое ружье. Может, следы какие-нибудь отыщем. Охотники из нас еще хлеще, чем рыбаки, но просто так на заднице сидеть — так мы точно тут передохнем.

И они продолжили разговор, словно не было только что этой короткой пугающей вспышки, — о том, как лучше приманить лося, «жаль, соли у нас мало, я слышал, мешок соли насыпал им — и сиди себе жди спокойно»; о том, что уж утки-то точно будет вдоволь, «утиные места я знаю, — весело говорил Сережа, — одно время часто ездили сюда по весне, нам бы дотянуть до апреля — и все, и порядок», — пока, наконец, наши гости не поднялись и не направились к выходу, так и не притронувшись к чаю, а Сережа, набросив на плечи куртку, пошел за ними следом. Один.

Когда за ними закрылась дверь, какое-то время мы сидели молча, прислушиваясь к доносящимся с улицы голосам. Потом Лёня смял опустевшую белую сигаретную пачку и внезапно с силой запустил ее в дальний угол. Легко отскочив от стены, она откатилась назад, к середине комнаты. Мальчик засмеялся и пнул мятый кусочек картона ногой. Надо было и мне выйти на улицу вместе с ними, подумала я, подходя к окну, — они все еще стояли на мостках, трое наших гостей и Сережа. «...Завтра прямо с утра за тобой заеду, часов в восемь, чтоб вернуться засветло, — услышала я через тонкое стекло Анчуткин хрипловатый голос, — ну что, покурим по последней и двинем назад». Начинало понемногу темнеть, и дрожащий на ветру огонек зажигалки осветил на мгновение склоненное над ним Сережино лицо. Теперь, когда они уже были там, снаружи, у меня не хватило бы смелости закурить здесь, в доме, под ее пристальным взглядом; надо было мне выйти с ними, подумала я с досадой и услышала, как Анчутка, выдохнув сизое облачко сигаретного дыма, произнес еще одну фразу.

— Слушай, — сказал он легко, глядя не на Сережу, а куда-то в сторону, к озеру, к очертаниям темного леса на том берегу. — Я вот чего не пойму — которая из этих баб твоя?

В комнате за моей спиной немедленно стало тихо, как в колодце, и слышен был только негромкий треск догорающего в печи березового чурбака.

— В смысле? — медленно спросил Сережа.

— Да мы как ни считали, всё одна лишняя получается, — прозвучал беззаботный ответ. — Вы б отдали нам одну, чтоб по-честному было... Ну ладно, ладно тебе, брось, шучу я.

Сережа ответил не сразу, но когда он наконец заговорил, его голос звучал так же легко и весело:

— Чего ж вы тогда козу зажарили? — сказал он; я пыталась уловить в его ответе напряженные нотки и не смогла. — Козу бы как раз под это дело и приспособили.

И они засмеялись, все четверо, включая юного Вову, нашего будущего рыбака-подмастерья.

Когда Сережа вернулся в дом, замешкавшись на секунду у порога, чтобы стряхнуть с ботинок налипший снег, мне показалось, что закричали все разом, хотя на самом деле говоривших было всего двое.

— Лишняя баба? — звеняще, яростно сказала Наташа. — Козу приспособить?

— Ты охренел? — громыхнул Лёня. — Вдвоем с этим зэком на снегоходе? Да он тебя в первом сугробе закопает, ты даже «мама» сказать не успеешь...

Сережа поднял глаза от ботинок. Он больше не улыбался.

— Всё. Хватит.

Лицо у него было усталое и злое.

— Не о чем разговаривать. Мы голодаем. Вы на себя в зеркало давно смотрели? Мы скоро сеть из воды вытащить не сможем. Если у кого-то есть предложения, где нам взять еды, чтобы продержаться до уток, — давайте. А нет — я завтра поеду с этим Анчуткой в лес на его снегоходе. И если надо, буду кататься с ним каждый день, сколько хватит бензина. А вы в это время покажете этому молодому, как его, Вове, как правильно ставить сети, и покажете как следует, потому что они обещали нам еще три штуки, а это в два раза больше рыбы...

— Я покажу, — быстро кивнул Мишка, и папа, сидящий в углу возле печки, кивнул тоже, хотя и не произнес ни слова.

Андрей зашуршал оставленной на столе пачкой «Явы», извлекая оттуда сигарету; он глядел в окно отсутствующе, равнодушно, как будто этот разговор совсем его не касался.

— С сигаретой — на улицу! — свирепо сказала Ира. — Хватит уже, весь дом задымили, детям здесь спать.

Андрей неохотно поднялся и, сунув пачку в карман, пошел к выходу. Сережа посторонился, пропуская его. Входная дверь хлопнула.

— Какие тебе еще нужны предложения? — рычал Лёня.

Он стоял посреди комнаты, широко расставив ноги, такой же большой и угрожающий, как недавно ушедший человек в камуфляже, спросивший у моего мужа «которая из этих баб твоя?».

— Я уже все предложил. Тогда еще. Сигарет они принесли, шоколадку детям, мать их! — Смятая пустая пачка, все еще лежащая на полу, хрустнула под его ботинком. — Жрать им нечего. Суки. Ты им еще ружье подари. И бабу. У тебя лишняя. Вместо того чтоб учить их рыбу ловить, заглянуть к ним ночью. Они там перепьются все и спать лягут...

— Ну давай попробуй, Рембо херов, — сказал Сережа. — Лицо раскрась и нож в зубы, я тебе дам, у меня много. А когда они тебя пристрелят, сразу станет легче определиться, какая баба лишняя.

На короткое мгновение мне показалось, что Лёня сейчас его ударит. Они стояли в каком-нибудь метре друг от друга, с раздутыми ноздрями и сжатыми кулаками, но прошла минута, другая — и ничего не произошло, и Сережа, наклонившись, принялся расшнуровывать ботинок, а когда он снова выпрямился, лицо у него было уже совсем другое.

— Мы не будем с ними воевать, — сказал он вполголоса. — У них автоматы, и черт их знает, кто они такие на самом деле. Я не идиот и все прекрасно понимаю, но воевать — не будем. Нас тут не трое мужиков. Тут девчонки и дети. Мы не осилим войну. По крайней мере, сейчас.

— Согласен, — поддержал папа. — Уймись, Лёнька. Пока вроде бы нормально все, и про баб они невсерьез. Странно, что они в первый день про баб шутить не начали. Я таких, как они, повидал в своей деревне. Они тебе и про бабу пошутят с порога, и про козу, ты же не думал, что они тебе Шекспира тут в оригинале примутся читать?

— Вот и я таких повидал, — заворчал Лёня мрачно, но видно было, что он сдался и больше не станет спорить. — Они не шутят. Такие никогда не шутят.

Ира загремела тарелками, собираясь кормить детей; мальчик снова вскарабкался Сереже на руки, а я, воспользовавшись случаем, выскользнула наружу, чтобы выкурить еще одну сигарету. Стоявший возле двери Андрей молча протянул мне пачку и щелкнул зажигалкой. Какое-то время мы просто стояли, прислонившись к стылой стене дома, и курили, глядя в черноту. Уже совсем стемнело, и в каком-нибудь шаге от дома не видно было ничего, и озеро лежало, темное и беззвучное, под нашими ногами.

— Как ты думаешь, им можно доверять? — спросила я не потому, что мне было важно услышать, что он скажет, а просто затем, чтобы не стоять тут в тишине, как чужие люди; но он просто поднял и опустил плечи, не удостоив меня ответом.

Я этого даже не увидела; скорее, догадалась по шороху его зимней куртки, и вдруг подумала: я теперь такая же, как он. Не спорю, ничего никому не доказываю. Просто молчу и смотрю в окно. Жду, пока остальные всё решат за меня. И ведь это же не я, давно не я. Что со мной случилось? С каких пор я сделалась такой пассивной? Откуда взялась во мне эта коровья терпеливая покорность? Я вспомнила широкое, некрасивое, темно-глазое Анчуткино лицо, и как он ерошил волосы мальчику. Завтра они с Сережей уедут в тайгу, один на один. Что, если я вернусь сейчас в дом и скажу Сереже: «Ты не поедешь. Мы ничего о нем не знаем. К черту мясо, которое вы, скорее всего, все равно не найдете. К черту все. Не езди с ним, останься. Я не пущу тебя».

Только я еще ни разу, ни разу за три года не говорила Сереже «ты не будешь этого делать». Я даже не могу представить себе, как это — открыть рот и сказать ему «не смей, я тебе не позволю». Я просто вернусь сейчас в душную комнату и буду ждать, когда ребенок, наконец, уступит его мне. А после буду лежать рядом с ним под расстегнутым спальным мешком, и если он не очень устал сегодня, он положит мне на бедро горячую ладонь и шепнет: «Давай выйдем на улицу, малыш», — но скорее всего, он просто провалится в беззвучный, неподвижный сон, и я несколько часов подряд буду слушать его ровное дыхание, пока тоже, наконец, не усну.

Догорающая сигарета обожгла мне пальцы.

— Анчутка... — сказала я, бросая ее в глубокий, испещренный темными провалами следов снег под мостками. — Что это за имя такое? Ужасно странное слово.

Андрей сделал последнюю затяжку и тоже выбросил сигарету, щелчком пальцев швырнув ее далеко вперед, в обступающий дом ельник. Уже взявшись за дверную ручку и наклонив голову, чтобы не стукнуться о низкую притолоку, он слегка повернулся ко мне и ответил:

— Это не имя. Анчутка — это черт такой, мелкий бес.

* * *

Обмен заложниками, как мрачно назвал его Лёня, состоялся на следующее утро. Как и было запланировано накануне, камуфляжная троица с того берега прибыла к нам около половины девятого, когда тусклое зимнее солнце еще не показалось над густо ощетинившимся на горизонте чернобелым еловым частоколом, но уже успело высветлить хмурое низкое небо и сонное ледяное озеро. Мы узнали об их приближении заранее. Вначале на том берегу пронзительно и бесцеремонно завизжал снегоход, и звонкий этот звук взрезал вязкую рассветную тишину, а его обладатели показались уже после, когда мы приникли к окну, словно их появление непременно нуждалось в этой оглушительной эффектной увертюре. Приближались они небыстро. Восседавший на снегоходе человек легко преодолел бы разделявшее нас расстояние в несколько минут, но двое остальных шли пешком, а он, очевидно, не планировал являться к нам раньше своих спутников, и потому двигался жизнерадостными зигзагами, бросая шумную свою машину то вправо, то влево, уезжая далеко и вновь возвращаясь, словно разыгравшийся, спущенный с поводка щенок.

— Пижоны, — снова сказал папа, пока мы покорно, не в силах оторваться, наблюдали за их торжественным шествием, только в этот раз в его голосе было, пожалуй, больше восхищения, чем горечи. — Где ж они, сволочи, берут бензин?

И после этих его слов Сережа поспешно отставил недопитую чашку и засобирался.

— Термос я у вас заберу, — сообщил он, застегивая на поясе широкий кожаный ремень с ячейками, в который он еще с вечера уложил яркие красные столбики охотничьих патронов. — Вы же ненадолго, а мы неизвестно, сколько прокатаемся. А замерзнете — Мишку за чаем сгоняете, ну или к нам можно...

Казалось, ему уже трудно устоять на месте. Он деловито пробежался по маленькой комнате, выудив из рюкзака запасные шерстяные перчатки; зачем-то вынул из длинного кармана на бедре свой обожаемый охотничий нож в толстом футляре из грубой кожи — для того лишь, чтобы тут же вернуть его обратно, и шагнул было к вешалке, спеша надеть куртку, словно собираясь уже выйти туда, в морозное утро, и дожидаться снегохода снаружи.

Он даже не посмотрит на меня, думала я, наблюдая за этими торопливыми сборами; настолько ему не терпится наконец сбежать отсюда. Настолько ему успело осточертеть всё это — все мы, упавшие духом, сонные и пассивные. На его лице нет улыбки, но я знаю это выражение; радостное нетерпение — вот что означают эти сдвинутые брови и блестящие глаза, потому что он на самом деле радуется поездке черт знает куда с незнакомым этим, опасным мужиком, лишь бы больше не торчать здесь с нами.

— Куда ты столько патронов набрал, крутой Уокер? — лениво спросил Андрей, поднимая глаза от своей чашки, и улыбнулся Сереже в затылок. И мне опять, в сотый, в тысячный раз, не понравилась эта улыбка. — Вы же вроде только на разведку собрались? Чак Норрис настолько крут, что может убить двух охотников одним зайцем, — продолжил он и, удобно откинувшись назад, негромко рассмеялся, и я немедленно пришла в ярость, в то время как Сережа (хоть мне и показалось, что спина его едва заметно напряглась) обернулся и засмеялся тоже.

— Термос! — сказал он. — Чуть не забыл. Анька, плеснешь кипяточку? Времени нет заваривать. Вы бы тоже собирались, мужики. Они вот-вот будут здесь...

— А нам-то чего собираться, — перебил его Лёня. — Мы-то никуда не пойдем.

И словно в подтверждение своих слов, двумя нарочитыми неторопливыми движениями взбил подушку на Наташиной кровати, на которой сидел, и неожиданно лег, вытянувшись во весь рост, и заложил руки за голову.

— То есть как — не пойдем? — переспросил Сережа. — Мы же договорились вчера?..

— Это ты договаривался, — отозвался Лёня, не меняя позы. — Стану я зэков по озеру выгуливать.

— Ну подожди. Они же сети принесут, — терпеливо сказал Сережа мирно, без гнева, но едва сдерживаемая радость, которая так расстроила меня несколькими минутами раньше, уже погасла, растворилась, словно ее и не было. — Мы же обещали. Нам позарез нужны эти их сети!

— А что им от нас нужно, ты подумал? — спросил тогда Лёня и снова сел. — Нахрена им эта сраная рыбалка, когда у них там консервов припрятано до следующей зимы?

— Да кто видел эти консервы... — начал Сережа, уже раздражаясь.

— А с чего ты взял, кстати, что их только трое? — сказал вдруг Андрей и перестал улыбаться. — Мы там ни разу не были у них. Может, их там еще пятеро? Или больше? Один поедет с тобой, двое других попрутся с нами на озеро, а остальные — сюда?

— Ну что им тут может понадобиться, — с отчаянием в голосе сказал Сережа и коротко глянул в окно; снегоход шумел уже совсем близко. — У нас же ничего нет! У нас даже машины — на том берегу!

— У нас девки, — ответил Лёня нежно. — Четыре молодые красивые девки. Которых ты предлагаешь оставить тут одних, пока сам будешь кататься по лесу с ветерком, а мы будем прохлаждаться с той стороны.

Когда-то же они успели об этом поговорить, думала я в наступившей тишине, ожидая, чем кончится этот странный спор. Не может быть, чтобы сомнения пришли им в голову только что, в эту минуту. Они сделали это нарочно. Они с самого начала не собирались идти и просто ждали подходящего момента, и сейчас у него совсем нет времени для того, чтобы переубедить их.

— Ну вот что, — сказал папа, поднимаясь на ноги. — Я сам схожу на озеро и прогуляю там ваших зэков. Мишка, пойдешь со мной. Один я сети назад не дотащу. Ты поезжай, Сережа. Поезжай себе и смотри там в оба, а Лёнька с Андрюхой пускай девочек караулят, раз им так спокойнее. А вот вернемся — тогда и поговорим. Споры потом. Не при этих. — Он кивнул за окно, где у самых мостков уже парковался снегоход.

Спустя десять минут они ушли — все трое, *мои* трое. Я проводила их до порога и стояла возле распахнутой двери, мстительно впуская в дом холод (чтоб вас сдуло к чертовой матери с ваших кроватей). Анчутка — веселый, с покрасневшим на ветру лицом и ледяными дорожками на щеках — помахал мне рукой и что-то крикнул, но слова его утонули в победном реве снегохода, который тут же рванул с места и скрылся за деревьями, унося с собой Сережу, так и не обернувшегося ко мне. Какое-то время я еще смотрела вслед второй, не такой стремительной группе. Со спины Мишка и юный Вова, предназначенный в обучение рыбному промыслу, выглядели почти одинаково: тощие и длинноногие, как две черные цапли, аккуратно шагающие рядом в тяжелых и болтающихся, с чужого плеча, куртках. Спустя несколько минут из вида исчезли и они. Осталась только я. И презрительно молчащее озеро, и чужие люди у меня за спиной.

Я постояла еще немного, растягивая время, притворяясь, что мне не холодно и совсем не хочется назад, а потом откуда-то из-за дома, аккуратно выдергивая лапы из глубокого снега, показался Пёс, пропадавший где-то с рассвета, но безошибочно, как всегда, определивший время завтрака. Он легко вспрыгнул на мостки и приблизился, высоко держа морду и серьезно, выжидательно заглядывая мне в лицо. Я опять машинально протянула руку, чтобы коснуться его широкого мохнатого лба, но он едва заметным, изящным движением уклонился от моей ладони. Даже тебе я не нужна, подумала я, заглядывая в его спокойные желтые глаза, бродишь где-то часами сам по себе и приходишь, когда тебе вздумается, ни погладить тебя, ни поговорить с тобой. Все вы уходите от меня и возвращаетесь, только чтобы поесть и заснуть в тепле, а мне не остается ничего, кроме бессмысленного, бесконечного ожидания.

Пёс осторожно обошел меня, слегка задев мою ногу асимметричным кольцом пушистого хвоста, и требовательно царапнул лапой входную дверь. Неплотно прикрытая, она распахнулась от толчка, и он скользнул внутрь. Делать снаружи было больше нечего; мне пришлось последовать за ним.

Привычная утренняя суматоха возобновилась, как будто никакой ссоры не было. На дровяной плите начинала булькать прихлопнутая крышкой кастрюля, и все уже рассаживались вокруг стола, собираясь приступить к завтраку. Уютный звон посуды, хлопанье печной дверцы и запах еды разбудил детей, спавших в соседней комнате, и теперь они, сонные и растрепанные, с оставленными подушкой нежными следами на щеках, уже смирно сидели рядом и жадно следили за пустыми пока тарелками, которым не суждено было наполниться ничем, кроме мутного вчерашнего бульона с редкими кусочками рыбы. Я с тоской взглянула на свою кровать, которую заняли дети с ложками в руках. Чтобы им было удобнее дотянуться, их усадили на наши с Сережей подушки; всякий раз я как можно тщательнее укутывала эти несчастные подушки, прятала под спальным мешком, но это ни разу еще не помогло, потому что оглушительная и нищая наша неустроенность давно нарушила неприкосновенность и постелей, и полотенец. Я как-то сказала Сереже: «Скоро мы, пожалуй, начнем меняться нижним бельем». Только он, как всегда в эти месяцы, не понял меня или не услышал, и просто рассеянно кивнул — «потом, после, не сейчас»; и даже если бы я попыталась объяснить ему, если бы мне удалось привлечь его внимание на время, достаточное для того, чтобы сказать: «Они не любят меня, ну послушай, послушай, пожалуйста, ты даже не представляешь себе, как сильно они меня не любят, каждый день, когда ты уходишь и оставляешь меня здесь, я молчу, молчу часами, как будто без твоей защиты мне нет места среди них, как будто у меня вообще нет права здесь находиться», — он только досадливо поднял бы брови и ответил: «Анька, мы голодаем, мы скоро умрем от голода — буквально, а ты пристаешь ко мне с этой херней, потому что не можешь договориться с тремя неуживчивыми бабами?»

Я ничего, ничего не смогла бы ему объяснить.

— Чак Норрис настолько крут, что не боится ходить по минам, — негромко сказал Андрей, увидев меня. — Это мины боятся, когда он...

Кроме него, на меня никто больше не смотрел. Остальные продолжали негромкие свои разговоры, Наташа спокойно разливала суп по тарелкам, и поэтому то, что случилось в следующую секунду, оказалось для всех — и для меня тоже — полной неожиданностью. Я успела только почувствовать, как краска бросается мне в лицо, как застывшие на морозе щеки мгновенно делаются горячими, как бешенство — разрушительное, неконтролируемое — захлестывает меня до самых глаз. Только что я стояла у порога, не решаясь сделать ни шагу, и вдруг прыгнула — вперед, навстречу этому разъехавшемуся в улыбке ехидному лицу. Наверное, Андрею показалось, что я сейчас ударю его, потому что он осекся и даже инстинктивно зажмурил глаза, на мгновение вжал голову в плечи. Рука моя действительно взлетела вверх, почти против воли; от меня ничего уже не зависит, поняла я с ужасом, сейчас я действительно, кажется, ткну кулаком прямо в это запрокинутое лицо. Вместо этого мои скрюченные пальцы вцепились в стоявшую перед ним тарелку и рванули, обжигаясь, расплескивая по столу горячую жидкость. Словно со стороны, я наблюдала за тем, как надтреснутый кусок фаянса, зажатый в моей руке, поднимается и медленно переворачивается, как суп тяжелым маслянистым водопадом шлепается на изъеденные временем черные доски пола.

— Рыбки хочешь? — услышала я собственный шепот, искаженный, свистящий. — Пойди, налови себе сам.

Сидящая напротив девочка неожиданно громко засмеялась, протянула пухлую короткопалую ладошку и запустила ее на дно собственной тарелки, неловко сгребая в горсть разварившуюся рыбную кашицу, а потом с размаху — ее круглое некрасивое личико даже слегка исказилось от этого приятного усилия — шлепнула полной супа маленькой пятерней вниз, забрызгивая подушку, на которой сидела, и наш с Сережей спальный мешок, и матрас под ним. Я наклонилась к ней и взяла ее на руки. Она не удивилась, и только послушно поджала короткие ножки, пока я вытаскивала ее из-за стола, пока несла ее, неожиданно тяжелую и очень горячую, какими бывают только маленькие дети, щенки и котята; ее мягкие, спутанные после сна волосы щекотали мне подбородок.

— Крутой. Уокер, — просипела я почти уже беззвучно, задыхаясь, усаживая девочку на колени к ее остолбеневшей матери.

— Чак. Норрис.

И вернулась к кровати, и сдернула смятую, еще теплую свою перепачканную подушку. И швырнула ее прямо на стол, в уютно составленные тарелки и чашки. Посуда с мелодичным звоном посыпалась на пол, а я обернулась к мальчику, сидевшему на второй подушке. Он поднял на меня круглые, потемневшие от страха, совершенно Сережины глаза, и взгляд этот остановил меня и отбросил назад, к двери. Уже хватаясь за ручку, я услышала, как запертый в легких воздух наконец со свистом вырывается наружу через сдавленное горло, как Пёс с негромким, сосредоточенным чавканьем слизывает с пола прилипшие к доскам кусочки рыбы.

Я выбежала, не оборачиваясь, в белесый морозный день, оставив дверь распахнутой настежь, в три прыжка добралась до края кособоких дощатых мостков и бросилась вниз, к озеру, провалившись в снег по колено, и побежала — зигзагами, как испуганный заяц, со стучащим в ушах сердцем, ослепленная яростью и страхом одновременно. Я бежала и бежала, долго, захлебываясь ледяным встречным ветром, и даже, кажется, кричала, громко, раздельно — «не-на-ви-жу, не-на-ви-жу!» — и отрывистые эти выкрики, едва сорвавшись с губ, седлали волны обжигающего холодного воздуха и уносились обратно, к оставшейся позади скособоченной мерзкой конуре; я бежала и кричала, чувствуя, как вместе с криком распрямляется у меня внутри какая-то заржавевшая, закисшая пружина, и освободительные, жаркие слёзы разлетаются в стороны и падают вниз, даже не касаясь щек.

А потом я запуталась в высоченных, стеклянных от мороза черных сорняках, растущих густо, как зубья гигантской расчески, и упала на колени, набрав полные рукава снега. Подняла глаза и увидела аккуратные желтые бревна огромного сруба, вытоптанную площадку с глубокими следами от снегохода и второй сруб-близнец, стоящий чуть поодаль; кромку тихого заснеженного леса и узкую, змеящуюся между деревьями дорогу, перегороженную спящей заиндевевшей «шишигой». Кричать расхотелось. Наш маленький остров с этого места был едва различим; на таком расстоянии можно было разглядеть разве что дым, поднимающийся из печной трубы. Я осторожно поднялась на ноги, отряхнулась и пошла вперед, направляясь к крыльцу ближайшей избы, повторяя про себя: они не видят меня. Не знают, что я здесь. Они ни за что меня здесь не найдут.

Поднявшись на крыльцо, я взялась за ручку двери, ведущей на холодную остекленную веранду, и дернула. Дверь не поддалась. Сквозь покрытое инеем мутноватое стекло я увидела внутри, на веранде, составленные штабелем скамейки и столы, вероятно, убранные на зиму, и еще одну, утепленную дверь, тоже плотно закрытую. Тогда я спустилась с крыльца и пошла кругом ко второму срубу. Сугробы вокруг были гораздо выше, и вела к нему узкая, едва протоптанная тропинка, которую уже успело присыпать недавним снегопадом. Чтобы взойти на крыльцо, мне пришлось раскидать ногами заваливший ступени снег. О том, что эта вторая дверь тоже окажется заперта, можно было догадаться еще с тропинки, но я все-таки подергала холодную железную ручку, чтобы убедиться в этом окончательно. Мне нужно было спрятаться здесь. По какой-то причине мне обязательно нужно было спрятаться — не потому, что они непременно стали бы искать меня, нет. Мне просто нужно было место, чтобы сесть на пол и закрыть глаза, не чувствуя на себе посторонних взглядов, не слыша чужих голосов. Место, где я могла бы побыть наедине с собой, в самом деле — наедине, и впервые за долгие месяцы расслышать собственные мысли. Если я хотела дожить до конца этого злополучного дня, это нельзя было делать снаружи.

Холод еще не мучил меня, но испарина уже начала понемногу замерзать вдоль позвоночника. Мысль о том, чтобы вернуться назад, на остров, даже не пришла мне в голову. В конце концов, можно разбить стекло и открыть дверь на веранду, размышляла я спокойно, оглядываясь по сторонам, а оттуда, с веранды, просто забраться в дом через одно из внутренних окон. Мне достаточно будет форточки; если снять куртку, я наверняка пролезу. Впервые за четыре месяца я чувствовала невероятную, пьянящую свободу. Какие у них были лица, когда разлетелись эти их дурацкие тарелочки, какие ошарашенные и возмущенные у них были лица. Сережа был бы мной очень недоволен. Подумав так, я засмеялась. В морозной гулкой тишине смех звучал жутко и неестественно.

В конце концов я спряталась в бане — маленькой, сложенной из тонких необструганных бревен. Дверь была закрыта, но не заперта — на ней просто не было замка. Вероятно, совсем недавно баню топили, потому что внутри было гораздо теплее, чем снаружи, хотя и недостаточно тепло для того, чтобы раздеться. Не снимая куртки, я зашла в полутемную парилку, остро пахнущую свежим смолянистым деревом и березовыми листьями, села прямо на сколоченный из неплотно пригнанных досок пол, прислонилась спиной к обложенной кирпичом чугунной печке, закрыла глаза и заснула — мгновенно, чувствуя себя наконец в абсолютной безопасности.

Когда холод разбудил меня, снаружи уже стемнело. В крошечное подслеповатое окошко под потолком заглядывал краешек луны, притворившейся уличным фонарем и заливавшей мое маленькое деревянное убежище электрически ярким светом. С каждым моим выдохом в остывшем воздухе появлялось крошечное облачко пара. Я не чувствовала больше ни торжества, ни злости; это было похоже на похмелье — мучительное, полное стыда. Я швырнула им на стол подушку, перебив, наверное, половину тарелок. Я вылила суп на пол, а еще я схватила девочку — боже мой, я на самом деле схватила девочку и впихнула ее матери, обмякшую и пассивную, как мягкую куклу с тяжелой фарфоровой головой; я теперь никогда уже не смогу туда вернуться. Мишка с папой, наверное, давно возвратились с уловом, и Сережа — тут я сжала лоб замерзающими ладонями и заскулила, охваченная внезапным ужасом — Сережа! Ну конечно, никому не пришло бы в голову разъезжать на снегоходе в темноте, он уже несколько часов там, с ними, выслушивает их ликующий, победоносный рассказ, потому что они победили меня, в этом нет никаких сомнений; они победили, мне нет больше места среди них, и что бы я теперь ни сказала, он не поймет, почему я это сделала.

В предбаннике жалобно заскрипели половицы, послышались тяжелые медленные шаги. В этот самый момент я вспомнила, наконец, о том, что этот берег больше не пуст, что я без спроса вторглась на чужую территорию. Я съежилась под своей курткой, вжимаясь спиной в холодную жесткую стену, но он все равно сразу увидел меня, стоило ему толкнуть плечом плотно сидящую в петлях сухую дверь. В руках у него был фонарик, совершенно ненужный сейчас, при такой яркой луне, но он направил слепящий сноп света прямо мне в лицо — я зажмурилась и загородилась ладонью — и несколько мучительно долгих мгновений стоял в дверном проеме не двигаясь; слышно было только его шумное дыхание. Затем он погасил свет и сказал:

— Всё, выключил. Можешь открыть глаза, — и дождался, пока я отниму от лица ладони. — Замерзла? — спросил он.

И тогда я заплакала, уже не отворачиваясь и не поднимая рук. Я плакала, и смотрела ему в лицо, и говорила, захлебываясь и хлюпая, выплевывая, разбрызгивая слова вперемешку со слезами, а он присел на корточки и разглядывал меня, не приближаясь, как смотрят на больных бродячих собак, к которым боязно прикоснуться.

Когда в конце концов появился Сережа (наверное, за ним кого-нибудь послали, хоть я и не заметила, когда именно это произошло), у меня уже закончились и слова, и слёзы, и даже, кажется, воздух в легких, и внутри осталась только гулкая соленая пустота. Прямо с порога Сережа сделал то же самое, что до него Анчутка: включил фонарик и направил его мне в лицо, но сил у меня теперь не было, так что я просто зажмурилась и откинула голову назад, прижавшись макушкой к печке. Почему-то сразу стало ясно, что он не станет сжимать меня в объятиях, как делают отчаявшиеся родители, когда находятся их пропавшие дети. После некоторой паузы, как если бы ему понадобилось время, чтобы узнать меня и убедиться, что здесь, на полу в чужой бане, действительно сижу именно я, он приблизился, взял меня за руку и несильно потянул:

— Пойдем.

Я вырвала руку, больно ударившись локтем об угол печи, и, не открывая глаз, помотала головой. Воздуха в легких по-прежнему не было, и даже вдохи давались мне с трудом, как будто в горло вставили клапан. Он наклонился и повторил:

— Пойдем.

Тогда я вслепую оттолкнула бесцеремонный, ненужный фонарик от своего лица, открыла глаза, и посмотрела на Сережу, и заставила себя открыть рот, напоминая себе при этом выброшенную на лед рыбу, и проговорила — с усилием, надеясь только, что он сумеет разобрать мои слова:

— Не... — сказала я и задохнулась. — Не... — начала я еще раз и, глядя куда-то между его нахмуренных бровей, вытолкнула всю фразу целиком, понимая именно в это мгновение, что уверена в каждом слове: — Я не хочу — больше — с ними — жить. Слышишь? Я — не — хочу. Я — не — должна. Я не буду — больше — с ними жить.

* * *

Я вернулась не потому, что мне больше некуда было идти. В конце концов, я могла просто остаться в этой крошечной бане, раскричаться отчаянно и жалобно, начать снова брызгать слезами, как делают дети и капризные женщины, перечисляя обиды, требуя гарантий. Признаться, я понятия не имела, что бы Сережа сделал, если бы я принялась кричать: ушел бы обратно один, оставив меня на милость наших новых соседей, рассчитывая на то, что я вернусь сама следующим утром, голодная и виноватая, или закричал бы в ответ и потащил меня назад силой, потому что, конечно, это была несусветная, опасная глупость — остаться здесь ночью наедине с тремя едва знакомыми мужиками. Это понимали мы оба, и я тоже, несмотря на твердую, непоколебимую уверенность в том, что, прежде чем я позволю отвести себя назад, в этот мерзкий дом, он должен хотя бы поговорить со мной. Услышать меня. Отвлечься хоть на полчаса от неотложных жизненно важных занятий, наполнявших теперь все его дни без остатка, и вспомнить, что я здесь, что я была здесь все это время, просто он перестал это замечать. Я вернулась для того, чтобы объяснить, почему не хочу возвращаться.

Когда мы вышли наружу, на вытоптанную теперь тропинку, ведущую от бани к бревенчатым избам и к озеру, фонарик оказался не нужен. Огромная низкая луна, похожая на бледный недопеченный блин, торчала над верхушками деревьев и давала столько света, что казалось, будто в этой ненавистной глуши появилось наконец электричество. Сережа пропустил меня вперед, словно боялся, что, стоит ему только выпустить меня из виду, я немедленно сбегу снова. Мы миновали ближайший к лесу сруб и уже приближались ко второму, а он все еще не сказал мне ни слова с того самого момента, как посветил фонариком мне в лицо и произнес это свое «пойдем» — сухо, почти с неприязнью. Ты злишься, думала я, слыша мерный, осуждающий скрип его шагов за своей спиной; тебе неловко за эту сцену, случившуюся на глазах у посторонних, за то, что им пришлось послать за тобой, чтобы ты забрал свою истеричную сбежавшую жену, и ты не скажешь ничего до тех пор, пока мы не останемся одни, без свидетелей. Только тебе придется говорить быстро, мой милый, потому что стоит нам пересечь озеро, как от нашего одиночества снова не останется и следа.

Возле самого берега стоял припаркованный снегоход, заботливо укрытый от ветра тонким серебристым чехлом, тускло поблескивающим в лунном свете, а рядом тесной группой ждали наши новые соседи, все трое, и внимательно разглядывали нас.

— Ну что, разобрались? — спросил Анчутка без улыбки, когда мы поравнялись с ними.

Сережа неохотно кивнул и ответил что-то неразборчиво, себе под нос; видно было, как ему не терпится уйти, оказаться отсюда подальше, но Анчутка неожиданно шагнул вперед и оказался у меня на пути, так что мне пришлось остановиться и поднять к нему лицо. Он посмотрел прямо мне в глаза и спросил еще раз:

— Нормально все?

— Спасибо, — сказала я, отворачиваясь, чувствуя одновременно и неловкость, и досаду. — Мы пойдем, ладно?

Он отступил в сторону, пропуская нас; и только когда мы преодолели густые прибрежные сорняки и спустились вниз, крикнул нам вслед:

— А то хотите, сюда перебирайтесь! Пока вы там в тесноте друг друга не поубивали.

И я остановилась — резко, так, что Сережа почти налетел на меня. И обернулась, пораженная этой внезапной реальностью: огромный пустой дом, отдельная спальня, подальше от общей ядовитой комнаты, от подчеркнуто отсутствующих лиц, от старательно отводимых взглядов; но Сережа поспешно, сердито толкнул меня в спину и крикнул неопределенно:

— Разберемся! — продолжая идти вперед и крепко держа меня за плечо. — Иди давай, — сказал он мне совсем другим голосом, сквозь сжатые зубы. — Что ты ему наговорила?

Я прошла еще двадцать шагов молча, собираясь с мыслями. Мне до смерти, до зубной боли хотелось ответить ему: ничего особенного. Я всего лишь сказала, что четыре месяца подряд каждую ночь сплю в общей комнате, в то время как за тонкой стенкой лежит твоя бывшая жена. Что стоит тебе выйти за дверь, как я превращаюсь в невидимку. Что уже много дней подряд ловлю себя на том, как исступленно, искренне желаю им смерти — всем до единого, и что, если ты заставишь меня жить с ними там, в этой чудовищной тесноте и ненависти, еще хотя бы неделю, я в самом деле убью кого-нибудь из них; я правда это сделаю, хотя бы потому, что тогда ты наконец не сможешь больше притворяться, что меня не существует.

Вместо этого я дошла до первых вмерзших в лед остатков рыболовной стоянки (обломки опор, на которых когда-то висели сети, опрокинутая на бок смятая металлическая бочка), села на разломанный деревянный ящик, служивший когда-то сиденьем одному из рыбаков, имени которого мы так и не успели узнать, и сказала, не поднимая глаз, обращаясь к искривленной, недовольной Сережиной тени на снегу у моих ног:

— Это все из-за тебя.

Тень неприязненно шевельнулась и снова замерла.

— Из-за тебя, — повторила я уже громче. — Это ты взял их с собой, их всех. Только они тебе не благодарны, понимаешь? Они плевать на тебя хотели. Ты будешь кормить их, охотиться для них, ловить им рыбу, а они будут лежать на кровати и хихикать. Я не хочу больше на это смотреть. Ты ничего им не должен. Пусть остаются там, на острове, а мы будем жить здесь.

— Мы — это кто? — спросил он, но я была готова и к этому, я успела даже подумать — не страшно, не страшно, здесь будет больше места, это всегда легче, когда больше места.

— Ты, — сказала я быстро. — Я. Мишка и папа. Ира и Антон.

И только тогда он наконец опустился возле меня на корточки, и посмотрел мне в глаза, и заговорил. «Дура, — сказал он, — дура, без шапки, без перчаток, в двадцатиградусный мороз, мы полдня тебя ищем, следов на этом сраном озере уже так много, что непонятно, которые из них — твои, мы думали, ты заблудилась в тайге или провалилась под лед, чертова ты дура, ты знаешь, что, пока мы с Мишкой бегали по лесу, Лёнька с Андрюхой всё озеро прочесали, а у Лёньки, между прочим, дырка в животе, но если бы не пришел этот Вова и не сказал, что ты у них, они все, слышишь, все до единого до сих пор искали бы тебя, собака твоя дурацкая след не берет, непонятно, зачем мы вообще ее кормим...»

Он говорил и говорил — о том, что нам нельзя разделяться, что нам ни за что не выжить по одному; он держал меня за плечо и, кажется, время от времени даже тряс, а я слушала его, не возражая, безнадежно, понимая уже, что мне никогда, никогда не избавиться от них, и, когда он замолчал, переводя дух, я осторожно высвободила плечо, встала и сказала:

— Ты прав. Конечно, ты прав. Мне жаль, что я доставила всем столько беспокойства. У меня просто нервы сдали. А они все — прекрасные ребята, и Лёнька с Андрюхой, и девочки. Ты, наверное, замерз и устал, нам нужно вернуться в дом. Они же там страшно волнуются за меня.

— Пошли. — Он обрадованно, с облегчением, поспешно поднялся на ноги. — Конечно, пошли. Папа рыбы принес, сейчас нальем тебе супу горячего, ты же не ела ничего целый день, голодная, да? Замерзла? Дать тебе перчатки мои? Пошли, пошли скорее... Всё будет хорошо, вот увидишь, завтра будет новый день...

— Завтра, — сказала я, не чувствуя уже ничего, кроме бесконечной, тупой усталости, — будет такой же скотский, такой же паскудный день, как сегодня. И послезавтра тоже. И ничего не будет хорошо, пока мы живем, как собаки, друг у друга на головах в этой гнилой конуре. Они предложили нам дом, — я оглянулась к спящему позади снегоходу, — пустой дом на берегу. И даже если ты откажешься, я уйду на берег, слышишь? С тобой или без тебя — уйду. Потому что не могу больше. Может быть, не завтра, но уйду все равно.

Лицо его немедленно окаменело, и несколько коротких мгновений он просто стоял молча, не глядя на меня, склонив голову набок, а потом зачем-то отряхнул руки, повернулся и зашагал в сторону острова, и я зашагала за ним след в след. В течение долгого получаса, понадобившегося нам, чтобы дойти до дома, мы больше не разговаривали.

Разумеется, никто не бросился ко мне навстречу. С самого Вовиного визита, случившегося несколько часов назад, они уже знали, что я жива и невредима, так что все эмоции, если они и были, к счастью, уже давно улеглись. Все просто сделали вид, что ничего не произошло, разве что папа сердито сверкнул на меня глазами из-под бровей, и я, пожалуй, даже почувствовала бы благодарность к ним за это великодушное безразличие, не будь я так измучена сегодняшним днем и особенно нашим с Сережей коротким разговором над руинами рыболовной стоянки. На самом деле, как бы они ни встретили меня — криками и упреками или, напротив, объятиями и слезами, — мне было бы в равной степени плевать и на то, и на другое. Впервые за четыре каторжных месяца я внезапно перестала чувствовать саднящую, постоянную боль от чужого присутствия, неловкую стесненность в движениях, вечное желание забиться в угол и не смотреть. Я сбросила куртку и повесила ее на крючок возле двери. Разговоры в натопленной комнате на мгновение стихли, а затем возобновились снова, но даже короткая эта пауза нисколько меня не смутила; я шагнула к печи, на которой томилась кастрюля рыбного супа, сваренного не мною и не для меня, взяла первую попавшуюся тарелку, щедро плеснула себе два полных половника и мгновенно съела всё это тут же, прямо возле печки, стоя. Покончив с супом, я отставила тарелку и направилась к своей кровати возле окна, которая, как и всегда, была занята, потому что в крошечной комнате не было ничего, кроме печки, стола и кроватей. «Это мое место», — сказала я безо всякой неловкости, очень спокойно. Подождала, пока они поднимутся, посторонилась, выпуская их, а потом с наслаждением вытянулась, подложив под голову подушку в незнакомой новой наволочке, которую кто-то натянул взамен утренней, испорченной, и заснула крепко и бесстрашно, не стараясь даже прислушаться к тому, о чем они станут теперь говорить.

Когда я снова открыла глаза, в комнате было уже совершенно темно, и маленький дом был до краев наполнен дыханием спящих. За множество бессонных часов я успела прекрасно выучить наизусть все эти ночные звуки: мучительный неровный Лёнин храп толстяка, лежащего в неудобной позе и рискующего захлебнуться на каждом глотке воздуха; хриплое папино покашливание, перемежающееся скрипом старых пружин неудобной, продавленной железной кровати; ровное, спокойное Мишкино сопение и даже легкие, чуткие вдохи Пса, дремавшего возле печки. Сережи не было рядом. Для того чтобы понять это, мне не требовалось поворачиваться, трогать его холодную несмятую подушку; кровати наши были настолько тесны, что об этом легко можно было догадаться, просто когда мне становилось слишком просторно лежать. Уже чувствуя смутную тревогу — куда он мог деться сейчас, посреди ночи? — я все же успела вспомнить те несколько пробуждений, случившихся совсем недавно, и в то же время невероятно давно — в самом начале, в нашем покинутом, наверняка уже погибшем доме. Я успела подумать, что всякий раз, когда я просыпаюсь вот так, среди ночи, и обнаруживаю, что постель рядом со мной пуста, непременно случается что-то плохое. В первый раз он оставил меня одну, когда пали кордоны вокруг Москвы; мы еще не знали об этом, и серое ноябрьское утро казалось нам похожим на все прочие, но спустя какой-нибудь час возле соседских ворот остановился зеленый армейский грузовик, и человек в форме и с респиратором, выпрыгнувший из кузова, застрелил Лёнину белую собаку и унес какую-то никчемную ерунду — деньги, шубу, плоский телевизор, — и именно это происшествие, первое в цепи множества таких же мелких катастроф, заставило нас поверить наконец в то, что привычного нам мира больше не существует. Во второй раз он уехал посреди ночи, не предупредив меня и не попрощавшись, чтобы прорваться в обезлюдевший, мертвый город, и спустя почти двенадцать часов, когда исчерпались все мои немудреные суеверия — не прислушиваться к звукам, доносящимся с дороги, не смотреть в окно, не ждать, — вернулся и привез с собой высокую светловолосую женщину с холодным лицом и чужого колючего мальчика, которого мне так и не позволили полюбить.

Неплотно прикрытая входная дверь в эту самую минуту легонько хлопнула, впустив внутрь узкую, как лезвие, струю холодного воздуха, она обожгла мне щеку. Я бесшумно спустила ноги на пол, осторожно встала, стараясь не дать расхлябанным пружинам заскрипеть, и на цыпочках подошла к двери.

— ...к черту со своей осторожностью, — говорила она вполголоса, но достаточно громко для того, чтобы я могла расслышать каждое слово; наверное, они стояли сразу за дверью, на узких мостках, прижавшись спинами к стене дома, чтобы спрятаться от всепроникающего ледяного ветра. — Обычный мужик, не плохой и не хороший, таких полно, ничего он нам не сделает. Да и вообще — при чем тут он? Их трое, а нас — одиннадцать...

— При чем? — перебил он сразу. — При чем?! Я скажу тебе, при чем. Ты слышала, как он спросил «которая из баб?». Он даже имени твоего не назвал, ему все равно — какую... Все эти конфеты, макароны, мыло... Ты думаешь, он дружить с нами собирается? Ни черта ты не понимаешь, нам нельзя на тот берег, уже только поэтому нельзя.

— Господи, — ответила она, — даже если и так, какая тебе разница?

— Ты просто хочешь меня позлить, Ир. Это глупо. Конечно, я не позволю, чтобы мой сын...

— Ах, ты не позволишь, — сказала она медленно. — Дело ведь не только в сыне, да?

— Какая ерунда, ну Ирка. При чем здесь. Опять ты с этими бабскими глупостями...

— С бабскими? Ты тоже считаешь нас просто бабами? Может, тебе даже нравится этот твой теперешний гарем, а, Сереженька? Всё хорошо, все на глазах, может, ты со временем еще по ночам начнешь ко мне заглядывать — а что такого? Никто ведь и слова не скажет?..

— Дура, — сказал он тихо и с яростью. — Заткнись немедленно.

— А вот это ты брось, — ответила она так же тихо, но с такой силой выплевывая слова, что он немедленно замолчал. — Я тебе ничем не обязана. Я тебе никто, ты понял? И благодарить мне тебя не за что. Если бы не Антошка, ты бы бросил меня там подыхать, я бесплатное приложение. И не смей мне здесь рассказывать, что мне можно, а что нельзя. Тоже мне, спаситель. Ты представь себе, ты просто представь себе — каждый день, каждый чертов день... Я не хочу на это смотреть, я не должна на это смотреть. Ну как ты не поймешь, я совершенно одна здесь. Так что не вздумай указывать мне. Если я захочу, я выберу себе любого из них — хоть этого уголовника, хоть мальчика этого тощего, да хоть черта лысого! Заберу Антошку и уйду на тот берег. И они возьмут меня, ты понял, они с радостью возьмут меня и будут кормить, и мне не придется больше участвовать в этом... смотреть на это... И мы никогда больше не будем жрать эту сраную рыбу.

Очень долго было тихо. Я слышала только, как она дышит, прерывисто и неровно, как после драки.

— Я не смогу тебя там защитить, — сказал он наконец. — Ни тебя, ни Антошку. Это слишком далеко.

Она не ответила.

— Я все понимаю, Ирка, — сказал он почти с нежностью, — просто надо потерпеть, понимаешь? Ты же можешь, ты...

— Потерпеть? Потерпеть, пока — что? Пока все это закончится? А ты уверен, что это вообще когда-нибудь закончится? — Она уже плакала. — Иногда мне кажется, что это все — навсегда. Насовсем.

Я не стала больше ждать. Даже на то, чтобы выдумать достойный предлог, времени уже не осталось, и потому я просто распахнула дверь и ступила прямо в снег, покрывающий мостки. И тут же поняла, что забыла надеть ботинки. Нет, он не прикасался к ней; они стояли в метре друг от друга, прислонившись к стене дома, ровно так, как я себе представляла, подслушивая за дверью. Она быстро подняла подбородок, шумно вдохнула и закрыла лицо рукавом, а он взглянул на меня, словно пытаясь вспомнить, кто я такая.

— Не кричите, — сказала я. — Перебудите всех.

И поспешно нырнула назад, в дом, чтобы не дать им увидеть мое лицо.

* * *

Боюсь, что причиной всех дальнейших событий оказался вовсе не мой бессильный ультиматум, который я (и мы оба знали это) вряд ли сумела бы привести в исполнение, а именно этот тихий ночной разговор, о котором я, наверное, даже не узнала бы, если бы мне не случилось проснуться в темноте и на цыпочках подойти к двери. Я могла сколько угодно швыряться подушками, бегать в слезах по озеру, прятаться на том берегу, и все осталось бы без изменений, если бы не эта женщина, которую, будь у меня выбор, я ни за что добровольно не взяла бы себе в союзники. Сережа легко отмахнулся от моих беспомощных жалких угроз, но почему-то немедленно поверил в серьезность ее намерений, хотя на самом деле она почти слово в слово повторила то, что несколькими часами раньше сказала ему я. Только мне потребовалось четыре месяца для того, чтобы собраться с духом, в то время как она, казалось, заговорила немедленно, в тот же день, когда эта мысль впервые пришла ей в голову.

Тесно, против воли зажатые под одной крышей, мы все выбрали разные формы защиты от противоестественной близости друг к другу. У Наташи были ее широкие улыбки и тщательно взвешенные колкости, у меня — молчание, у Марины — угодливое дружелюбие, за которым не было ничего, кроме отчаянного нежелания вступать в конфликты. И только эта женщина как будто и не нуждалась ни в какой защите, она была вся — нападение. Ей не было нужды подбирать слова, улыбаться или кричать; она просто давила, вооруженная своим спокойствием, своим одиночеством, своей заботой о детях. Нескольких негромких слов ей было достаточно, чтобы превратить Сережу в виноватого ребенка, и всё, что я любила в нем, слетало с него, как плохо пригнанный костюм; мне совсем не нравился этот незнакомый Сережа, — возможно, потому еще, что я и сама могла бы увидеть его таким, если бы прищурилась. В этом их ежедневном будничном взаимодействии не было близости; они говорили о рутинных вещах, о рыбе, о теплой детской одежде, она приказывала — он без удовольствия повиновался, но всё чаще я чувствовала, как смыкается вокруг них почти осязаемая, гладкая, непроницаемая снаружи стена их десятилетнего супружества, сквозь которую мне было не пробиться, даже если бы я старалась это сделать.

А я не старалась. У меня не было мальчика, которому требовалось бы ежедневное Сережино внимание, а мои собственные нехитрые горести мне не хотелось озвучивать вот так, при всех. Даже в редкие минуты наедине, увязавшись за ним на короткую прогулку к озеру за водой, я не смогла бы объяснить ему, почему ревную его к этому плотному спокойному диалогу, в котором нет ни нежности, ни взаимной заботы, но присутствует какое-то уверенное чувство взаимной принадлежности, понятное и простое приятие друг друга, на которое в равной степени способны они оба и на которое совершенно не способна я. Как-то раз я слишком близко подошла к проруби, из которой Сережа тащил ведро, полное тягучей, ледяной воды, и толстый кусок оплывшего белесого льда вдруг обломился под моей неловкой ногой. Сережа велел мне отойти, «Провалишься, — сказал он, — или ноги намочишь и свалишься с воспалением легких», и я беспомощно пошутила: «Ничего, у тебя есть запасная жена», — и даже, кажется, засмеялась, только смех застрял у меня в горле, потому что лицо у него сделалось задумчивое, словно он действительно пытался представить себе эту жизнь — без меня, по-старому, с ней и мальчиком, — представить, насколько это было бы проще; и тогда я сказала: «Эй, это просто шутка, я пошутила».

Мы мало говорили о ней в нашей прошлой, благополучной жизни. Мне было достаточно того, что я победила, что мне даже не пришлось с ней бороться, потому что Сережа ушел ко мне сразу, мгновенно, словно рад был такой возможности, словно это решение было принято им заранее. Он ушел от нее даже скорее, чем я успела осознать, что на самом деле хочу этого, и потому я не задавала вопросов, а сам он почти ничего о ней не рассказывал; и только мелочи, упомянутые вскользь, между делом, тем не менее крепко застревали в памяти, словно откладываясь на будущее, для дальнейшего анализа: точная последовательность слов, его интонация и даже выражение лица, с которым он их произносил. Как-то раз он сказал: «У нее были самые длинные ноги на всем факультете, да что там — на всем потоке», — и я немедленно увидела их студентами, представила себе их дурашливую общую юность, случившуюся до меня, без меня. А в другой раз: «Она всегда добивается того, чего хочет», — и это прозвучало почти с восхищением, как если бы это сказал не бывший муж, которого в очередной раз принудили к какому-то нежелательному компромиссу, а боксер-профессионал, побитый достойным противником.

Тогда, в самом начале, Сережа уже проводил со мной все время, какое ему удавалось выкроить между работой и обязательным возвращением домой на ночь, иногда в ущерб и тому и другому, но благодаря инерции, свойственной женатым мужчинам, какой-то месяц или два в его телефоне она еще значилась под лаконичным мужским прозвищем «Кот»; это короткое горячее слово пульсировало с прямоугольного экранчика под моим локтем в ресторане, ехидно подмигивало мне из подстаканника в темном салоне автомобиля. Потом она превратилась просто в Иру, но и эта незначительная деталь — было время, совсем еще недавно, когда он звал ее Кот, — навсегда уже осталась со мной, хотела я того или нет. У нее, наверное, тоже имелось для него какое-нибудь нелепое, смешное имя. Я не желала знать — какое, и не спрашивала его об этом, иначе и этот ненужный образ пришлось бы добавить в калейдоскоп отрывочных, разрозненных, прилипчивых иллюстраций его жизни с ней.

Он не был с ней счастлив. Это сквозило в каждом слове, произнесенном в телефонную трубку; он всегда отвечал на ее звонки, но голос для нее был особый, нетерпеливый и чужой, этим голосом он говорил только с ней и ни с кем больше. Это отражалось на его лице — в том, как были сдвинуты брови, опущены уголки губ; в том, как он хмурился, как раздраженно перебрасывал трубку из одной руки в другую, как переставал замечать все остальное — дорожный трафик, меня, сидящую рядом, — до тех пор, пока мучительный этот разговор не заканчивался. Это было очевидно даже в паузах, необходимых ему всякий раз для обратного превращения. У него не было противоядия, не было средства защиты от ее спокойного напора, напоминавшего мне тяжелый ток воды, сметающей непрочные конструкции его возражений, и напор этот — равнодушный и безликий, как стихия, — способен был разрушить любые его планы, уничтожить его настроение, раздавить его самого прямо на моих глазах. Наблюдать за этим было тяжело, и я быстро научилась исчезать, отворачиваться и глохнуть, не желая смотреть, как он проигрывает раз за разом, битву за битвой, потому что испугалась того, что сама не смогу устоять перед искушением победить его этим оружием, перед которым он становился так беспомощен и несчастлив. Я не должна была этого допустить. Мне нельзя было становиться на нее похожей.

И я не стала; хотя, видит бог, это далось мне непросто, потому что на самом деле между мной и этой женщиной, которую он не выносил, было не так уж много различий. Мне пришлось учиться быть ее зеркальной противоположностью: она требовала — я отказывалась, она говорила — я молчала, и везде, где она нажимала, я не прикасалась вовсе. Я запрятала поглубже все свои острые углы, едкие слова; даже мой почерк как-то измельчал и закруглился — я находила свои старые записные книжки, бумажки с ничего не значащими записями — и не узнавала теперь эти колючие буквы и резкие росчерки. Зато он был счастлив. Он правда был счастлив. Был — там, в городе, все три года, которые прожил рядом со мной. Но, тревожно следя за его счастьем, я не заметила, как на самом деле стала тем, кем собиралась только притвориться, — беззубым, бессильным, бесполезным существом, от которого здесь, на острове, ему было не больше пользы, чем от жалкой бессловесной морской свинки. Именно поэтому я ни за что не смогла бы заставить его поступить по-моему, если бы мое желание удивительным образом не совпало с желанием женщины, которую он не любил. Которой он боялся.

Он не хотел переезжать на тот берег. Ему вообще не нужны были перемены — он был слишком занят другим, но именно ее желание (а не мое) заставило его на следующий день, прямо перед утренней проверкой сетей, все-таки заговорить о полученном нами ночном предложении, от которого он отмахнулся, когда вел меня под конвоем обратно домой, как отбившуюся от стада козу. По негласному уговору, каждой из женщин по утрам полагалось несколько минут одиночества снаружи, для того чтобы вскарабкаться по скользким камням до густой полоски деревьев, растущих вокруг дома, и присесть там на корточки без боязни быть замеченной кем-то, вышедшим за дровами или за водой. Меня не было не больше десяти минут, но, вернувшись в натопленную комнату и взглянув на их лица, я немедленно поняла, что неприятный ему разговор Сережа начал, пока меня не было. Как будто надеялся закончить его до моего возвращения. Как будто боялся, что я могу как-то повлиять на его исход.

Все сидели вокруг стола, и Лёня, задумчиво чешущий щеку, неровно заросшую светлой вьющейся бородой, проговорил недовольно:

— Им-то это зачем? Ну включи ты голову...

— Может, ты его не так понял? — спросил папа, отхлебнув из кружки. — Что конкретно он сказал?

Дверь у меня за спиной стукнула; никто не обернулся. Мне хотелось еще раз хлопнуть чертовой дверью, чтобы они заметили меня, хотелось сказать им: «Почему вы не спросите у меня. Он ведь предложил это — мне, не Сереже, не вам, — мне; это я говорила с ним, размазывая слёзы по щекам, я рассказывала ему, как сильно всё здесь ненавижу».

Они меня даже не заметили. Не было никакого плана в том, чтобы поговорить в мое отсутствие, им просто было безразлично, услышу ли я начало этого разговора, услышу ли конец. Я шагнула в комнату, встала в самом ее центре, свободном от чужих ног и кроватей, и произнесла отчетливо:

— Он сказал — перебирайтесь к нам, пока вы там друг друга не поубивали, — и оглядела их лица, наконец, обращённые ко мне.

— Конечно, — фыркнул Лёня, — ему гораздо интересней самому...

— Ну ясно же, дерьмовый план, — сказал Андрей, не дослушав. — Или мы должны это еще обсуждать?

— Да нет, — с облегчением отозвался Сережа. — Нечего нам там делать, на берегу...

Они перебрасывались этими короткими, незаконченными фразами, почти не слушая друг друга, как будто исполняли какой-то нелепый вежливый ритуал, призывающий каждого из находившихся в комнате мужчин быстро высказать неодобрение и покончить с этой бессмысленной темой, чтобы заняться, наконец, настоящими серьезными делами. Похоже было, что они говорят все одновременно, и я никак не могла дождаться паузы, чтобы сказать что-то — что угодно, — чтобы заставить их хотя бы обдумать это предложение, понимая уже, что не найду слов, что они не станут меня слушать, особенно после жалкого, бессильного вчерашнего скандала. И тут заговорила она — даже не вставая с места, не повышая голоса, не стараясь перекричать их. Мальчик сидел у нее на руках, прочно держась за ее тонкие колени, как за подлокотники кресла, и все время, пока она говорила — негромко, презрительно, — ее бледные пальцы нежно, успокаивающе перебирали его легкие волосы.

В том, что она сказала, не было ни слова неправды. Она назвала их, сидящих за столом, трусами, боящимися собственной тени. Вялыми, неприспособленными к жизни городскими тюфяками, которым легче делать вид, что все как-то образуется само собой. Она произнесла «сидеть на заднице», она сказала даже «жевать сопли» — все тем же тихим, невыразительным голосом, от которого мороз шел по коже, голосом заклинательницы змей. И ни один из них не возразил ей, словно под воздействием какого-то необъяснимого гипноза. Ей даже не нужно было на них смотреть. Опустив голову, она почти шептала.

— Все это время, — сказала она, — в двух километрах отсюда стоят два пустых огромных дома, набитых консервами. Сначала вы боялись заразы, — сказала она. — Теперь вы боитесь этих мужиков. Вы отдали им нашу еду и заставили нас улыбаться им за десяток жалких конфет. Вас четверо, — сказала она, — неглупых, здоровых, с руками. Вы даже стол этот кособокий за все время не поправили. Мы четыре месяца скачем по скользким камням, там уже ступить некуда, на ветру, как собаки, как свиньи. Едим эту рыбную бурду и моемся в тазу.

Папа шевельнулся.

— Тебе никто не обещал здесь курорт, — хмуро начал он, не поднимая глаз.

— Мне вообще никто ничего не обещал, — отрезала она жестко. — Я знаю, почему я здесь.

Она легко, мимолетно прижала губы к светлой детской макушке.

— Я не хочу, чтобы он жил — так.

— Как — так? — спросил Сережа; похоже, гипноз начал наконец проходить. — У нас есть дом. У нас есть еда. Через месяц прилетят утки...

— А потом? После уток? У тебя есть хоть какой-нибудь план, кроме этих чертовых уток?

Он не ответил. Вот как это было, думала я, глядя на его лицо, узнавая беспомощное выражение — уголки губ, брови, — спор за спором, год за годом, без маскирующих улыбок, без игр, без нежных интонаций. Без снисхождения, без пощады. Одна только неудобная правда. Удивительно, что ты продержался так долго.

— Я не хочу туда идти, — сказала она, и по голосу ее было понятно: сейчас все закончится, и больше она ничего уже не добавит. — Я боюсь их не меньше, чем вы. Но еще больше я боюсь не дожить до весны. Мы уходим, — она подняла на Сережу прохладные светлые глаза, — а ты попробуй останови нас. Или иди с нами.

Он сморщился, будто от зубной боли, и отвернулся к окну. Остальные просто сидели молча, как невольные, непричастные свидетели вышедшей из-под контроля семейной ссоры, которую людям невовлеченным лучше всего переждать, сделав вид, что они ее даже не слышали, и тогда можно будет выждать приличное время и вновь заговорить о чем-нибудь нейтральном. Каким-то непостижимым образом оказалось, что всё сказанное сделалось вдруг очень личным и касалось теперь только ее и Сережи, только их двоих, и тогда я сказала:

— Я тоже. — Хриплым, незнакомым голосом, глядя в его беззащитный затылок, мучительно желая протянуть руку и погладить спутанные русые волосы; мне все равно не дотянуться отсюда, из середины комнаты, где я стою уже битый час, как на сцене, и молчу, какого черта я всегда молчу, ты будешь мной недоволен, ты уже недоволен, но мне давно пора начинать говорить, иначе я просто сойду с ума. — Я тоже ухожу. В конце концов, это была моя идея.

Сережа так и не обернулся. Поднявшись с места, он оглядел комнату — не нас, мгновенно превратившихся в зрителей, наблюдающих за тем, что он сделает дальше. Потому что он должен был, конечно, что-нибудь сделать. Глядя поверх наших голов, как если бы внезапно остался в комнате один, он шарил глазами по стенам, по ржавым загнутым вверх гвоздям, на которых были развешены наши куртки, наши полотенца, запасные теплые вещи и даже связанные шнурками ботинки — словом, почти весь наш нехитрый скарб, которому не было места на полу, — и нашел наконец то, что искал: одно из своих охотничьих ружей. Не то, с которым ходил теперь по лесу, а другое, лежавшее у Лёни в машине в тот злополучный день, когда его пырнули ножом. Сережа дернул ружье на себя. Кожаный, закисший от времени ремень нехотя соскочил с гвоздя. По-прежнему ни на кого не глядя, Сережа стащил со стены первый попавшийся рюкзак и вывалил его содержимое — какие-то свитера, шерстяные носки и прочее зимнее барахло — на ближайшую кровать, прямо на ноги съежившейся на ней Наташи. Та протестующе пискнула было, но затем принялась послушно сгребать руками рассыпающиеся вещи, чтобы не дать им совсем раскатиться, продолжая следить глазами за Сережей — без возмущения, а скорее, с каким-то жадным любопытством. Мы все без исключения в эту минуту смотрели на него именно так — с любопытством, поглотившим все прочие чувства. Держа опустевший рюкзак в руке, он шагнул за перегородку (мне пришлось посторониться, иначе он, пожалуй, сбил бы меня с ног) и там принялся запихивать в него маленькие желтые коробки с патронами, много, одну за другой, и остановился, только когда рюкзак наполнился почти наполовину. После он с силой затянул веревку, вскинул рюкзак на плечо и пошел к выходу (мне снова пришлось отпрыгнуть) с ружьем, рюкзаком и курткой, которую даже не надел, а просто держал в руках. Входная дверь звонко стукнула, закрываясь за ним.

Я смотрела на дверь и думала, что мне, наверное, нужно было спросить «куда ты?». Но я не спросила, а вместо этого стою сейчас и спокойно смотрю на дверь, чувствуя внутри непривычную гулкую пустоту в том месте, где располагался точный горячий сонар, всегда безошибочно направленный в любое место, где бы ему ни случалось находиться: в другой комнате, на соседней подушке, в пятистах метрах отсюда — на озере, на том берегу.

Мне все равно. Я даже не подойду к окну.

За моей спиной громыхнул по истерзанным доскам отодвигаемый стол, затопали шаги, и Мишка, одеваясь на ходу, выскочил следом за Сережей, и только тогда, только в этот момент, увидев узкий нестриженый затылок сына, выбегающего за дверь, я вдруг поняла, что ни разу не сказала «мы». Ни вчера, пока спорила с Сережей у остатков рыболовной стоянки, ни сегодня, спеша добавить свою решимость к решимости этой женщины, потому что моей собственной ни за что бы не хватило, я не сказала — «мы уходим». Я сказала — «я ухожу». Я даже о нем не вспомнила.

* * *

Я нашла Мишку снаружи, за углом дома, — там, где, плотно сложенные друг на друга вдоль дощатых стен, хранились напиленные заранее дрова. Он уже успел вытащить несколько замерзших, разрубленных надвое березовых поленьев на снег и теперь задумчиво разглядывал оставшиеся. В декабре, когда мы добрались наконец до озера, две стены этого маленького дома были доверху, до самой шиферной крыши закрыты подготовленными для растопки штабелями, оставленными предыдущими визитерами. Лесная вежливость, объяснил мне тогда Сережа, — восполнить израсходованный запас дров, оставить в доме чай, соль, спички и прочие мелочи для тех, кто воспользуется домом после тебя. Я помню, что подумала тогда: одному человеку ни за что столько не заготовить за несколько недель, что он гостит здесь, в этих хлипких стенах. Эта поленница собрана десятками безымянных рыбаков, охотников и туристов, и нижние ее ярусы, возможно, лежат здесь уже много лет. А еще я подумала, что последним до нас здесь был какой-нибудь московский или питерский любитель рыбалки, приехавший сюда в отпуск на две сентябрьские недели. Перед самым отъездом, прежде чем снять с веревок закоптившуюся рыбу, он оглядел опоясывающую дом слежавшуюся дровяную ленту, прикидывая, сколько сухих березовых стволов — один или два — понадобится, чтобы заполнить образовавшуюся с одного конца стены пустоту, а потом, вооружившись пилой и топором, отправился искать подходящие деревья и уехал только после, когда негласный этот долг вежливости был выполнен. Он сел в свою машину, этот неизвестный питерец или москвич, и вернулся домой, в шумный чадящий мегаполис, к своей привычной жизни, чтобы спустя каких-то два месяца быстро и неизбежно умереть — вместе с теми, кто сопровождал его в этой приятной короткой поездке, и с теми, кто ждал его дома. Именно этого неизвестного человека я тогда и представила себе, разглядывая плотную кладку необходимых нам дров, заготовленную руками мертвецов. Тогда, в декабре, эти мысли еще могли меня взволновать. Не теперь, нет.

— Ты шапку забыл, — сказала я Мишке, вытаскивая из кармана куртки скрученный шерстяной комочек. Он кивнул и, не глядя, протянул за ним руку.

— Дрова почти закончились, — сокрушенно заметил он. — Представляешь? Я думал, мы до лета их будем жечь, их была такая куча, а теперь вот, смотри — два ряда осталось, это на неделю максимум.

Я пожала плечами:

— Ну и что? Здесь куда ни глянь, везде сплошные чертовы дрова.

— Ты не понимаешь, — произнес он совершенно Сережиным, досадливым тоном. — Деревья должны быть сухие, за ними придется тащиться на берег. Бензопила у нас есть, но толку от нее без бензина... вручную придется пилить, рубить потом. Это долго, мам. Долго и трудно. Дед говорит, нам недели две всем вместе корячиться, чтобы эту поленницу заново набить.

— Дед? — глупо переспросила я.

— Ну да, дед. — Он натянул шапку на уши и наконец повернул ко мне худое сосредоточенное лицо.

Я подумала: ну конечно, могу же я называть человека, которого знаю меньше трех лет, папой; отчего бы Мишке не звать его дедом? Наверняка он зовет его так уже какое-то время, только я почему-то совершенно этого не заметила.

— Или больше двух недель, — мрачно продолжил он. — Если опять придется все делать втроем.

Мне тут же вспомнилась Лёнина расслабленная поза, взбитая подушка, руки за головой. «Ни с кем я не договаривался». Ехидная улыбка Андрея. «Чак Норрис не боится ходить по минам». Мы помолчали.

— Они нихрена не делают, — сказал Мишка наконец. — Почему он не может их заставить, мам?

* * *

Сережа вернулся спустя три с лишним часа; к моменту, когда деланное равнодушие, неизбежное после утренней ссоры, уже успело совсем выветриться, уступив место беспокойству. Мы были заняты обычными ежедневными делами: мыли оставшуюся после завтрака посуду, Мишка с папой сходили проверить сети, Андрей принес воды, но все это делалось молча, и никто — по крайней мере, при мне — ни разу не спросил «как вы думаете, куда он все-таки пошел?», хотя то и дело в течение этих бесконечных трех часов кто-нибудь из нас подходил к окну, как бы случайно оглядывая пустынную поверхность озера.

Первой его увидела Наташа.

— Вон идет ваш отвергнутый муж, — бросила она через плечо, но даже в ее голосе слышалось явное облегчение.

— Идет, — выдохнул папа, бросившийся к окну.

Я осталась сидеть на продавленной кровати, не позволяя себе подняться. В том, чтобы дежурить сейчас вместе с остальными возле окна, толкаясь локтями, дышать друг другу в затылок и наблюдать, как увеличивается в размерах Сережина одинокая фигура на том берегу, не было никакого смысла. Они заметили его, он возвращается, все хорошо. Я не пойду.

Прошло добрых двадцать минут, прежде чем входная дверь распахнулась, и он появился на пороге с тем же чужим, недовольным выражением лица, с каким собирался в дорогу, словно эти три с лишним часа нашего взволнованного ожидания, полностью изменившие наше собственное настроение, никак не повлияли на него, как будто для него их не существовало. Можно было подумать, что он вообще никуда не уходил, а просто пять минут простоял за дверью, если бы не одно обстоятельство, бросившееся нам в глаза немедленно, стоило ему войти. Руки у него были совершенно пусты. Ни ружья, ни патронташа, ни рюкзака с патронами у него с собой больше не было.

— Ты куда девал ружье? — спросил папа.

Сережа не ответил. Он не спеша, нарочито медленно стряхнул снег с ботинок, затем принялся расстегивать куртку, повесил ее на гвоздь возле двери и только после этого поднял на нас глаза.

— Они отдают нам баню.

— То есть как — баню? — нахмурился Андрей. — Ты же говорил — дом? Эта баня еще меньше нашей развалюхи. Какой смысл переезжать на тот берег, чтобы жить там в бане?

— Я не сказал — переезжать, — ответил Сережа мрачно. — Мы не будем никуда переезжать. И мне надоело объяснять вам — почему. Нам нельзя жить на берегу. Они отдают нам баню — сюда. Ее просто надо через озеро переправить. Я ее купил. Я отдал им ружье. И патроны. И два отличных ножа.

— Ты отдал им мое ружье? — Лёня шагнул вперед.

— Это было *мое* ружье, — ровным голосом сказал Сережа, и я подумала: ну наконец-то. — У меня было три ружья, я отдал им одно. Только это еще не всё. Нам придется отдать им одну из машин.

И прежде чем кто-нибудь из нас, прежде чем мы все одновременно заговорили, продолжил:

— У нас все равно нет топлива. Нет и не будет. Нам его просто негде взять. А у них есть, и машина им нужна. Уазик у них совсем развалился. Они еще не сказали — которую, но одну из трех им придется отдать.

— Так, — сказал Андрей и как-то страдальчески, нехорошо сощурился, словно у него внезапно сильно разболелась голова. — Так. Значит, если я правильно понял, мы только что остались без одной машины, без ружья, без половины патронов, и за это нам отдали какую-то сраную баню, которая вдобавок стоит еще в двух километрах отсюда, на том берегу?

— Точно, — сказал Сережа почти весело, с каким-то отчаянным вызовом. — Она совсем свежая, и разобрать ее будет нетрудно. Ну, почти нетрудно. Сначала мы снимем шифер с крыши, а потом нужно будет подписать венцы. Я видел, как это делается, нужны крепкие веревки, ну или тросы автомобильные, снимаешь бревна по одному, связываешь тросом, цепляешь к машине и тащишь по льду. Если слить весь оставшийся дизель в пикап, нам хватит ходок на десять. Столько даже не понадобится. А потом надо будет просто выбрать место здесь, на острове, и сложить так же, как было.

— Недели полторы нужно, — задумчиво протянул папа.

— Максимум — две. Они обещали помочь, — кивнул Сережа. — Только это нужно делать прямо сейчас, пока лед еще крепкий.

— Да делай. — Андрей сложил руки на груди. — Делай. У тебя есть план, у тебя есть помощники, ты же отдал им свою машину, ты даже отдал им ружье — *свое* ружье...

— А ты? — раздался вдруг голос позади меня; обернувшись, я увидела Мишку, стоявшего посреди комнаты, подняв плечи и отведя назад руки, словно вот-вот собираясь прыгать с вышки. Нижняя губа у него дергалась. — Что будешь делать ты?

— А я при чем? — Андрей расслабленно пожал плечами. — У меня нет ни плана, ни ружья... мне-то зачем две недели таскать бревна по льду только для того, чтоб порадовать двух капризных суч...

И Мишка прыгнул.

Удивительным образом он сразу оказался прямо напротив Андрея, точнее — у него под подбородком; на мгновение мне показалось даже, что сейчас Мишка схватит его за грудки или, может быть, боднет прямо в перекрестье нарочито сложенных рук, но он только застыл в напряженной позе и задрал голову, так что я увидела его всклокоченную вихрастую макушку.

— Ты будешь ловить рыбу, — сказал он звонко. — Ты будешь рубить дрова. Ты будешь делать все, что мы не успеем, пока будем строить баню, понял?..

— Тебя забыли спросить. — Андрею пришлось нагнуть голову, чтобы ответить. Он произнес эти три презрительных слова и улыбнулся неприятно, коротко; на самом деле, он просто поднял уголки губ вверх и тут же снова опустил их.

Мне достаточно было взглянуть на него — огромного, царственно раздутого рядом с моим тощим, хрупким мальчиком, — чтобы я немедленно почувствовала, как все мышцы — все без исключения — напрягаются в моем теле, готовые бросить меня вперед, между ними. Я ударю первая, занесу руку за спину и ударю, с размаху, сжатым кулаком, я никого и никогда не била вот так — яростно, наотмашь, но если он качнется вперед хотя бы на миллиметр, если он только позволит себе...

Мишка опередил меня. Он прижал руки к телу, отчаянно наклонил голову — его лохматая макушка пропала из поля зрения — и встал боком, похожий на маленького фехтовальщика, зачем-то бросившего вызов борцу сумо, а потом нырнул вперед и вниз, выставив острое худое плечо, и толкнул, не глядя, отчаянно, безнадежно. Вот сейчас, подумала я, сейчас, и приготовилась. Презрительная улыбка сползла с Андреева лица, уступив место другой гримасе. Небыстро, как при замедленной съемке, он поднял длинную тяжелую руку. И замахнулся.

Сережа оттер Мишку в сторону легким, необидным движением и через крошечное, неуловимое мгновение они оба, Сережа и Андрей, были уже снаружи, на мостках, а потом — сразу, без перехода — оказались внизу, под мостками, взметнув маленькую беспомощную вспышку снежной пыли. Миг — и они уже лежали, сцепившись, тяжело дыша, неловко разбросав ноги. Еще миг — и натужные объятия распались, и они поднялись, перепачканные белым, с плотными кусками снегом, отваливавшимся от них при каждом движении. Не опуская рук, но и не сближаясь, словно все еще надеясь, что неприятное это дело решится вот так, без единого удара кулаком, они качались друг напротив друга, и пар — густой, молочно-белый — растворялся над их головами; а потом Сережа выбросил вперед правую руку — медленно, словно бы неохотно, но замах вышел какой-то кривой, безо всякой хлесткости, так, что, когда его ладонь царапнула наконец Андреев подбородок, пальцы даже не успели еще до конца собраться в кулак. Получился скорее шлепок, а не удар,

189

на который Андрей ответил таким же вялым, угловатым тычком в Сережино плечо; не сразу, секунд через пять, как будто на самом деле им вовсе не хотелось этого делать, как будто им не хватало еще повода бить друг друга всерьез.

Мишка рванулся было к двери, расталкивая нас, столпившихся у входа безмолвной пассивной толпой, но я схватила его сразу двумя руками — за рукав и за ворот свитера; изношенная шерсть жалобно затрещала. «Не смей, — сказала я сквозь зубы, — не лезь, — сказала я, — стой». Чувствуя теперь только раздражение оттого, что он мешает мне смотреть, я оттащила его в сторону и втолкнула назад, в комнату; я даже вытянула руку и плотно вцепилась в дверной косяк, чтобы не дать Мишке выскочить наружу, и снова жадно вгляделась в распахнутый, пышущий холодом проем. Марина тоненько причитала: «Ну вы что, ну вы что, ну мальчики, ну зачем вы...» — и это тоже было уместно и правильно сейчас, потому что кто-то непременно должен был причитать, издалека, с безопасного расстояния, а я совершенно почему-то не собиралась этого делать. Наташа над самым моим ухом выкрикнула: «Перестаньте! Это глупо!» — только это ведь было не глупо, совсем не глупо, это было просто необходимо; я даже дернула плечом, словно пытаясь стряхнуть ее вместе с ее неуместным криком. «Не мешай, черт бы тебя побрал, не мешай им». Однако именно ее выкрик, казалось, наконец подстегнул их, как будто они поняли, что пора оправдать наконец эту нелепую возню под мостками, этот снег на одежде; Сережа ударил еще раз — уже сильнее, сжатым кулаком, скользнувшим по незащищенной скуле, задевшим ухо, и тут же мгновенно покачнулся от встречной увесистой затрещины, которая пришлась ему в левое надбровье. Поймал замахнувшуюся длинную руку и вцепился, пытаясь подтащить, дотянуться, одновременно стараясь держать локти повыше, защищая лицо, но Андрей ударил левой, сверху вниз, один, два раза, без замаха, но все равно очень сильно, с хрустом, и костяшки его пальцев окрасились красным, и неясно было, чья это кровь; и тогда Сережа вскинул локоть под каким-то неправильным углом и ткнул, подавшись вперед всем телом, ткнул почти наугад, не глядя. Они ничего не кричали, только ухали болезненно и коротко после каждого пропущенного удара, и Пёс, испуганно оскалившись, выписывал вокруг них возмущенные, неровные круги, заливаясь яростным лаем. Это была неловкая, некрасивая драка, без эффектных выпадов, без рассчитанных на публику стоек; так могли бы драться женщины, трехлетние дети или старики. Так могли бы драться мужчины, чья благополучная, приличная жизнь не дала им шанса убедиться в том, умеют ли они драться по-настоящему; так могла бы драться я. Смотреть на эту драку было скорее неприятно и стыдно, но я смотрела, смотрела.

Потом они упали снова, уже далеко не такие целые, не такие безупречно пристойные, как вначале; с разъехавшимися раздутыми лицами, залепленными снегом, покрытыми стынущей на морозе слюной и кровью. Звуков по-прежнему не было — кроме шумных прерывистых выдохов, выталкиваемых сжатыми легкими, и истошного собачьего крика. И вдруг стало ясно, что Андрей — большой, тяжелый — одерживает верх в этой беспорядочной и неуклюжей свалке; не благодаря мастерству или ярости, а просто за счет лишних пятнадцати килограммов веса и двадцати сантиметров роста. Покатавшись недолго из стороны в сторону, они неподвижно застыли в бессильном, безвыходном клинче — Андрей вверху, а Сережа под ним, с руками, беспомощно прижатыми к груди, с заплывшими, разбитыми глазами и губами, и тогда Лёня недовольно, досадливо загудел:

— Ну ё-моё, парни, вашу мать!.. — и тяжело спрыгнул вниз, с мостков, отчетливо желая както расцепить их, растащить в стороны, но какоето время просто бесцельно кружил вокруг, не зная, как подступиться, чтобы при этом ни слюна, ни кровь, ни по-прежнему не нашедшая выхода злость не переметнулась с них на него.

Когда уже не осталось сомнений в том, что Сережа не победит, я вдруг обнаружила себя внутри, в комнате, спиной к двери, потому что смотреть больше было не на что, незачем; я закрыла бы эту дверь, если б было можно, если бы остальные не стояли в проеме, и пусть бы эти двое, сцепившиеся в снегу, остались там, снаружи, на морозе, потому что ровным счетом ничего не зависело уже от исхода этой глупой потасовки. Я села на кровать, глядя себе под ноги, испытывая только тупое, слабое раздражение и неловкость, озадаченная тем, что чувствую только эти две вещи, и никаких больше, и в этот самый момент остальные посыпались из двери наружу — папа, Мишка, Марина с Наташей, — и закричали все разом, засуетились, растаскивая, поднимая на ноги, отряхивая. Пока они возвращались в дом, пока усаживали два обессилевших, обмякших, бессмысленных тела, словно боксеров в разных углах ринга, пока хлопотали вокруг, стягивая с них через голову отяжелевшие от снежной влаги свитера, стирая кровавые потеки, я смотрела на пол, на исцарапанные носы своих зимних ботинок, не желая видеть, мечтая не слышать.

Комната была слишком мала для этого. Казалось, кто-нибудь из них, взбудораженных дракой, усядется сейчас ко мне на колени, просто не заметив меня. Я встала и, не поднимая глаз, проскользнула назад, за перегородку, туда, где обычно спали дети, просто чтобы оказаться подальше от всего этого шума и суеты. За четыре месяца я была в этой комнате от силы несколько раз. Там даже пахло иначе — уютным и сладким, жарким детским духом. Ира сидела прямо напротив входа, а дети замерли на полу, глядя ей в лицо, две маленькие змейки перед своим заклинателем. Она коротко взглянула на меня и тут же отвернулась, словно не желая отвлекаться от них. Я села напротив, чувствуя себя одновременно незваным гостем и дезертиром. Позади нас, в другой комнате, звенел Наташин голос, жалобный и обвиняющий одновременно:

— Покажи! Ну покажи, Андрюша! Так больно? А так? Господи, что у тебя с рукой?

Муж ее мычал в ответ что-то неразборчиво, раздраженно.

— Где у нас йод? — продолжала она, перекрывая остальные голоса в комнате, гудевшие и спокойнее, и ниже. — Надо йодом... У тебя рука совсем разбита, смотри, кожа лопнула, ну что же это такое, ты теперь этой рукой ничего не сможешь делать...

— Не уверена, что кто-нибудь из нас заметит разницу, — нежным певучим голосом произнесла Ира, склонившись к детям; казалось, она рассказывает им сказку, волшебную историю на ночь.

— Ты посмотри, что у него с рукой! — звенела Наташа за перегородкой. — Нет, ты посмотри! Тут зашивать, зашивать нужно, это само не заживет!.. Зачем ты так, как тебе не стыдно, он столько для тебя сделал... а ты!

Кроме нас четверых, в крошечной детской никого не было, и я снова взглянула на Иру. Мне просто некуда было больше смотреть.

Господи, подумала я, ну что, что же такого он сделал, в конце-то концов; отчего их странная дружба так некрасиво перекосилась, и Сережа всю жизнь притворяется теперь младшим братом, ожидающим снисходительной похвалы? Она подняла ко мне лицо, словно услышала мой безмолвный вопрос, словно я на самом деле спросила, и сказала негромко, буднично, как если бы мы говорили о погоде:

— В девяносто восьмом, когда всё развалилось, все наши деньги сгорели в банке. У нас были страшные долги, работы не было, вообще не было, ни у кого. Сережа уже бомбить начал по ночам.

Ира протянула вперед руки, сразу обе, и погладила детей по волосам; две крошечные худенькие фигурки неподвижно, как заколдованные, сидели возле ее ног, даже не заметившие случившейся только что драки, безмятежные, неиспуганные.

— У Андрея был тогда какой-то госзаказ, и он взял Сережу к себе. Водителем. И целый год платил Сереже зарплату за то, что тот возил его — по делам, на работу, вечером из ресторана.

Она посмотрела поверх детских голов в ту, другую комнату, где по-прежнему было шумно и суматошно, где никто не слышал ее слов, и губы ее скривились в неприятной колючей улыбке.

— Это была очень хорошая зарплата. Очень... хорошая. Мы не могли отказаться.

Я посидела еще с минуту, а затем поднялась и вернулась в соседнюю комнату, перешагнула через длинные, вытянутые вперед Андреевы ноги. Наташа хлопотала над его разбитой правой рукой, пытаясь соорудить неловкую громоздкую повязку. Пахло аптекой. Марина уже успела смыть кровь с Сережиного лица, но смотреть на него по-прежнему было страшно — теперь стало уже совсем очевидно, что досталось ему гораздо сильнее, намного сильнее: оба глаза закрылись почти полностью, кожа на скуле лопнула; из нижней, раскроенной губы, размазываясь по подбородку, капая на грудь, на дощатый пол, струился уверенный красный ручеек. Я подошла поближе и взяла из дрожащей Марининой ладони сочащуюся водой и Сережиной кровью марлевую салфетку. Марина с готовностью отдала ее и немедленно, с облегчением шагнула назад, в глубь комнаты. Я опустилась на пол возле Сережи и погрузила руку с марлей в ведро с розоватой ледяной водой, поглядела на змеящиеся темно-алые струйки, брызнувшие между моими сжатыми пальцами, и вынула руку, прижала салфетку к его разбитому подбородку.

— Он побил тебя, — сказала я и поцеловала его вздутую лиловую бровь.

Мокрые слипшиеся ресницы дрогнули, и он едва заметно кивнул мне, и улыбнулся — нешироко, насколько позволяли отекшие губы.

— Ты молодец, — сказала я и поцеловала эти ресницы, чувствуя языком соль, кровь и воду. Он снова кивнул, и снова улыбнулся, и сквозь разноцветное месиво развороченных вспухающих тканей сверкнул для меня ясной серой радужкой глаз.

— Теперь все будет хорошо, — сказала я и поцеловала вспухшие воспаленные веки, болезненно пульсирующие под моими губами.

Он легонько качнулся ко мне, прижимаясь горячим лбом к моей щеке.

— Ну всё, Наташка, пусти, всё, хватит, — простонал Андрей где-то далеко, где-то у меня за спиной.

Он подошел к нам, ко мне и Сереже, и встал рядом, баюкая обмотанную бинтом руку, большой, мокрый, пахнущий так же, как и Сережа, по́том и дракой, и спросил:

— Серёг, ты как? Нормально? — наклоняясь, чтобы взглянуть.

Сережа поднял к нему лицо и кивнул еще раз, улыбаясь, фыркая кровью, и тогда Андрей сказал:

— Давай сходим завтра и посмотрим эту твою баню. Я помогу. На пикапе у меня отличный фаркоп крепкий, на заказ делали, и трос у меня остался, даже два троса. Думаю, легко управимся. Надо только место выбрать, где бы ее воткнуть здесь.

Я наклонилась к ведру, и смыла розовую влагу с ладоней и губ, и немного потрясла пальцами, чтобы последние холодные капли стекли вниз, и потянулась к висевшему на гвозде полотенцу. Марина шарахнулась в сторону и посмотрела на меня широко раскрытыми, круглыми глазами с изумлением и ужасом, как смотрят на диковинную шипастую ящерицу в зоопарке; и только наткнувшись на этот ее взгляд, я почувствовала, что улыбаюсь. Что, наверное, начала улыбаться в ту самую минуту, когда вошла в комнату.

* * *

Найти место для дома, выторгованного Сережей у людей, которым этот дом не принадлежал, в обмен на машину, ружье и несколько ножей, оказалось несложно. На крошечном острове, густо покрытом вперемешку растущими березами и елями и заваленном неподъемными корявыми валунами, пустым оставался один только небольшой пятачок возле самого берега, почти полностью занятый нашим теперешним неказистым жилищем, так что выбора, по сути, никакого и не было. Не прошло и часа, как мы уже стояли, ёжась от холодного ветра, оглядывая неприглядный вытоптанный пустырек, хранящий вмятины от неловкой и стыдной, неизбежной драки, случившейся ровно на этом же самом месте. Теперь это было место для будущего нашего жилья, обещающего приблизить нас к давно забытой роскоши приличной жизни.

— Поставим рядышком, — заявил папа, широко ступая по снегу огромными своими валенками, отмеряя расстояние. — Должна влезть. Сколько она, Сереж? Шесть на шесть?

— Не, Андреич, она не квадратная была, даже я помню, — отвечал ему Андрей так же деловито и беззлобно, как будто драки не было, как будто рука его, разбитая, в неаккуратной сползающей повязке, не была бережно прижата к груди, а на левой скуле не багровел огромный уродливый кровоподтек.

— Пять на семь, — сообщил Сережа, который выглядел еще хуже с закрывшимся глазом и расквашенными, распухшими губами. — Вот, смотри, широкой стороной сюда, узкой — к озеру. Там терраска небольшая как раз, будет летом приятно сидеть.

Теперь они шагали втроем: три, четыре, пять метров в одну сторону, семь — в другую, «вот эту березу спилить только — и нормально, даже пень не нужно выкорчевывать, на камни поставим», мысленно вертя в пространстве еще не существующий толком, маленький отдельный дом, который позволит нам наконец спать в разных комнатах. И Лёня озабоченно интересовался уже «а печка есть там? какая печка?», а Сережа отвечал радостно: «Хорошая там печка, чугунная, дымоход из оцинкованных труб, снял — перенес; с кирпичной мы сели бы в лужу: как ее соберешь заново без раствора?»; «А между бревен там что? Ну, щели чем законопачены?» — «Да мох там, обычный мох наверняка, они тут в тайге без пижонства, его и по второму разу можно — а нет, так еще наберем, он тут под снегом везде — просушить только». Казалось, если бы не начинающиеся сумерки, они сейчас же, в эту минуту, бросились бы на тот берег и принялись осторожно, по одному отслаивать с кровли ломкие шиферные лоскуты и снимать с петель двери, чтобы день начала нашей новой жизни, одобренный теперь единодушно, начал приближаться уже сегодня.

Наутро мы отправились взглянуть на дом; называть его баней теперь, когда на него было возложено столько надежд, никому не пришло бы в голову. По-настоящему подробно его видели только мы с Сережей, но в отличие от него я почти ничего не могла бы сейчас вспомнить, кроме темного просторного предбанника, узкой парилки с маленьким окошком на уровне глаз, сквозь которое заглядывала слепящая холодная луна, и печки, возле которой я уснула в день своего позорного бегства. Мы шли через озеро нестройной, растянувшейся цепочкой, потому что оставаться на острове, карауля наши скудные припасы, не захотелось никому, так что детей укутали поплотнее и взяли с собой. Даже Пёс, еще не до конца простивший нам вчерашнюю драку, увязался следом, и то слева, то справа мелькал его длинноногий тощий силуэт. По дороге Сережа, накануне осмотревший предмет своего тщательного торга во всех деталях, рассказал нам, замирающим от восторга, что в маленьком одноэтажном строении — три комнаты, а не две: большой предбанник с мягкой мебелью, «там диван, ребята, настоящий диван раскладной — я договорился, мы его забираем», парилка — «не такая уж она и маленькая, метров шесть, если полки разобрать — две кровати встанут легко» и, наконец, такая же шестиметровая мыльня, снабженная дополнительным комплектом деревянных полок и даже небольшим душевым поддоном.

— Там-то мы с тобой, Мишка, и устроимся. Как короли! — сказал папа весело и одышливо.

После этих слов я поверила, что этот новый, пахнущий свежим деревом сруб достанется именно нам. Что осталось подождать каких-нибудь полторы недели, и мне не придется больше спать на продавленной железной сетке, провисающей почти до стылых почерневших досок.

Только бы они не передумали, повторяла я про себя, торопливо переставляя ноги, разъезжающиеся на едва присыпанном снегом льду; они ведь могут. Вот сейчас мы поднимемся на берег, полные радостного возбуждения, уже поверившие в то, что он наш, этот маленький новый дом, а они, эти трое пришлых незнакомцев, выйдут к нам и скажут — нет. Вашей машины, вашего ружья и патронов недостаточно. Мы передумали, скажут они, и эта баня нужна нам самим. Возможно, мы станем спорить, доказывая призрачность прав — и их, и наших — на что бы то ни было, торчащее из мерзлой земли в этом забытом богом уголке света; может быть, мы станем просить, предлагать им взамен что-то еще. Может, мы даже попытаемся им угрожать, но совершенно ясно, что стоит им передумать — и дома мы не получим, и поплетемся обратно в свою нищую неустроенную безнадежность. Доживать до весны.

К моменту, когда мы перешли наконец озеро, преодолели сопротивление прибрежного частокола сорняков и выбрались на вытоптанную площадку перед первой громадной избой, я почти уже свыклась с мыслью, что мы пришли сюда напрасно, и оживленная болтовня остальных доставляла мне почти физическую боль. Я была готова хватать их за рукава и кричать им: заткнитесь, подождите, еще ничего не решено; до тех пор пока я не услышу собственными ушами, что дом этот нам отдадут, нельзя радоваться, строить планы, распределять комнаты, нельзя вообще говорить об этом вслух, потому что по наивному, детскому, но от этого не менее бесспорному закону любое произнесенное слово способно легко разрушить хрупкую, непрочную конструкцию еще не случившейся реальности.

Они ждали нас на крыльце, Анчутка и два его бессловесных камуфляжных адъютанта, лениво покуривая и наблюдая за нашим приближением.

— Здорово, мужики! — крикнул Сережа еще издали, как мне показалось, слишком поспешно, слишком приветливо, словно существовала какая-то четкая, строго определенная мера дружелюбия и приветливости, сразу за границей которой начиналась заискивающая слабость, снова означавшая, что дома нам не получить; но в ответ на Сережин возглас все трое, как по команде, пришли в движение, закивали, спускаясь с крыльца, затаптывая окурки, протягивая руки для пожатия.

— Ого, — живо произнес Анчутка, рассматривая разбитое Сережино лицо. — Я смотрю, у вас вчера нескучный был денек. Это кто ж тебя так? Жена, что ли?

И они захохотали, все трое, а нам осталось только топтаться перед ними, дожидаясь окончания этой вспышки жизнерадостного веселья.

— Жена, кто ж еще, — легко сказал Сережа, и я подумала: хотела бы я знать, которую из нас все вы имеете в виду, но в этот самый момент Анчутка убрал с лица улыбку (остальные двое, как будто внимательно следившие за его выражением, немедленно замолчали) и сказал уже серьезно:

— Ну что. Давайте сначала машинку посмотрим, а после поговорим про ваше новоселье.

Место, где стояли наши машины, выглядело теперь совершенно иначе, чем в новогоднюю ночь, когда мы — беззаботные, пьяные, смеясь, спотыкаясь и поддерживая друг друга, — бродили вокруг, сдвигая вниз толстые, съезжающие лавинами с покатых крыш снежные пласты, заглядывая внутрь. Видимо, наши новые соседи проявили к этим машинам гораздо больший интерес, чем люди, жившие здесь до них, потому что все три — «Лендкрузер», пикап и Сережин «Паджеро» — были теперь тщательно обметены и доступны взглядам, а пространство вокруг, раньше заваленное глубоким, по колено, снегом, оказалось вытоптано и пусто. Я представила себе, как они ходят кругом, по-хозяйски расчищая лобовые стекла, отряхивая крыши, *выбирая*, — Сережа предоставил им в этом полную свободу. И несмотря на то что дом (целый дом! три комнаты, чистые свежие бревна!) в наших теперешних условиях стоил всех этих машин, ненужных, бесполезных, с пустыми баками; несмотря на то что, захоти эти три чужих мужика, они могли бы взять любую, а то и все три, безо всякого спроса, потому что мы бросили их здесь, на берегу, без охраны; даже несмотря на то, что, решись мы бежать отсюда (при условии, конечно, что где-то нашлось бы место, обещавшее нам спасение, и мы каким-нибудь чудесным образом раздобыли бы топливо), мы сумели бы уместиться и в двух машинах теперь, когда продовольствия, составлявшего львиную долю нашего багажа, уже не осталось; словом, несмотря на все это, самый вид этих трех автомобилей, которые какие-то четыре месяца назад в течение одиннадцати суток ежедневно спасали нам жизнь, а теперь стояли беззастенчиво осмотренные, подготовленные к передаче, заставил нас замолчать и почувствовать себя предателями.

Мы не знали еще, которую из машин они облюбовали, которую нам придется отдать, но только сейчас стало ясно, насколько болезненным будет для нас их решение, каким бы оно ни оказалось. Как учитель, нарочито медленно ведущий пальцем по списку фамилий в классном журнале, Анчутка не спешил. Деловито, явно не впервые он обошел их, одну за другой, похлопывая широкой ладонью по безмолвным кузовам, словно успокаивая нервничающих лошадей на ярмарке, а затем, отступив на шаг, еще немного полюбовался ими — молча, с удовольствием заставляя нас ждать. Лёнин пузатый «Лендкрузер», вызывающе блестящий даже теперь, после месяцев простоя, был последним на неспешной Анчуткиной орбите. Он поставил ногу в грубом ботинке на сверкающую хромированную подножку и неожиданно легко подпрыгнул. Машина качнулась, стряхивая остатки снежной пыли.

— Хорош, собака, — сообщил он нежно, заглядывая внутрь, в пустой остывший салон. — Сиденья кожаные. Литров пять?

— Четыре с половиной, — напряженно ответил Лёня.

— А лошадей сколько?

— Двести тридцать пять, — сказал Лёня неохотно.

Я боялась взглянуть ему в лицо.

— Двести тридцать пять, — мечтательно повторил Анчутка, стоя на подножке. — Никогда у меня такой тачки не было, — продолжил он, по-прежнему не оборачиваясь, как будто слова его предназначались только и исключительно самому автомобилю; словно главной его задачей было уговорить эту черную железную громаду добровольно сменить хозяина.

— Ключи-то с собой?

Несколькими минутами позже, утвердившись уже за рулем безмолвной спящей машины, он повернул к нам довольное улыбающееся лицо и сказал:

— Ребятишки-то мои пикап, конечно, присмотрели. Практичней, кто бы спорил. Я и не спорю, чего там. Просто мне нравится эта.

Оба они с Лёней — одинаковые, большие и грузные мужики — походили сейчас на мальчишек, одного из которых заставили отдать другому любимую игрушку; лица у них были детские.

«Ребятишки», притихшие, с завистью наблюдали за Анчуткиными беспокойными движениями на водительском сиденье. Он даже положил красные свои обветренные ладони на руль и попытался крутануть его; кожаное колесо поддалось совсем чуть-чуть и встало. Все так же по-детски улыбаясь, он вставил ключ в зажигание и повернул. Ничего не произошло, кроме оглушительной, пустой тишины. Анчутка нахмурился.

— Вы когда ее заводили последний раз?

— Так аккумулятора нет, — пояснил Лёня хмуро. — Сняли мы их, в декабре еще. Они, наверное, сдохли уже все, за четыре-то месяца.

— Прикурим, — ласково сказал Анчутка и еще раз погладил руль. — Наш уазик только и годится уже, чтоб прикуривать. Ладно. — Он с сожалением выпрыгнул на снег. — Пошли, баньку посмотрим, а потом я Вову к вам за аккумулятором снаряжу.

Бережно, по-хозяйски захлопнув дверцу, он запер ее ключом, положил его в нагрудный камуфляжный карман и даже несколько раз любовно похлопал по этому карману; глаза его быстро сновали по нашим лицам, как будто ища на них малейшие признаки неудовольствия и сожаления.

Пока мы возвращались назад, пока огибали избы — переднюю, обжитую, и следующую, пустую и заколоченную, говорили уже о мелочах. «Там еще дизеля литров пять в баке должно быть, — говорил Сережа. — Мы сольем, иначе не хватит. Нам ходок десять–двенадцать по озеру нужно сделать на пикапе». «Сливайте, — милостиво соглашался Анчутка, — у нас есть еще». «И кресло детское мы заберем, ладно? Вам же не нужно?» — спрашивала Марина, опасливо подбираясь к идущим впереди мужчинам; чтобы поравняться с ними, ей пришлось сойти с узкой протоптанной тропинки на рыхлую белую обочину. «Вова, тебе не нужно детское сиденье?» — смеялся Анчутка, и юный Вова, державшийся позади, возмущенно, пристыженно хихикал.

Лёня шел последним, и, даже не оборачиваясь, я мысленно благодарила его за каждый шаг, сделанный без возражений и протестов. Сделка была завершена. Дом был наш.

* * *

Переезд начался на следующий день. Пятеро наших мужчин, из которых один был стар и болен, другой — ранен, третий — слишком юн, и только оставшиеся двое могли работать в полную силу, должны были освободить выбранное для нового дома место от нескольких закравшихся таки валунов и деревьев, выцарапать из-под снега, и притащить подходящие по размеру камни, призванные служить ему фундаментом, и приступить к работе на том берегу. Аккуратно снять шифер и разобрать стропила и балки, стараясь при этом запомнить, как именно все это выглядело в собранном виде, потому что никто из них, как бы они ни храбрились, никогда прежде не делал ничего подобного. После им нужно было вынуть двери и окна, а затем одно за другим пронумеровать длинные необструганные шестиметровые бревна, из которых были сложены стены; снять

207

их по очереди, обвязав веревками, чтобы потом пучками по пять–десять штук перетащить по льду через озеро, прицепив тросом к пикапу, и попытаться, наконец, сложить этот циклопический деревянный конструктор в том же порядке здесь, на острове.

Март перевалил уже за половину, но холод никак не хотел ослабевать, и хотя ясных дней становилось все больше, желтый солнечный диск насмешливой, равнодушной декорацией торчал в нижней трети неба, не согревая. Мы, женщины, не могли помочь мужчинам никак, но в первые несколько дней все равно старались сопровождать их, словно наше присутствие способно было ускорить что-нибудь в этом тяжелом, задуманном нами деле, которое все чаще теперь казалось неосуществимым. Два бесконечно долгих холодных дня мы стояли вокруг разбираемой бани, отказываясь от любезных приглашений сделавшихся теперь радушными соседей зайти к ним погреться и выпить чайку, и бессмысленно мерзли, готовые по первому требованию откупорить термос с кипятком (или чаем, когда соседи оказывались щедры). Наша жертва, однако, оказалась лишней. Под нашими недоверчивыми, неуверенными в успехе взглядами неловкие строители только больше нервничали и ошибались, роняя в снег то инструменты, то фрагменты деревянных конструкций. На исходе третьего дня, когда кровля была почти разобрана и стропила лежали теперь на снегу одинаковыми кучками, отсортированные по какому-то неизвестному нам, праздным зрителям, принципу, сидевший верхом на последнем тонком венце Мишка вдруг, нелепо взмахнув руками, полетел вниз и сам. Когда же мы бросились к нему, причитая, ощупывая, отряхивая его, он почти со злостью принялся отталкивать наши руки и сказал наконец, болезненно кривясь и обращаясь ко всем женщинам сразу, словно мы были стаей кудахчущих наседок: «Ну зачем вы... ну хватит... вам что, нечем заняться, что ли?..»

Может быть, именно поэтому больше мы с ними не ходили, предложив вместо этого взять на себя ежедневную проверку сетей. Мишка, ненадолго отпущенный со стройки дать нам первый урок подледной ловли, вытянул первую сеть на лед и почти немедленно убежал назад, на берег, торопясь принять участие в более важном деле. Мы остались одни — четыре женщины, двое детей и Пёс, хищно принюхивающийся к заиндевевшим рыбьим тушкам, опутанным капроновой нитью. Один только вид огромной спутанной сети, блестящей на мокром льду, убедил нас в том, что дотащить до дома и ее, и четырех ее спящих в холодной воде товарок нам будет просто не под силу, так что выбирать из них уснувшую рыбу мы решили прямо на месте, поливая застывшие пальцы горячей водой из термоса, чтобы вернуть им чувствительность. Дети толстыми укутанными столбиками торчали неподалеку, с любопытством наблюдая за нашими мучениями.

Мы до смерти боялись порвать хрупкий капрон и потому возились с каждой сетью бесконечно долго, мешая друг другу, оскальзываясь, зачерпывая воду мгновенно намокающими рукавами; к моменту, когда дошла очередь до последней, пятой сети, мы совершенно выбились из сил, окоченели, промокли и почти впали в отчаяние. Но тут в тугом клубке черных натянутых ячеек вдруг забилось, задергалось большое, блестящее, серебряное, впятеро крупнее неподвижной и скучной подмороженной плотвы, защелкало челюстью, — и мы все четверо разом завизжали, закричали одновременно, потащили вверх и в сторону, торопясь, чтоб не сорвалось, чтоб не ускользнуло назад в черную непрозрачную воду, охваченные первобытным азартом и восторгом.

Сеть уже лежала на льду, но толстая рыбина — живая, рассерженная — все так же билась ярким сверкающим на солнце боком, изгибая и натягивая тонкий капрон, желая освободиться; небольшие челюсти, обсаженные мелкими острыми зубами, опасно лязгали. Никто из нас уже не помнил про плотву, про неприкосновенность сети, про холод и мокрые рукава. Восемь закоченевших рук расплетали, разматывали жесткий неподатливый нитяной ком, мы кричали друг другу «огромная какая, сволочь», и «дай я», и «да держи ты!», и спустя минуту или десять минут сеть наконец распахнулась и выпустила наружу лоснящееся непокорное рыбье тело, мгновенно запрыгавшее по льду обратно к спасительной проруби.

Мы бросились в погоню, не решаясь взять его руками, настолько большим, сильным и страшным оно казалось, и тогда Марина вдруг прыгнула, взметнув фонтанчик снежной пыли, с каким-то предсмертным визгом, и накрыла его собой, и несколько бесконечных мгновений лежала поверх, некрасиво разбросав длинные свои ноги, дожидаясь, пока оно перестанет бороться и вырываться; а мы, остальные, упали рядом с ней на колени, готовые перехватить, вцепиться зубами, только бы остановить, поймать, не упустить эту жирную живую добычу.

Когда Марина наконец подняла лицо — перепачканное снегом, с поцарапанной скулой — и откатилась в сторону, не поднимаясь на ноги, даже не садясь, рыбина уже сдалась и лежала теперь неподвижно, разом потеряв половину своего блеска, но все такая же огромная, выпуклая, с розовой полосой вдоль пятнистого серебристого бока, с бессильно распахнутой зубастой пастью.

— Форель, — задыхаясь, с восхищением сказала Наташа. — Форель, девки, вы только представьте, мы поймали форель.

Марина раскинула руки в стороны, запрокинула голову и засмеялась прямо в холодное синее небо. Она лежала на спине и смеялась — тоненько, захлебываясь, всхлипывая, и слезы — блестящие, хрупкие — собирались у нее во внешних уголках глаз и текли вниз, за уши, к спутанным рыжеватым прядям, а мы сидели вокруг на коленях, забывшие и про холод, и про нашу взаимную долгую нелюбовь, и про четыре жутких, бесконечных, безрадостных месяца, жадно смотря ей, смеющейся, в лицо — что? что? что смешного? — и она выговорила наконец, просипела, выплюнула вместе со слезами и смехом:

— Глобус... гурмэ... — и, приподнявшись на локтях, оглядывая нас по очереди полуприщуренными еще, ненормальными глазами, неожиданно выдала детским своим голосом длинное, чудовищное, совершенно какое-то непечатное ругательство, услышав которое, мы одновременно и зашикали на нее «тихо, дети же, дети», и начали хохотать еще до того, как она договорила.

— Вы только посмотрите на нас... москвички... красавицы... форель поймали... только... посмотрите...

И мы послушно оглядели друг друга.

В том, какими мы увидели себя, не было ничего нового — перетянутые по поясу свалявшимися нестираными шерстяными платками, обутые в грубые негнущиеся ботинки, хотя дело ведь было даже не в обуви, не в одежде; и лица наши, и руки были обветренные, серые, чужие. Это были совсем не мы, давно уже не мы, и в то же время мы были — живы. И мы поймали рыбу — огромную, жирную, весеннюю, мы поймали ее, мы сделали это сами, без помощи, без снисходительного присмотра.

Потом мы бежали домой, в самом деле бежали, передавая друг другу тяжелое плюхающее ведро, в котором у самого края, поверх снулой плотвы, скользила толстая праздничная форелина. Мы бежали, продолжая хохотать, и дети, стараясь не отстать, визжали и смеялись вместе с нами, безразличные к тому, что́ именно нас развеселило, а просто из желания смеяться вместе с нами. Очень хотелось как можно быстрее добраться до дома и сделать с этой рыбой что-нибудь отличное от вечного, надоевшего, жидкого бульона; предъявить ее как доказательство того, что мы сами сумели добыть из недружелюбного пугающего озера почти полное ведро жизни. Мы ворвались в дом, и в этот момент привычная его гадкая теснота и убогость совершенно не имели значения, подбросили дров в остывающую печь и, погревшись недолго, снова высыпали на улицу, потому что торжественность этого первого нашего улова невозможно было оскорбить сейчас облупленной эмалированной кастрюлей. Форелья туша была уже выпотрошена и обмазана солью. Порывшись где-то в недрах нашего истощившегося багажа, Ира вернулась с комком мятой, криво обрезанной фольги; он был небольшой, и его едва хватило на то, чтобы соорудить неказистый, нескладный кулек, в который мы завернули рыбину (Марина снова запричитала «никаких специй, даже перца нет»), а потом стремительно разбросали снег с давным-давно не использовавшегося кострища и развели огонь.

Крепкие березовые поленья обещали гореть не меньше сорока минут, прежде чем превратиться в угли, пригодные для того, чтобы доверить им нашу драгоценную добычу, но возвращаться в дом не хотелось. Было страшно разрушить хрупкий праздничный настрой, случившийся так неожиданно, так вдруг, и поэтому все мы — даже дети, даже Пёс — остались снаружи, пританцовывая вокруг костра и стараясь держаться к нему поближе, потому что ненадежное зимнее солнце уже успело съехать вниз, к горизонту, к верхнему краю черных замерзших деревьев. Какое-то время мы стояли молча, наблюдая за дружелюбным, уютным огнем, а потом Наташа сказала:

— Выпить бы сейчас чего-нибудь. У нас совсем не осталось?

— Не может быть, — усомнилась Ира. — Наверняка у папы заначено где-нибудь. Я сейчас.

Она вернулась минут через пять. Боком толкнула дверь и торжествующе помахала изрядно уже початой бутылкой, в которой плескалось прозрачное, ядовитое; в другой руке ее, ушками наружу, радостно топорщились четыре фаянсовые кружки.

Идея пить спирт не разбавляя мгновенно потерпела фиаско: после первого же глотка Марина задохнулась, закашлялась, выплюнула обжигающую жидкость себе под ноги и убежала в дом, чтобы через мгновение вернуться с чайником, полным кипяченой воды.

— Коктейль, — объявила она, улыбаясь, и мы подставили кружки под облупленный эмалированный носик.

— За нас, — сказала она потом, задрав свою кружку над головой; маленький потрепанный римлянин, приветствующий своего цезаря.

И я не могла не вспомнить день, когда умерли телефоны, — в самом начале эпидемии, и Лёня с Мариной, наши нелюбимые, заносчивые соседи, впервые сидели в нашей гостиной, ожидая, пока я переведу им новости CNN, и то, какая она была тогда — холеная, холодноватая профессиональная жена с идеальной прической и непогрешимым маникюром; безупречная, несимпатичная.

— За нас, — повторила я вслед за ней и протянула вперед кружку, по которой она немедленно залихватски хлопнула своей.

Час спустя мы всё так же сидим вокруг огня, четыре женщины, уставшие от молчания, неспособные больше испытывать нелюбовь. Спирт шумит у нас в головах, в кровеносной системе, наполняя легкие мягким пламенем, и одиночество, к которому оказалось невозможно привыкнуть, тает и истончается с каждым следующим глотком. Забытая рыба замерзает в своей фольге, не дождавшись обещанных углей. Есть расхотелось, и угли больше нам не нужны. День закончился. Голубые прозрачные сумерки с каждой минутой становятся гуще, небо меркнет; мы понемногу скармливаем костру приготовленные для ужина дрова — просто ради тепла, ради неярких красных теней, смягчающих наши измученные лица, ради мимолетной хрупкой искренности, превратившей нас в случайных, безнаказанных, анонимных попутчиц. Искренности, которую страш-

но разрушить резким движением. Неповоротливая опустевшая планета тяжело, неравномерно вращается под нами, вокруг нас, временами уплывая из-под ног.

— Иму... мму... иммуно-ло-гическое бес-пло-дие, — выговаривает одна из нас с усилием, и это не важно — которая, потому что у нас нет сейчас имен, как нет и боязни сказать что-нибудь лишнее. Мы четыре долгих месяца, кажется, не говорили совсем — как можно молчать столько времени? — и теперь смертельно рады этой возможности. Мы подаемся вперед и слушаем, внимательно, жадно, готовые впустить в себя историю.

— Иммунологическое, — повторяет она еще раз, уже четче, при этом лицо у нее брезгливо морщится, а уголки губ опускаются вниз, как если бы это слово на вкус оказалось горьким, горше лаймовой корки.

— У тебя все в порядке, — говорит она. — У тебя чудесная здоровая матка, способная к деторождению. Твои тазовые кости идеально расположены и не вызовут лишних проблем при родах. Твоя система воспроизводства работает как часы.

— Ты можешь забеременеть от кого угодно, кроме собственного мужа, — говорит она, — потому что твое тело, безупречная машина по производству младенцев, по какой-то причине безжалостно атакует именно его семя. Только его семя, больше ничье. Иногда это происходит сразу, иногда — спустя три месяца, когда ты уже почти привыкаешь к мысли, что внутри тебя кто-то есть, и спишь, обняв руками живот. Только после второго раза ты уже не торопишься радоваться и принимать поздравления, ты вообще никому не рассказываешь и ходишь, обращенная внутрь, прислушиваясь, уговаривая. Если бы это помогло, ты с готовностью вскрыла бы кожу чуть ниже пупка, разрезала тонкие косые мышцы и накрыла бы ладонью эту микроскопическую горошину, сгусток клеток, едва приступивших к делению, как будто твоя дурацкая неповоротливая ладонь способна предотвратить момент, когда сопротивление твоей иммунной системы — такой же безупречной, как все остальное, — добьется своего. Она еще ни разу не ошиблась, твоя иммунная система, будь она трижды проклята.

Мы молчим, потому что она не ждет от нас слов. Ей просто нужно, чтобы мы слушали, не перебивая, и, возможно, еще ей хотелось бы, чтобы мы забыли об этом разговоре наутро, или не забывали, но никогда потом не возвращались к нему, а скорее всего, она вовсе нас сейчас не замечает, ей просто хочется говорить, и мы не мешаем ей.

— Это что-то вроде аллергии, — говорит она. — Похоже, мое тело считает, что мы слишком долго вместе спим. Они придумали термин — контрацептивная терапия. Они не исключают, что тело можно обмануть, если прекратить обмен жидкостями, скажем, на полгода. Или на год.

— Мы женаты четырнадцать лет, — говорит она, — четырнадцать. Нам совсем несложно прекратить обмен жидкостями. Иногда мне кажется, нам гораздо труднее будет потом снова его начать.

Она сидит, обхватив руками колени. Она улыбается. Мы чувствуем облегчение, понимая, что она не собирается плакать.

— Интересно, — говорит она, задумчиво щурясь на изъеденное огнем дерево, лопающееся от жара возле наших ног. — Если бы мы попробовали сейчас. Вот прямо сейчас. У нас могло бы получиться?

Мы не настолько глупы, чтобы предположить, будто она на самом деле спрашивает нас. И потом, откуда нам знать?

— Необитаемый остров, — говорит она затем, все еще улыбаясь, — это лучший способ напомнить мужчине о том, что иногда следует спать и со своей женой тоже. Ну, теперь, когда все остальные умерли, у него просто нет другого выхода, так ведь?

В эту минуту действительно похоже, что она готова заплакать, только вместо этого она вдруг поворачивается, протягивает руки и выхватывает из темноты безмолвную пухлую фигурку. На мгновение ее внезапное движение и ребенок, возникший словно из ниоткуда, кажутся нам каким-то фокусом — как если бы обступающий нас сумрак сгустился и уступил, в ответ на ее желание превратившись в маленькую бледную девочку, — но морок быстро рассеивается: на девочке знакомый красный комбинезон с подвернутыми на вырост рукавами, она немного озадачена стремительным своим перемещением, но сидит покорно, не сопротивляясь. Женщина, усадившая к себе на колени чужую дочь, кривит лицо, словно выпила текилы с солью.

— Есть мнение, — говорит она, — что это вообще все в голове. Понимаете? Нет никакой аллергии. Просто такая защита. Иммунологическое бесплодие, — выплевывает она. — Чёрта с два. Ты можешь хотеть ребенка. Ты можешь очень. Очень. Хотеть ребенка.

А тебе всего-навсего нужно было рожать от кого-то другого. Не от него.

Она делает движение, словно собирается встать, задевает ногой фаянсовую кружку, из которой выплескиваются едкие остатки спирта, тонкая струйка достигает вулканической, покрытой пеплом границы костра, слабо вспыхивает там.

— Самое смешное, — говорит она раздельно, чтобы все мы, слушающие, сумели оценить юмор, — самое смешное — у тебя было четырнадцать лет, чтобы разобраться. А ты понимаешь это только на сраном необитаемом острове. И всё, понимаете? И всё. Глупо, да?

Она еще немного смеется в тишине, под треск и шипение сырых березовых поленьев, а потом закрывает глаза и осторожно нюхает нестираный детский капюшон, и теплый висок под ним.

— Щеки ледяные, — говорит она. — Маринка, какая же ты дерьмовая все-таки мать, — и встает, покачиваясь, держа девочку на весу.

— Пойду согрею чаю детям, раз уж мы решили мерзнуть тут до ночи.

* * *

Чтобы уложить детей, они оставляют меня одну у огня и уходят втроем, словно для исполнения этой простой задачи на самом деле требуется три пары рук и три пары глаз. Четверть часа я сижу, дожидаясь их возвращения, остывая, погружаясь в темноту.

Спирта осталась примерно треть бутылки. Это количество стоило бы поделить поровну, но пока я жду их здесь, снаружи, на морозе, мне необходима лишняя, тайная порция, только моя, хотя бы для того, чтобы сберечь непрочное ощущение родства, возникшее случайно и готовое выветриться с первым же порывом холодного воздуха, с каждой лишней минутой, проведенной в молчаливом ожидании. Я не хочу трезветь и вспоминать о том, насколько мы четверо на самом деле не близки друг другу, поэтому через силу глотаю горькую ледяную смесь и все эти пятнадцать минут, сжимая в ладонях кружку, я больше всего боюсь того, что, вернувшись, они не захотят больше разговаривать.

Когда они наконец появляются, я собираю их опрокинутые пустые кружки и разливаю. Я хочу вернуть их. Я на самом деле хочу услышать, что они скажут. Без них мне было одиноко.

Они хватаются за кружки, как за спасательный круг, жадно, торопливо, как будто тоже чувствуют, что стоит нам сделать паузу, замерзнуть или перестать пить, и волшебство рассеется. Тем не менее нам требуется еще четверть часа, не меньше, для того чтобы заговорить.

— Алёша, — произносит она наконец. — Его звали Алёша. Алё-о-оша, — повторяет она нараспев. — Правда, красивое имя?

Она сидит на перевернутом смятом железном ведре, покрытом ржавой коростой, тонкие птичьи колени задраны почти до подбородка, рукав щегольского

когда-то лыжного комбинезона разъехался по шву, вы-
пустив на волю серую некрасивую подкладку, рыжева-
тые пряди небрежно заправлены за уши.

— Мне было двадцать, — говорит она, как будто
это имеет значение, как будто все, что она расскажет
дальше, нуждается в оправдании.

— Двадцать. У меня было одно приличное платье.
Одно, летнее. Летние платья дешевле — маленький кусочек материи. Зимой нужны еще сапоги, пальто, чулки,
а летом достаточно одного платья, и можно ведь даже
без белья.

Она произносит странное слово «Левбердон».

— Я там жила, — говорит она, — в частном сек-
торе. Туалет на улице, желтые прошлогодние газеты,
вода из колонки. Я думала, больше никогда во всё это
не вернусь. — Тут она машет рукой в сторону кособокого дома, в котором спят дети. — Я ведь правда так
думала, представляете?

— Что такое Левбердон? — спрашиваем мы, потому что это надо выяснить, вдруг это важно.

— Левбердон? — говорит она удивленно. — Левый
берег Дона, ну вы что!

Она рассказывает, что работала официанткой.
Когда тебе двадцать, у тебя красивые ноги и приличное летнее платье, ты можешь устроиться на работу
куда угодно, нет, правда, хоть в «Петровский причал»,
хоть в «Тет-а-тет»: хрусталь, крахмальные скатерти,
трехзначные чаевые... Южнорусские девки, красивые,
гладкие, загорелые, очень быстро выходили замуж —
прямо из официантских форменных юбочек прыгали

в дорогие подвенечные наряды, и не всегда за местных, ростовских миллионщиков, но часто и за заезжих, московских.

— Я была такая дура, — говорит она с улыбкой, запрокидывает голову, делая глоток, и морщится. — Я влюбилась. Его звали Алёша.

Она проработала недели две, может быть, три, не успев еще покрыться пленкой от липких взглядов, не разучившись еще краснеть от сальных фамильярных нежностей; он сказал: «Ты устала, наверное, бегаешь весь вечер, не присела ни разу, у тебя ноги не болят? Хочешь, посиди со мной». И она сразу же села на белый стул с гнутыми ножками и зеленой обивкой, прямо в черном коротком костюме официантки, поставила поднос с чужими какими-то рюмками на край стола и посмотрела на него. Она смотрела и смотрела, даже когда Боря-администратор, краснолицый, взмокший, возник у нее над левым ухом и зашипел почтительно-яростно «ты что, сука, делаешь, а ну-ка встала быстро», она не повернула головы, просто отодвинула этот чертов чужой поднос от себя подальше и сидела очень прямо, не шевелясь, и тянула шею до тех пор, пока кто-то другой (возможно, тот же Боря) не принес пухлую кожаную книжечку со счетом, которая освободила ее и от его шипения, и от кусачего форменного платья, и ото всей прежней жизни разом.

Она прожила с Алёшей до самого своего двадцатитрехлетия в странной полупустой квартире, куда изредка наведывалась хмурая тощая квартирная хозяйка, словно нарочно выбиравшая для своих скучных тягостных визитов дни, когда Алёши не было дома. Три года, целых три года она провела в точно такой же обмирающей завороженности, какая случилась с ней прямо посреди звяканья вилок по фарфору, приказов «четыре шашлыка, два столичных и ноль семь "Пшеничной" на восьмой столик» и бесконечного «Левый, левый, левый, берег Дона...». Три года — не выныривая на поверхность, не задавая вопросов. «Не приходя в сознание», — говорит она сейчас, не улыбаясь больше, и снова отхлебывает из кружки. Немного, просто чтобы не замерзнуть.

Он был совсем не богат, этот ее Алёша, и в роскошный разгульный кабак на левом берегу попал совершенно случайно. Вернее, не так: деньги иногда появлялись у него из ниоткуда, словно сами по себе, и так же легко ускользали, просачивались сквозь пальцы. В их жизни случались месяцы, когда рацион их состоял исключительно из дешевых южных овощей и пьяного молодого местного вина, а потом он мог пропасть на несколько дней и, вернувшись, небритый, с темными кругами под глазами и тяжелым, жарким спиртным духом, прокричать прямо с порога «Маруся, собирайся, мы летим в Сочи!», и на три дня они меняли свою ободранную комнату на гостиничный полулюкс с хрустящими простынями и холодными зеркалами, катили с мрачными диковатыми таксистами по оледеневшему серпантину в дагомысское казино, пили приторно-сладкий сочинский херес и курили на гостиничном балконе, закутавшись в кусачие шерстяные пледы, бросая окурки вниз, на присыпанные нестойким мартовским снегом пальмы. За три года они были в Сочи два раза, и оба раза зимой; «ну и что, — говорит она, —

к чёрту пляжи, если ты родился в южном городе, пляжей тебе хватит до конца жизни, дело было не в этом».

Он покупал ей платья на глазок, без примерки. Приносил их домой свёрнутыми в трогательные тонкие кулёчки и разбрасывал по смятой кровати, а она непременно должна была надеть обновки немедленно, тут же, даже если это случалось посреди ночи; и она с готовностью надевала, поджимая пальцы босых ног на холодном скрипучем паркете. В те дни, когда его не было, она просто сидела у старенького чёрно-белого телевизора, переключая программы, грызла яблоки, много спала и слушала шаги на лестнице, не занимая себя ничем, как будто стоило ей отвлечься от ожидания, он не вернулся бы вовсе. Она была почти готова к тому, что наступит день, когда он не вернётся.

Хмурый бакелитовый телефонный аппарат, установленный в прихожей, иногда разражался пронзительными старомодными трелями. В неподъёмной, причудливо изогнутой трубке раздавались сердитые чужие голоса. Звонящие мужчины и женщины, особенно женщины, требовали только Алёшу, а она оставалась для них всего лишь невзрачным голосом, нежелательным препятствием, и ни разу неожиданные звонки не предназначались ей; хотя ей всё равно некому было звонить, за три года она так и не выучила последовательность цифр, заставлявших чёрного, кисло пахнущего монстра просыпаться. Алёша не любил телефонные звонки и часто выдёргивал аппарат из розетки сразу же, переступая порог. Пока его не было, она держала телефон включённым — про-

сто так, на всякий случай, хотя Алёша никогда не звонил ей. Он просто появлялся и уходил, и опять появлялся.

Когда Алёшу убили — ровно на десять лет позже, чем всех остальных, оставшихся в прошлом, опасном и сумасшедшем десятилетии, — она, пожалуй, совсем не удивилась, словно с самого начала знала, что никакое будущее — степенное взросление, дети, горка с бледным сервизом «Мадонна» — с ним невозможно. Словно это добровольное заточение, на которое она согласилась, которое сама себе устроила, было не более чем временным, постепенно теряющим силу подношением каким-то неумолимым закономерным правилам, банальной отсрочкой. Она сняла телефонную трубку и, слушая голос на другом конце провода, успела даже подумать: «А почему Северное?» Это кладбище было самым дальним, на противоположной окраине, за мостом. Звонивший был сух и деловит: просто назвал ей адрес и номер дорожки. Он даже не сказал, что случилось, а она была слишком поглощена усилием запомнить, куда и когда ей следует явиться, чтобы задавать еще какие-то вопросы; она и не задала их — просто не успела, и даже не спросила имени этого анонимного вестника, оно бы ни о чем ей не сказало, это имя, все равно не связалось бы ни с одним из скучных, плоских, посторонних лиц, всплывавших время от времени и замечаемых разве что краем глаза.

На кладбище она опоздала — не нарочно, а потому что долго искала могилу в паутине одинаковых утыканных гранитом дорожек. К тому же ей попался сварливый таксист, потребовавший доплаты из-за пробки, в которую их угораздило угодить по дороге, и лишних пять минут она провела в машине у въезда на кладбище, испуганно роясь в сумочке. Выискивая под его неодобрительным взглядом смятые десятки, она была остро ему благодарна, сама не понимая толком, за что именно.

Место, где Алёшу должны были хоронить, она определила по небольшой, но плотной толпе людей. Люди стояли очень тесно и одновременно как будто старались не оказаться в первом, ближайшем к гробу ряду, словно боялись, что именно от них потребуется демонстрация самого интенсивного горя или, предположим, знание каких-нибудь специальных важных ритуалов. Возможно, поэтому они с готовностью расступились, позволили ей подойти поближе. Незнакомая молодая женщина с некрасивым опухшим лицом лежала поперек гроба и кричала ужасным, диким и как будто злым голосом, и она сразу почему-то угадала в ней Алёшину жену. Минуту или две она стояла возле самого гроба, возле голосящей женщины, и слушала неловкий принужденный крик, и не знала, куда девать руки, а потом несколько крепких низкорослых теток с такими же, как у жены, маленькими скуластыми личиками, похожими на мордочки каких-то хищных маленьких зверьков, внезапно выделились из толпы и оттерли ее назад, за чужие спины. Под их взглядами (которых она не видела, но предполагала) она и простояла добрых полчаса на леденеющих ногах, так что в очереди, образовавшейся наконец для прощания, оказалась почти последней. Очередь эта облегченно, скоро продвига-

лась вперед, перетекая, как песок из одной склянки в другую, от приличествующей событию размеренности к перспективе поминок, и, шагая по холодной утоптанной земле, она чувствовала только неловкость и острое желание, чтобы все поскорее закончилось. Подойдя, она опасливо и быстро нагнулась и тут же уперлась взглядом в широкую аляповатую ленту, лежавшую поперек Алешиного лба, в толстый слой жизнерадостно-кирпичного грима, покрывавшего Алёшины мертвые щеки. И не прикоснулась, не поцеловала, прошла дальше.

Именно это в похоронах запомнилось ей сильнее всего — чувство неловкости от неявных, ни разу ею не перехваченных, но от этого не менее материальных чужих взглядов, как будто следивших за тем, чтобы она не посмела нарушить приличия или как-нибудь, не дай бог, превзойти степень горя, закрепленную здесь, на этом кусочке пространства, за совершенно другой женщиной; и еще — абсолютную поддельность всего увиденного: и похожий на школьный пенал, обитый цветной бумагой лиловый гроб, выложенный изнутри блестящим каким-то подкладочным ситцем с торчащими из швов дрожащими на ветру нитками; и чужой, неузнаваемый предмет, лежащий внутри, укрытый покрывалом, больше всего напоминающим накрахмаленную тюлевую занавеску; и искусственные аляповатые цветы, свернутые из той же бумаги, с толстыми пластмассовыми черенками; и даже сами скорбящие, как будто исполняющие тягостную, нелюбимую роль. Всё было ненастоящим и не имело к живому Алёше никакого отношения.

Ей очень хотелось незаметно уйти, но она не посмела — скорее всего, из-за того же самого чувства неловкости, и послушно стояла, глядя себе под ноги, пока гроб накрывали крышкой и опускали, пока швыряли горстями землю, и даже потом, когда четверо куривших в сторонке мужчин ловко, в несколько минут, забросали яму и соорудили над нею угловатый, прибитый лопатами курганчик; до тех пор, пока все не закончилось на самом деле. Она даже потащилась за всеми этими людьми, когда они потянулись на выход с кладбища, закуривая и потихоньку переговариваясь; пошла следом машинально, без мыслей, и остановилась только возле кособокого ритуального автобуса, в котором хлопотливые деловитые родственницы Алёшиной жены принялись уже рассаживать и грузить, и из закопченных недр которого нет-нет да и выныривал уже робкий отрывистый хохоток. Только тогда она шагнула в сторону и исчезла, ускользнув наконец из-под их наблюдения, которого, возможно, и не было на самом деле.

Из квартиры, три года бывшей ей домом, а теперь, без Алёши, превратившейся просто в пустую бессмысленную бетонную коробку, ей не удалось забрать ничего. Хозяйка, каким-то загадочным образом узнавшая о смерти основного своего квартиранта в тот же день, наложила категорическое вето и на жалобную кучку красивых тонких платьев, и на полупустую шкатулку с сережками и колечками — доказательства их с Алёшей время от времени случавшейся сытой жизни. Просрочки с уплатой аренды, которые до времени прощались улыбчивому Алёше, сложились, по хозяйкиному мнению, в некую довольно весомую сумму, объявленную в дверях, прямо поверх головы меняющего замок слесаря. Сама попытка оспорить это решение или даже остаться — пусть и на других условиях — была бы напрасной тратой сил, ненужным самообманом. Трехлетнее ожидание неслучайного, неизбежного финала закончилось не на кладбище, а только что, в пахнущем кошками подъезде, и можно было только повернуться и уйти, чувствуя, пожалуй, даже что-то похожее на облегчение.

Тем временем там, куда она возвратилась, ровным счетом ничего не изменилось: те же неудобные форменные юбочки, хохот, густые кухонные ароматы, тот же неубиваемый «Левый, левый, левый берег Дона...». Только теперь она приняла это по-другому, спокойнее, готовая оплатить, выкупить три беспечных, случайно доставшихся ей года, на которые продлилось ее детство. Правда, и этого выкупа с нее не взяли. Не прошло и шести месяцев, как она уже ехала в Москву, замужняя, с тяжелым кольцом на пальце, в богатую и правильную, совершенно безопасную жизнь.

Здесь она делает паузу и облегченно, в три больших глотка, допивает разведенный водой спирт, от которого передергивается вся целиком: острые колени, узкие плечи, защищенные от холода ультратонким гибридным материалом (мембрана, утеплитель, встроенный климат-контроль). Мы молчим тоже, наблюдая за тем, как она допивает, как вытирает губы рукавом. «Какая же гадость, — говорит она, — господи, какая ужасная гадость этот спирт». И мы спрашиваем: «Ты что же, получается, совсем его не любишь?» «Кого?» — уточняет она с удивлением. Три глотка мгновенно расцвечивают ее лицо ровным жарким румянцем, веки поднимаются как будто с задержкой. Она все уже рассказала, она устала рассказывать, ей не хочется больше говорить.

Мы не задаем других вопросов, потому что не существует подходящего, необидного способа произнести «брак по расчету», даже сейчас, спустя два часа и два рассказа, спустя двести граммов поделенного на четверых жгучего девяностоградусного напитка. Мы немного ерзаем и переглядываемся, мы молчим.

— Вы ничего не поняли, — говорит она. — Вы совсем ничего не поняли.

* * *

Третья история начинается почти сразу же, без перерыва, так что ничего не успевает измениться — ни напряженное внимание, с которым мы слушаем, ни интонация голоса, который ее рассказывает, и если закрыть глаза, то может показаться, что все сегодняшние истории принадлежат нам всем одновременно в равной степени, настолько мы кажемся себе сейчас похожими, одинаковыми, неразделимыми.

Не было ничего такого... Нет, правда, это было почти незаметно, такие вещи никогда не бросаются в глаза у хорошо воспитанных людей, у **цивилизованных** людей. А семья, без сомнения, была цивилизованная, это словосочетание часто произносили — ц и в и л и- з о в а н н ы е   л ю д и, — и всякий раз с едва слышным ударением, потому что подчеркивать такие вещи слишком уж явно было бы, разумеется, неприлично. Но *она знала, почти с самого начала. Даже когда тебе пять лет, ты уже отчетливо можешь определить, что тебя не любят, пусть и не понимаешь пока, почему.*

Нелюбовь состоит из мелочей, которые, складываясь одна к другой, рано или поздно приводят в одну точку. Например, пауза, микроскопическая пауза перед каждой адресованной тебе улыбкой: лицевые мышцы приходят в движение, уголки губ поднимаются медленно, нехотя и сразу же снова падают вниз, словно побежденные собственной тяжестью. Например, легкое, еле уловимое напряжение коленей, на которые ты взбираешься; тебе четыре, и ты еще не поняла, твой мир очень прост, и в нем нет места оттенкам. Мгновенное, кратковременное оцепенение тела, которое ты обнимаешь обеими руками, секундная задержка дыхания — это не отвращение, нет, просто нелюбовь.

*Стоило ей понять, что ее не любят (точнее, не так — **ему** было, скорее, все равно, он был рассеян и, скорее, послушно совпадал с чувствами своей жены, словно собственных ему и не полагалось иметь, это именно она, **она** ее не любила), и девочка немедленно отгородилась, выстроила невысокую, но плотную оборону. Это открытие не было болезненным, оно просто вписалось в общую картину мира, которая в тот самый момент постепенно начала проступать, обрастать деталями, как фотоснимок в проявителе. Ей хватало любви и без этих двоих, ее бабушки и деда, она не нуждалась в ней, и не чувствовала себя обделенной нисколько, и не намеревалась даже пытаться переломить существующее положение вещей, доказывать свою годность, заслуживать одобрение. Вовсе нет.*

Ее приводили к ним дважды в месяц. Регулярность визитов, видимо, тоже была обусловлена цивилизованностью семьи в целом, и именно это статусное соблюдение родственных принципов было почему-то очень важно ее маме, которая, конечно, не могла не заметить этой нелюбви, она наверняка увидела ее раньше, чем девочка, но по какой-то причине продолжала длить присутствие их обеих на семейных обедах — с непременным фарфором, супницей и соусниками, с кольцами для салфеток, с накрахмаленной до хруста древней скатертью и шеренгой выложенного по росту почерневшего острозубого фамильного серебра. Иногда девочке казалось, что, даже если бы их перестали приглашать, мама все равно продолжала бы настойчиво являться под трехметровую монументальную дверь каждое второе воскресенье, хотя семьей в настоящем смысле этого слова — по крайней мере, для мамы — люди, жившие за этой дверью, могли называться в течение каких-нибудь шести месяцев, и очень давно: четыре, пять, шесть и больше лет назад.

Маму они не любили тем более. Девочка хотя бы имела право считаться носителем каких-нибудь дремлющих наследственных признаков, в то время как женщина, родившая ее, была не более чем нежеланным чужаком, вторгшимся и разбившим неприкосновенное приличное ядро этой прохладной семьи, так никогда и не сумевшей одобрить внезапный второй брак единственного сына. От бури, разразившейся незадолго до девочкиного появления на свет, сегодня остались только тени, безупречно заглушенные вежливостью, но по-прежнему осязаемые. Несмотря на то что сын, не дождавшись даже первого дня рождения своей доче-

ри, снова, задергавшись, вырвался и исчез теперь совсем, уехал в другой город, лишив таким образом своих негодующих родителей возможности выразить свое неодобрение (а возможно, именно благодаря тому, что неодобрение это больше некому было выразить), все оно целиком, без остатка, досталось этим двоим — второй невестке и ее дочери. Неодобрение было тихим, неявным, образцово корректным, и от этого почему-то еще больше бросалось в глаза.

Нельзя сказать, чтобы такая принужденная вежливость не стоила усилий всем четверым ее взрослым соучастникам — родителям беспутного беглеца и двум его оставленным женам, собиравшимся за обеденным столом. Однако мысль о том, что эту традицию, соблюдаемую с железной пунктуальностью, можно бы и прекратить, теперь, спустя шесть лет, уже никому не приходила в голову; по незыблемому убеждению деда с бабкой, прошедшего времени было с лихвой достаточно для того, чтобы правильно воспитанные люди сумели справиться с любыми эмоциями, и если невестки и обладали собственным мнением по этому поводу, они оставляли его при себе. Обеды эти больше всего походили на допросы или, скорее, на долгий многочасовой экзамен, который его неизменным жертвам приходилось держать сразу по всем дисциплинам: отвечая на вопросы, касавшиеся их редких успехов и очевидных неудач, они обязаны были еще следить за тем, чтобы не капнуть соусом на скатерть и выбирать правильные столовые приборы. С другой стороны, это избавляло их от необходимости общаться между собой; на это им просто не хватило бы времени.

Яна Вагнер

У двух девочек, приводимых на эти обеды матерями, была разница в восемь с половиной месяцев — невозможная у родных сестер. Словно понимая это, они не спешили ими быть; тем более что старшая из внучек единственная могла, пожалуй, похвастаться хоть каким-то подобием приязни в этом просторном и бесстрастном доме. Именно в ней последовательно обнаруживались способности — к музыке, с немедленной покупкой почти насильно врученного ее матери немецкого фортепиано; к языкам — после чего наступило время долгих настойчивых разговоров о необходимости посещения далеко расположенной, но прекрасной спецшколы. У старшей внучки было имя — ее звали Лиза, а к младшей чаще всего именно так и обращались — девочка, как будто у нее не было имени вовсе, как будто они никак не могли его запомнить. «Девочка, не прислоняйся к обоям, — произносила бабушка, при этих словах разглядывая ее без улыбки, внимательно, словно видела впервые. — Девочка, суп необходимо доесть. И убери, будь добра, ноги от диванной обивки».

Словом, Лиза заняла всё их сердце без остатка, словно оно было совсем неглубоким, это их сердце, и места в нем хватило лишь для одной внучки, а для второй ничего уже не осталось. Когда-то, вероятно, эта пристальная благосклонность безраздельно принадлежала общему отцу обеих девочек, но он жил теперь далеко, в другом городе, за пределами сферы влияния своей матери, и даже обзаводился там, кажется, какими-то еще детьми, избавленными уже в силу географии от обязанности как-то соперничать за внима-

ние деда и бабки, оставшихся в Москве, в зияюще огромной профессорской квартире на Ленинском проспекте.

Взрослея, девочка поймала себя на мысли, что, возможно, ее не полюбили именно из-за разочарования, которого не случилось еще в момент рождения старшей внучки, и что ровно такая же судьба постигла бы всякого следующего отпрыска ее непостоянного отца, появись он на пороге.

Сама Лиза, разумеется, была ни в чем не виновата, но младшая сестра все же однажды как следует отлупила ее; не от обиды, нет — просто ради восстановления справедливости. Это был самый простой, самый доступный способ раз и навсегда разрешить все прошлые и будущие асимметрии: в тихой библиотечной комнате с тускло поблескивающими из-за стекол собраниями сочинений, сидя верхом на старшей, рыхлой, нарядно-розовой, не ожидавшей нападения, заталкивая той в рот ее же собственные туго скрученные косы, девочка внезапно ощутила отсутствовавшее в течение долгих шести лет родство и поняла, что теперь они сумеют, наконец, подружиться. Именно это и произошло в тот же самый воскресный день, немедленно после драки, и никогда больше не прекращалось, до самой Лизиной смерти (до которой было еще далеко). И девочке оставалось только сожалеть о том, что взрослые не способны воспользоваться тем же — очевидным! — рецептом для того, чтобы разом разрешить собственные противоречия, а вместо этого проводят за общим столом мучительно долгие неприязненные часы, говоря о пустяках, притворяясь родственниками.

Теперь, когда она исправила всё, что было в ее силах, ей оставалось разве что наблюдать. Взгляд ее, лишенный снисходительности, свойственной только любимым детям, безжалостно подмечал все мелочи. К примеру, она безошибочно определила момент, когда эти два нестарых еще человека перестали вместе спать. Им было чуть более шестидесяти, когда их неприятная, возмутительная с точки зрения выросшей без отца девочки, плотская привязанность друг к другу, которая проявлялась в бессчетном количестве крошечных прикосновений, задержавшихся ладоней, в прочих неприличных деталях и даже в самой природе заискивающей второстепенной — домашней — роли, которую принял на себя дед, являвшийся для остального мира, бесспорно, человеком гораздо более значительным, чем его никогда, ни минуты, не работавшая жена, — эта самая привязанность внезапно исчезла без следа, превратив их сожительство в бесполое бытование в разных спальнях. При этом, хотя в пятикомнатной квартире имелось достаточно места, дополнительная спальня так никогда и не была обставлена соответствующим образом. Одна из комнат всего-навсего внезапно изменила запах, внешне никак не преобразившись; и, отметив это, девочка поставила первую галочку в воображаемом, до этого дня даже не существовавшем списке. Это означало, что непроницаемая броня безупречной сплоченности, много лет подавлявшей четверых заложниц, призываемых два раза в месяц для бесстрастного осмотра, дала трещину, потому что их экзаменаторы и судьи не были больше едины.

Она начала вести свой список, когда ей было уже около четырнадцати. Старшая из сестер в этот самый момент взбрыкнула и почти перестала бывать у деда с бабкой, появляясь разве что изредка, по праздникам, и младшей было уже понятно, что она имеет полное теперь право поступить так же, но ей не хотелось оставлять маму в одиночестве. Мама штурмовала неприступный крепостной вал своей несостоявшейся семьи много лет подряд легко и весело, не меняясь в лице, но по пути — туда и в особенности обратно — была всегда необычно молчалива, так что девочка продолжила приезжать, ощетинившись, вооружившись нелюбовью (теперь уже своей собственной), готовясь защитить — не себя, маму — при малейшем намеке на нападение; маленький оруженосец на войне, о правилах и причинах которой ему не сказали.

Перечень разломов, изуродовавших еще недавно неуязвимый фасад, которым бабка и дед поворачивались к миру, пополнялся со все возрастающей скоростью, перешедшей буквально в галоп в тот год, когда дед неожиданно даже для себя самого вышел на пенсию, словно именно социальный статус, теперь обрушившийся, и держал эту семью на плаву так долго. С этого момента каждая мелочь — телефонный звонок от бывших коллег, учеников или почитателей, перепечатанная где-нибудь давно написанная статья, приглашение по старой памяти почетным гостем на какое-нибудь околонаучное мероприятие — словом, все то, о чем раньше за обеденным столом не говорили вовсе, обсуждалось сейчас всесторонне и в мельчайших деталях, но событий этих становилось все меньше и меньше с каждым меся-

цем, и разговоры о них, многократно повторенные, натягивались теперь на разом опустевшую жизнь вышедших в тираж стариков неловко, как худое одеяло.

Семейный распорядок остался неизменным. После обеда дверь кабинета закрывалась за дедом, и с этой минуты говорили уже вполголоса, но даже бабушка не употребляла больше слова «работает» применительно к его привычному дезертирству: никакой работы давно уже не было. Были стопки газет и ветхий, обтянутый лопающейся свиной кожей диван, который (всякий раз, когда девочке случалось заглянуть за очередным доказательством) хранил в предательских вмятинах тепло только что поднявшегося грузного тела. Кисло пахло табаком и аптекой, и все чаще — спиртным.

Не заметить нетвердой походки, слезящихся глаз и появившейся нездоровой отечности в породистом дедовом лице было невозможно; но об этом не говорили. Даже когда бутылка армянского коньяка (с унизительно небольшим количеством звездочек), пробив, очевидно, бабкино свирепое сопротивление, заняла полноправное место посреди обеденного стола. Даже когда дед принялся назойливо предлагать невесткам и поджавшей губы жене «капельку, для сосудов»; даже после опрокидывания соусника, оставившего на белоснежной скатерти оскорбительное неровное пятно, — прогрессирующий алкоголизм хозяина дома все еще держался за кадром, существуя словно бы сам по себе. Но трюм был пробит, и вода поступала внутрь уже не ручейком, а широким потоком, и непоколебимые бастионы приличий начали падать один за другим. Девочка подмечала теперь неостановимый, стремительный распад не из злорадства, а просто чтобы убить время, потому что ей нечем было больше заняться: первый неотстиранный след на скатерти, пересоленный суп, следы пыли на всегда сверкавшей полировке, неприглаженный, неприятно подрагивающий седой вихор на дедовой макушке. Запах — непобедимый, несвежий, стариковский, — начинавший исходить от них обоих. Даже сама величественная квартира, казалось, прямо на глазах блекла и выцветала, словно старая фотография.

Дотерпев до своего двадцатилетия, девочка смогла, наконец, последовать примеру сводной сестры и начала понемногу пропускать визиты: гидра осталась без зубов и была уже не опасна. В редкие разы, когда младшая внучка изменяла своему решению, ей уже можно было многое из того, что не позволялось раньше, — прислоняться к обоям, оставлять суп недоеденным, прижиматься подошвами к вытертой обивке дивана, курить в форточку на кухне, не опасаясь разоблачения, — шаркающие, натужные бабкины шаги по рассохшемуся паркету слышны были теперь задолго. Безобразная старческая беспомощность давно превратила девочкину непримиримую, тщательную вражду в почти равнодушную брезгливость, и казавшаяся вечной готовность к обороне окончательно уступила место скуке.

Некоторое разнообразие (незадолго до смерти деда) внесла некрасивая, абсолютно уникальная за все эти годы сцена, начавшаяся с известия о том, что блудный отец, брошенный в своем захолустье очередной неблагодарной женой, свалился с инфарктом и прозябает теперь в тисках бесплатной провинциальной медицины.

Яна Вагнер

«Ему будет лучше здесь, — с вызовом объявила бабушка, произнесшая имя своего сына впервые за долгое время, в перерыве между жидковатым супом и подгоревшим вторым, — в конце концов, это его дом». Старшая из невесток после этих слов немедленно потемнела и затряслась, испугав и удивив не только стариков, но даже собственную дочь. «Его дом, — кричала она, — его дом, черта с два, семнадцать лет! Сем-над-цать лет подряд!.. Ему было — плевать!.. Есть вы или — нет! А мы... каждый месяц! Каж-дый ме-сяц!»

Именно в этот скандальный день две женщины, когда-то страшно давно делившие одного-единственного никчемного мужчину и не ставшие с тех пор не только ближе, но как будто еще больше отдалившиеся из-за принужденного присутствия за общим столом, где они, пожалуй, ни разу так друг к другу и не обратились, не заговорили прямо, без посредничества властного матриарха, впервые скомкали визит и распрощались, не дожидаясь обязательного кофе, остановились возле подъезда и, словно по команде, одновременно закурили, не спеша разбегаться по противоположным автобусным остановкам. Обе их дочери встали тут же, рядом, заинтригованные и любопытствующие.

«Пятикомнатная квартира, — произнесла, вдохнув разом полсигареты, одна из женщин, и губы сложились у нее в горькую гримасу, словно она собиралась сплюнуть эти слова на изъеденный весенний снег под ногами. — И эта гнида сейчас примчится, держась за сердце, и развалится посреди, и всё, понимаешь? И всё».

«Ну и что?» — сказала вторая, аккуратно и собранно стряхивая пепел, и пожала плечами.

«Ну и что? Ну-и-что?! А зачем мы тогда? Зачем **ты** тогда?!»

«Не за этим», — легко, равнодушно ответила младшая и улыбнулась.

Ее собеседница яростно зашвырнула окурок в обнаженный, беззащитный околоподъездный палисадник и, не прощаясь, зашагала прочь, повторяя недоверчиво, зло: «Не за этим, не за этим! Твою мать, не за этим!..»

Много лет спустя, когда ни деда, ни бабки не было в живых, а безжалостный неразборчивый рак почти уже превратил маму в бессмысленный, обезумевший от боли кусок мяса, в один из редких моментов подаренного опиатами облегчения она наконец ответила давно выросшей дочери на вопрос, который та ни разу так и не решилась задать. «Я отказалась от завещания, — сказала мама, блуждающе, потусторонне улыбаясь. — Эта старая жаба всю жизнь считала, что я терплю ее ради квартиры. Ради ее вонючего вытертого серебра. Она мне предложила... Ты не знала?.. Она предложила... какой-то договор ренты — в обмен на квадратные метры. Я отказалась. Но продолжила. Туда ходить. Я выносила за ней судно. За этой сукой. Которая никогда. Меня не любила. Тебя. Не любила. Я ее мыла. Я. Ее. Похоронила. Эту. Суку. Эту... суку».

Дочь сидела рядом, крепко держась за сухие желтые пальцы, слушала прерывающиеся, пропадающие вдохи и выдохи, и природа этой мстительной, непримиримой, растянувшейся на тридцать с лишним лет битвы характеров постепенно впервые разворачивалась

у нее перед глазами. «Какого чёрта, — хотелось ей ска-
зать, — мама, ну какого же чёрта». Но говорить это
было уже некому.

Мы сидим безмолвно, изумленные, пожалуй, даже
недоумевающие. Слишком уж то, что мы услышали, отличается от двух предыдущих рассказов —
сильнее, чем они друг от друга. Мы чувствуем, что
обязаны как-то отреагировать, произнести хотя
бы что-нибудь, но не можем найти подходящих
слов; мы даже не переглядываемся, мы упорно
смотрим себе под ноги. Было бы здорово выпить
сейчас за что-нибудь. А может, было бы здорово
просто выпить вообще, безо всяких поводов, без
слов, но спирт закончился весь, без остатка, и по-
рожняя бутылка без этикетки бессильно лежит
сейчас, опрокинутая, чуть в стороне, мутно поблескивая зеленым боком.

Она обводит нас взглядом. Мы чувствуем это,
не поднимая глаз. Она оглядывает нас, одну за
другой, и читает нашу растерянность и разочарование.

— Вы что, правда думали, я о нем буду говорить? — спрашивает она насмешливо, с вызовом. — Нет, серьезно? О нем?

Я успеваю еще подумать о том, что и мне теперь
(сейчас моя очередь) неловко, нехорошо, нельзя
говорить о нем, а ведь я, наверное, больше ни
о чем другом уже не умею говорить. И тут откуда-то снаружи, не издалека, прямо над ухом раздается треск обмороженных веток и хруст шагов по

снегу. Пёс, встрепенувшись, взвивается, выгнув дугой желтую худую спину, и рычит — тяжело, низко, предупреждающе. Мгновение-другое мы рассматриваем туго зашнурованные ботинки, прорвавшие оранжевый и непрочный дрожащий круг света, отбрасываемый нашим костром, и только потом набираемся смелости и смотрим на него.

— Уютно у вас, — говорит Анчутка, улыбаясь нешироко и скупо. — Гостей принимаете?

Он один. Больше никто не пришел.

* * *

Прежде чем мы успели задаться вопросом, что ему нужно здесь, зачем он перешел озеро в темноте, один; прежде даже, чем мы успели испугаться по-настоящему, Ира легко и быстро вскочила, и, пошатнувшись совсем немного, потянулась, и выдернула из сугроба топор — тяжелый, с гнутой ищербленной рукояткой, и встала ровно, отгородив нас, всё еще сонных, раскисших, медлительных, от Анчутки, стоящего в десяти шагах. И вздернула подбородок. Застыла, широко расставив тонкие ноги. Топор, тускло поблескивая толстым рыжим лезвием, слабо качался в ее руке. Поднимайся, сказала я себе, поднимись сейчас же, и оглядела вспаханное рыхлое пространство вокруг костра. Ноги совсем не слушались, ватные от страха и спирта одновременно. Она была где-то здесь, совсем рядом, я только что ее видела…

Мне пришлось встать на колени и погрузить руку в холодную снежную кашу, обжегшую пальцы, и только тогда я ее нащупала; толстое стекло уже успело покрыться невесомой ледяной сеткой, мгновенно превратившейся в воду внутри моей испуганной ладони, но я ухватила бутылку как могла крепко за узкое скользкое горло и с трудом поднялась, остро жалея о том, что мы столько выпили. Идиотки, сколько же мы выпили? Кажется, нужно сейчас разбить ее, непременно нужно разбить, иначе не будет никакого толка; если просто ударить по этой крупной тяжелой голове, бутылка всего-навсего лопнет, как лобовое стекло в автомобиле, рассыплется на неострые одинаковые осколки.

Вокруг, как назло, не было ничего твердого. До мостков не добежать — далеко, а ее нельзя, никак нельзя было оставлять там одну с этим ее дурацким топором, она и поднять-то его не сможет, наверное, не говоря уже о том, чтобы как следует размахнуться. Я перехватила бутылку поудобнее, ругая себя за слипающиеся глаза, за то, что предательская вытоптанная полянка медленно, тошнотворно вращается вокруг моей головы, за то, что каждое простое движение стоит мне таких чудовищных усилий, — и шагнула к ним, замершим лицом к лицу, разделенным только невысоким, бессильным огнем и оскаленной тощей собакой, и встала тоже, чувствуя жар, исходящий не от пламени, а от хрупкого узкого тела рядом, мечтая об одном — не упасть раньше времени.

Еще через секунду позади меня (отворачиваться, чтобы посмотреть, было нельзя) вдруг захрустело, завозилось, и я почувствовала прикосновение — слабое, скользящее, где-то на уровне коленей.

— Сейчас, — сказала Марина снизу, из-под моих ног. — Сей...час.

Ухватилась крепче за нижний край моей куртки, потом за рукав, и выпрямилась наконец, пошатываясь, нетвердо, и осталась стоять рядом со мной, упираясь в мое плечо. Просто так, сама по себе, без бутылки и без топора, с пустыми руками. А за ней уже поднималась Наташа, подходя с другой, Ириной, стороны.

— Топором только не размахивай, — шепнула она неожиданно трезвым, недовольным голосом.

И потом никто больше не двигался и не разговаривал, и глубокая напряженная тишина, нарушаемая только шипением смолы в огне, разлилась и накрыла нас четверых и мужскую широкую фигуру напротив.

Несколько долгих тревожных мгновений он не делал ничего, только медленно, внимательно рассматривал наши глупые, пьяные, беспомощные лица, а потом, когда ожидание сделалось невыносимым, произнес с задумчивым, неторопливым удивлением:

— Интересные вы, девчонки. Я вообще-то ягод вам принес.

Он сбросил с плеча рюкзак, тяжело ухнувший нам под ноги, почти в самый костер. Одна из вытертых матерчатых лямок обиженно съежилась, как живая, словно стараясь держаться подальше от жгучих стелющихся огненных языков, и тут же принялась чернеть по кромке.

— Ягод?.. — тупо переспросила Наташа. — Ка... ких ягод?..

Вместо ответа он опустился на корточки, одним легким, неуловимым движением отдернул рюкзак от кострища и распахнул его.

В плотных брезентовых недрах ярко, морозно сверкнуло красным; запустив внутрь обе свои широкие горсти, он приподнял и рассыпал, подставляя нашим взглядам рубиновые заледеневшие шарики.

— Брусника?.. — выдохнула Марина прямо мне в ухо. — Брусни-и-ика, — повторила она нараспев, мечтательно, с восторгом, и, оттолкнувшись от моего плеча, шагнула вперед, неловко скользнув ногой по тлеющей, негодующе плюнувшей искрами головешке.

— Да где же вы... где же вы взяли столько!.. — говорила она, уже падая на колени возле мешка, уже ныряя внутрь ладонями и ртом одновременно, и осеклась только в самый последний момент, поднимая лицо. — Можно, да? Можно?

— Кислая! — сказала она с восторгом спустя секунду, с полным ртом. — Кислая, жуть! — И зажмурилась.

Рюкзак оказался набит тяжело, туго, под самые веревочные завязки. Ягоды, видно, были собраны наспех, вперемешку со мхом, подмороженными листьями, ветками и хвоей; мы вычерпывали горстями и жевали, не разбирая, ломкие и горькие ледяные брусничины пополам с листьями и иголками, сидя прямо на снегу, и не могли остановиться, потому что несколько долгих недель мы ели только рыбу и ничего другого.

— Да погодите вы, — сказал Анчутка. — Что ж вы ее прямо так, замороженную. Горло заболит. Хотя, я смотрю, вам море сейчас по колено.

Он засмеялся коротко, необидно.

— По поводу пьете или так?

Марина быстро выплюнула в ладонь жесткую лесную шелуху.

— Форель! — вскрикнула она, словно удивляясь тому, что у нашего долгого, наполненного разговорами вечера действительно был повод. — У нас же форель! Мы ее сами... я сейчас... — И вскочила, покачнувшись.

Рыбу Анчутка запек сам, отмахнувшись от нашей бестолковой помощи, «вы давайте лучше продышитесь, девчонки, сейчас мужики ваши вернутся, а мне оправдывайся, что не я вас поил», и мы послушно расселись вокруг, наблюдая, как он разгребает угли, как пристраивает с краю увесистый серебристый кулек. Есть не хотелось. Спирт, прозрачный ночной воздух, ровное густое тепло от огня убаюкивали, укачивали, и Анчутка вполголоса монотонно рассказывал, как скользнувшая с тропы снегоходная лыжа разрезала нехоженый белоснежный толстый слой снега, «а там ее густо-густо, целая поляна, девчонки, и ведь недалеко совсем, тут рядом». Закрывая глаза, я увидела и этот снег, похожий на взбитые сливки, и широкий красный разрез, словно след от ножа в боку пышного торта, «странно, что ее не собрали, черт их знает, не нашли, что ли, обычно они тут по осени чешут ягоду как комбайны, у них скребки такие специальные, слышишь, раз махнул — и полкило сразу, хотя, может, некому было чесать уже, перемерли, может, а то и разбежались». Перемерли, повторила я про себя равнодушно, проваливаясь в уютную дремоту, перемерли — и не было больше в этих словах ничего страшного, как не бывают страшными сказки, рассказанные на ночь. Угли шипели; легкий, едва уловимый аромат жареной форели робко, опасливо разворачивался у нас над головами, и вдруг тот же спокойный голос произнес прямо у меня над ухом: «О-па, здорово, мужики», — и я вздрогнула и проснулась.

Вначале виден был только массивный силуэт, безликий, неузнаваемый, и на мгновение мне показалось, что где-то совсем недалеко, в каких-нибудь десятках метров отсюда, за дрожащей и зыбкой границей рыжего свечения костра пространство изогнулось, раздвоилось и по ошибке выплюнуло еще одну копию человека, уже сидящего здесь, рядом с нами, и что сейчас он подойдет ближе и снова сбросит с плеча набитый ягодами рюкзак. Однако стоило ему подойти ближе, морок рассеялся, и я узнала Лёню. Он тяжело, со свистом дышал, словно большую часть пути с того берега ему пришлось бежать. Он быстро, зло окинул взглядом нас, хмельных и сонных, и заманчиво скворчащую в углях форелину, и бессмысленно брошенную в сугробе опустевшую бутылку, разве что лишнюю секунду задержавшись на Анчуткином улыбающемся лице, а затем нашарил глазами жену и дальше смотрел уже только на нее. Она как раз поднималась ему навстречу, радостно, и заговорила:

— Лёнечка, ну где вы ходите, мы уже и рыбу почти... — и даже успела сделать шаг или два в его сторону, но он оборвал ее, не дав ей закончить.

— Иди в дом, — сказал он сухо, отрывисто, и эта короткая, вполголоса произнесенная фраза заставила ее замереть на месте, как будто это были не слова, а глухой деревянный забор, внезапно выросший у нее из-под ног.

Она сделала один резкий вдох; похоже было, что она собирается сказать что-то еще, но тут Лёпя задрал подбородок и сделал одно едва заметное, легкое движение головой, и она послушно повернулась и пошла. Он следил за тем, как она нетвердо, с усилием шагает, словно взглядом подталкивая ее в спину, и после того, как дверь за ней закрылась, повернулся к Анчутке и произнес с неожиданной свистящей яростью:

— Ты что здесь, сука, делаешь?

— Лёнька! — раздался папин голос откуда-то из-за Лёниной спины. — Ну какого чёрта ты рванул? Дрова бросил, кому их за тобой подбирать...

Появившись из темноты, папа тоже задыхался, как после долгой пробежки; следом показались и остальные — Сережа, Мишка, Андрей, уставшие, заледеневшие и встревоженные.

— Да он просто ягод принес, — начала Наташа, тоже поднимаясь, и Лёня, не поворачивая головы, вскинул ладонь, как будто отгораживаясь от всего, что она собирается сказать.

— Я говорю, ты что делаешь здесь? — повторил он, и принялся ждать ответа, и только дернул плечом, сбрасывая Сережину примирительную руку.

Анчутка выдержал паузу — долгую, в течение которой снова стали слышны тихие зимние лесные звуки, прерываемые только Лёниным сбившимся, захлебывающимся дыханием. Потом поднял лицо, не поднимаясь на ноги, и снизу вверх посмотрел на Лёню.

— Не прав, — сказал он серьезно, без улыбки. — Не подумал. Извини, хозяин. Я и побыл-то всего полчаса. Вовка брусники набрал детишкам вашим, слышишь, поляну нашли под снегом, и чего-то так обрадовались, что я сразу и потащил. Надо было до завтра подождать.

Он поднялся и протянул руку, и рука эта несколько мучительных мгновений провисела в воздухе сама по себе, отчетливо освещенная оранжевым светом костра. Наконец Лёня все же пожал ее. Они стояли друг напротив друга, одинаковые, большие, сердитые мужики, и в том, как были сцеплены их ладони, не было ничего дружеского, ничего мирного.

Когда скрип Анчуткиных шагов растворился в темноте, Лёня вытер руку о штаны коротким, брезгливым движением и сказал хмуро, как будто сплюнул себе под ноги:

— Ну? Кому еще тут неясно, что именно ему от нас нужно?

* * *

Форель, которой мы так гордились, осталась незамеченной — ее просто равнодушно съели, расставив тарелки на драной клеенке. Ни одна из нас четверых не смогла проглотить и куска. Марина свернулась калачиком в дальней комнате рядом со спящими детьми и наотрез отказалась выходить на свет, а спустя минуту после того, как мы вернулись в дом, за перегородкой исчезла и Ира.

— Какого чёрта ты там устроил? — говорил папа, кромсая беззащитный розоватый рыбий бок алюминиевой вилкой. — Отелло херов. Только наладили всё...

— Правда, Лёнь, — сказал Сережа. — Нафига? Что такого-то? Ну пришел, ну ягод принес. Я не понял...

— Зато он понял, — зловеще сказал Лёня, упираясь невидящим взглядом в свою тарелку, прямо в рассыпчатую ароматную мякоть. — Он отлично, мать его, понял.

— Они нам завтра обещали помочь венцы разобрать, — начал Сережа, — нормально же всё...

— Машину тебе жалко, да, Лёнька? — с полным ртом проговорил Андрей и улыбнулся. — Вот и дружбе конец.

И тогда Лёня вдруг подался вперед, резко, неожиданно; мне показалось, что он сейчас с размаху грохнет кулаком, и непрочный кривой стол лопнет пополам, развалившись в щепки, но Лёня просто навалился на край, широко расставив локти. Тарелки жалобно звякнули, какая-то мелочь поехала, покатилась в стороны, рассыпалась по полу.

— Какая. Нахер. Машина, — произнес он раздельно, яростно, и в конце каждого его слова отчетливо слышна была точка, как будто он перешел на азбуку Морзе. — Какая. Дружба. Ты дружить с ним, блядь, собрался? Он таких, как ты. На обед. По три штуки. Ты в глаза ему заглядывал? Вашу мать, ну откуда вы такие пионеры взялись?

Лёня вскочил и пнул злополучный стол ногой, и одна из тарелок хлопнулась-таки вниз, разметав по черным доскам жирные перламутровые рыбные дольки.

— Не ори, детей разбудишь, — сказал Сережа, нагнувшись, и принялся собирать осколки.

— Ладно, — сказал Лёня.

Он стоял теперь, тяжело свесив руки, посреди тесной комнаты, которая словно была ему сейчас мала и трещала по швам.

— Я не знаю, как вам еще объяснить. Остальные двое — плесень, мелочь, но за этим чертом надо следить в оба глаза. Не нравится он мне. Ой как он мне не нравится.

— Да кому он нравится-то? — отозвался Сережа раздраженно — снизу, с пола, не поднимая головы. — Что ты предлагаешь? Мы не стали с ними воевать. Это надо было делать вначале, и мы не стали. А сейчас повод нужен посерьезней, чем мешок ягод.

— Ну что вы несете, — неожиданно устало сказал Андрей из своего угла. Он больше не улыбался. — «Мы не стали с ними воевать», — передразнил он Сережу. — Можно подумать, у нас бы получилось. Давайте совсем откровенно, а? Кишка у нас тонка просто так их взять и перебить. Я боюсь, даже если б у нас был настоящий повод, а не вся эта херня с консервами и ягодами, мы все равно жевали бы сопли, мирились там с ними как-то, находили общий язык. Ну, разве что морду там набить, ладно, это я могу себе представить. Но ползти через озеро с ножами, чтоб их перерезать ночью — да ладно. Это кино уже какое-то категории «Z». Это вообще не про нас.

Он с трудом выбрался из-за низенького стола и заходил по комнате, слепо натыкаясь на стены и кровати; два шага в одну сторону, два — обратно.

— И не важно, кто они, эти черти, может, и правда зэки, а может — обычные мужики простые, или, не знаю, военные, не в этом дело, понимаете? Дело в нас. Мы кто такие? За каким хреном в этом сраном лесу сейчас нужна твоя высшая математика, Андреич, или «Форекс», или Серёгины банковские программы? Мы и сами здесь не нужны. Мы ни черта не можем. Мы вымираем, как динозавры. Мы почти уже вымерли.

— За себя говори, — хмуро сказал Лёня. — Я — не вымру.

Андрей живо повернулся и уставился на него с любопытством, словно увидел впервые.

— Ты, кстати, может, и правда не вымрешь, — сказал он после паузы и опять уселся на ближайшую кровать. — Слушай, я всё хочу тебя спросить: а ты кто? Ну, чем занимался до того, как всё случилось?

— Кто-кто... — ответил Лёня и поглядел себе под ноги. — Издательство у меня. Учебники там, детские книжки. Буквари. Раскраски.

Первым засмеялся Мишка — положил голову на стол, на перекрещенные локти, и мелко задрожал плечами, завсхлипывал, сначала беззвучно, потом все громче и громче; а за ним захохотали остальные — задыхаясь, хлопая себя по ляжкам, утирая слёзы и кашляя, облегченно выплевывая вместе со смехом усталость, разочарование и страх, который так долго душил нас, что мы почти перестали его чувствовать.

— Да что смешного-то, — неохотно, сконфуженно отбивался Лёня. — Бизнес как бизнес, ну чего вы ржете?

Сережа, по-прежнему сидящий на полу, поднял к нему лицо.

— Раскраски, — простонал он беспомощно. — Рас-крас-ки!..

И нырнул назад, к расколотой тарелке, к разбросанным кусочкам форели.

— Ну да, раскраски, блин! — возмущенно отозвался Лёня, но широкая его физиономия уже дрогнула, уже разъехалась в улыбке, и спустя мгновение он тоже зафыркал и затрясся, перегнувшись пополам, глотая воздух.

— Ну всё, — наконец сказал папа и вытер покрасневшее от смеха лицо рукавом. — Спать. С завтрашнего дня на стройку девочек берем с собой. Там осталось-то работы на пару дней: разберем венцы, переправим сюда, ну а здесь уж как-нибудь присмотрим за ними. Спать, спать!

И он первым поднялся и принялся расправлять свой спальный мешок, качая головой и посмеиваясь, повторяя вполголоса, себе под нос: «Раскраски, елки-палки, раскраски!»

Лежа в темноте, я слушала ровное Сережино дыхание и думала: ну и что. Ну и что. Даже если мы и в самом деле динозавры. Даже если мы действительно вымерли, и те, кто останется после нас, будут уже совсем другими и совершенно на нас не похожими. Ну и что, подумала я в последний раз и провалилась в сон.

* * *

На наше счастье, баня была невысокая; каждая стена ее была составлена всего из девятнадцати одинаковых обструганных бревен, крест-накрест уложенных друг на друга. «Ерунда, — сказал мне Сережа, — представь, что это конструктор, палочки, все так просто, перепутать невозможно, подцепил, сбросил вниз, связал, перевез». На деле же оказалось, что смерзшиеся, плотно слежавшиеся венцы не желают разъединяться без сопротивления; что ни Мишка, ни папа не в состоянии поднять их; а когда под Лёней проломилась вторая по счету приставная лестница, которую прислоняли к торцу разбираемой стены, стало окончательно ясно, что снимать бревна, расшатывая их, подцепляя палками, вытаскивая из вырубленных угловых чаш, могут только два человека — Сережа и Андрей, остальные же способны только раскатывать их, сброшенные в снег, раскладывать по вырезанным на торцах номерам и увязывать веревками. На исходе третьего часа работы Андрей попал себе самодельной киянкой по руке, взвыл от боли и скатился вниз по хлипкой стремянке. «К черту, — сказал он, слизывая кровь с ободранных пальцев, — перерыв, Серёга, не могу больше. Так мы до лета не управимся».

Именно в этот момент появился маленький Лёха, щуплый, кривенький, и, застенчиво скалясь железнозубым ртом, предложил свою помощь. «Ты давай-ко, отдохни», — сказал он, сильно окая и глядя на длинного Андрея искоса, снизу вверх, а потом взлетел наверх по стремянке легко, словно жилистый камуфляжный муравей, зацепился коротенькой цепкой ногой за выступающий конец венца и завозился деловито, весело, застучал, уперся плечиком. «Ну чего ты, — крикнул он Сереже сверху, — подсоби давай». Сережа послушно полез назад, и спустя минуту-две сверху посыпался мох, проложенный между венцами, и Лёха тоненько, протяжно, с наслаждением закричал, запел: «Р-ра-а-а-аз-два-а-а-взяли-и-и... а-а-ащё-о-о-о — взяли-и-и!»; почти сразу тяжелое длинное бревно поддалось, сдвинулось — «па-а-а-абереги-и-и-ись!» — и упало с глухим стуком, нехотя, невысоко подпрыгнув несколько раз, как увесистый мяч для регби. Через какой-нибудь час количество бревен, подготовленных к перевозке, почти удвоилось, и когда Сережа взмолился, смеясь, «слушай, Энерджайзер, дай передохнуть-то», а его место снова занял Андрей, тщедушный Лёха, казалось, даже не запыхался; только узкие его щеки, заросшие неопрятной грязноватой щетиной, запылали свежим, радостным румянцем. «Мох, мох собирайте, — командовал Лёха сверху, — да вон хучь в машину сразу, не мочите только, чтоб сухой был!»

Чуть позже выяснилось, что в паре с Лёхой разбирать венцы может кто угодно — и юный Вова, прибежавший на шум с полным чайником горячего сладкого чая и добрых полчаса пританцовывавший внизу, прежде чем настала его очередь, и даже Мишка. Подгоняемые напевными Лёхиными мантрами «пошла-пошла-пошла-а-а-а» и «взяли-и-и-и!.. взяли-и-и-и-и!», все они будто проснулись, оттаяли и заработали нетерпеливо, скоро, жадно, и добрались до оконных коробок еще до темноты. Пластиковый кунг Андреева пикапа был к этому моменту почти доверху забит высушенным мумифицированным мхом. Заводить пикап раньше времени мы не стали и, бегая туда и обратно, не только протоптали широкую, щедро присыпанную мхом тропу от разбираемой бани до площадки с машинами, но умудрились даже почти не замерзнуть, как будто и мороз, обязательный, привычный, ежедневный, сегодня решил отступить, дать нам передышку.

Анчутка показался только ближе к вечеру, когда начало темнеть. Вначале раздался рокот мотора, потом редеющий к краю ельник прорезал бледный расплывчатый луч света, и спустя минуту громыхающая одноглазая машина подъехала к бане, сделав, прежде чем остановиться, последний лихой вираж и плюнув липкой снежной струей в полуразобранную стену. С Анчуткиным появлением оба его товарища, как мне показалось, несколько погасли. Выбравшись из седла, он негромко подозвал Вову и всучил ему свой раздутый рюкзак — «ну-ка, прими», скомандовал он, и Вова послушно подставил тощие плечи. Я подумала было, что внутри вторая порция ягод, собранных где-то в лесу, но в брезентовых недрах что-то глухо и тяжело зазвякало, а долговязая Вовина фигурка перекосилась и осела под этим загадочным грузом. Поймав мой любопытный взгляд, Анчутка весело, таинственно подмигнул мне, и оба скрылись в своей обжитой избе. Спустя мгновение за ними бочком ускользнул и Лёха, с сожалением воткнув деревянные инструменты в ближайший сугроб.

— Ну, что, пошли, что ли? — сказал папа, когда мы остались одни. — Темнеет. Еще один такой день — и всё, ребята, послезавтра повезем.

Свистнув Пса, с энтузиазмом рыскавшего весь день в полузасыпанных снегом окрестностях изб, мы потянулись к озеру — уставшие, довольные, негромко переговариваясь и мечтая о горячем ужине. «Бруснику еще перебрать бы», — бессильно говорила Наташа, спускаясь на лед; «Успеем, — отмахнулась Ира на ходу, — сил нет». За нашими спинами раздался вдруг громкий, пронзительный свист. Я обернулась; расталкивая начинающиеся сумерки, от избы к нам быстро шагал Анчутка. В руках у него что-то было, какой-то крупный полукруглый предмет.

— Подождите, — сказала я.

Шагов с десяти уже можно было разобрать, что несет он банку — стеклянную, трехлитровую, с обмотанным бумагой верхом. Вплотную он подходить не стал, а вместо этого с улыбкой остановился у самой кромки льда и принялся ждать, пока мы все до единого замолчим и посмотрим на него.

— Детишкам, — сказал он тогда и протянул банку вперед, чтобы мы могли разглядеть. — Ягоду подсластить.

Внутри стеклянных стенок уютно дремало густое, желтое, и под нашими недоверчивыми взглядами банка словно вдруг засветилась изнутри.

— Неужели мед? — быстро сказала Ира и шагнула к нему. — Валера, вы святой просто. Спасибо вам большое.

— Ты не против, хозяин? — все так же улыбаясь, спросил Анчутка поверх ее головы, слегка отступая назад, чтобы Ира не смогла дотянуться.

— Ну ладно тебе, — буркнул Лёня, опуская глаза, и только тогда банка скользнула, наконец в Ирины протянутые руки.

— Дай-ка поглядеть, — попросил папа, когда мы отошли от берега метров на пятьсот. — Холодная какая, — удивился он, вертя банку в руках, приподнимая ее, заглядывая снизу сквозь вогнутое стеклянное дно. — Я готов поклясться, — сказал он наконец, — чем хотите, что этот мед он привез вот только что. На наших глазах. Они куда-то ездят за припасами, и вряд ли это место так уж далеко.

* * *

Пикап, четыре месяца простоявший на морозе, заводиться не захотел. Тяжеленный аккумулятор, хранившийся в тепле и безопасности под Наташиной кроватью, все равно оказался безнадежно мертв. Пока папа с Сережей откачивали из двух других машин оставшееся топливо (его набралось от силы литров восемь, неполная маленькая канистра), присмиревший Лёня с Анчуткой занялись прикуриванием наших уснувших автомобилей. Дребезжащий, раздолбанный «УАЗ» подогнали поближе, и через четверть часа и пикап, и «Лендкрузер» — Лёнина добровольная жертва — заурчали, закашляли и завелись.

Стоя возле уютно тарахтящего «Лендкрузера» («Пускай помолотит, — щедро сказал Анчутка, успевший плеснуть в лендкрузеров бездонный бак немного дизеля из своих загадочных запасов, — погреется», — и любовно похлопал большую черную машину по капоту), я поймала себя на мысли, что звук работающего автомобильного мотора здесь, посреди безлюдной тайги, звучит дико и чужеродно. Что сами мы — выцветшие, истрепавшиеся, одичавшие — уже потеряли право на то, чтобы вставать на блестящие хромированные подножки, прикасаться обветренными ладонями к безупречной прохладной коже рулевого колеса. Что каждая голубоватая лампочка на приборной панели уже готова отвергнуть нас, обреченных неумытых дикарей, годящихся только для того, чтобы погружать рукава в ледяную воду, вытаскивая сети, и резать пальцы рыбьими плавниками.

Я протянула руку к сверкающей лакированной дверце и подумала с неожиданной злостью: как вы посмели остаться такими же безупречными, эргономичными, нетронутыми; какого чёрта вы выглядите так, будто за ближайшим углом начинается город, гладкий асфальт, светофоры, электричество, пробки, кинотеатры, рестораны, работающие до последнего посетителя, книжные магазины — черт, черт, я убила бы сейчас за какую-нибудь книгу, любую, какую угодно, даже за такую, которую и читать бы не стала полгода назад. Эти жуткие месяцы словно сняли с нас кожу, превратили в серые тусклые тени, как будто всё, чем мы нравились себе и друг другу, и заключалось в этих светофорах, кинотеатрах, и ресторанах, и горячих ваннах — конечно, как я могла забыть! — в увлажняющих кремах, в центральном отоплении, в доступности еды, в отсутствии страха — ежедневного, обязательного — страха умереть от голода.

Моя ладонь застыла в воздухе, в каком-нибудь сантиметре от полированной яркой поверхности — обломанные тусклые ногти, сухая блеклая кожа; я не смогла прикоснуться. Хорошо, что у нас кончился дизель, подумала я с ненавистью, вы умрете с голоду раньше нас. Еще день, два — и мы бросим вас здесь навсегда, потому что нам нечем будет накормить вас, и безжалостная ржавчина, эрозия, солнце, сырость, холод убьют вас раньше, чем сдадимся мы. Еще через полгода мы будем почти такие же, как сейчас. Мы устроены иначе, по-другому; может быть, внешний лоск слетает с нас быстрее, но потом процесс замедляется, и даже без медицины и таблеток мы протянем еще десять лет, двадцать, если нас не скосит, конечно, какая-нибудь безнадежная ерунда вроде аппендицита, или — ну, хорошо — раковая опухоль, а от вас уже лет через пять останутся только бессмысленные ржавые скелеты, рассыпающиеся от малейшего ветерка. Ваша хрупкая и капризная электронная начинка сгниет, краска потускнеет и пойдет пятнами, колесная резина рассохнется и выпустит воздух. В конце концов, от всех нас останется примерно одно и то же: высохшая кучка неживой материи, но мы продержимся дольше. Мать вашу. Мы продержимся дольше вас.

Я сжала в кулак свою жалкую ладонь и стукнула дверцу бедного «Лендкрузера», и в этот самый момент щекой, плечом, половиной тела почувствовала чужой внимательный взгляд.

— Хочешь, прокачу? — предложил Анчутка тихо, в самое ухо, так, что было слышно только мне и никому другому. — Или давай за руль садись. А?

И мне сразу же стало мучительно стыдно и за безадресную мою дурацкую злость, и за то, как этот посторонний мужик истолковал ее.

— Не надо, — отказалась я. — Зачем. Дизеля мало осталось, и потом, Лёне будет неприятно.

— Это моя теперь машина. — Анчутка больше не понижал голоса. — И мне насрать, кому там приятно, кому нет.

— Ну, а мне не насрать, — сказала я, радуясь тому, что у беззубой моей ярости появился наконец одушевленный адресат.

Какого чёрта он говорит мне «ты», а я которую неделю аккуратно ему «выкаю»; с какой стати мы вообще стараемся быть вежливыми, воспитанными столичными девочками, когда нет уже никакого смысла в нашей вежливости, и столицы тоже никакой уже нет?

— Не поеду я никуда.

И я отвернулась — с облегчением, и увидела, что прицеп пикапа за это время успели доверху загрузить стропилами и шиферными ломкими листами, а папа с Сережей, стоя на подножках, уже прикручивают к верхнему багажнику всякую мебельную мелочь. Я пошла к ним, чтобы быть рядом, когда эта неустойчивая, шаткая конструкция сдвинется с места и поползет через замерзшее озеро к нам, на остров, и услышала, как бесстыдно рокочущий двигатель «Лендкрузера» захлебнулся и умолк у меня за спиной. Так тебе и надо, подумала я, подожди. Может, ты и протянешь дольше других — но помнишь? Регулярная замена масла, качественное топливо, импортные запчасти и хорошие дороги — ничего из этого тебе не светит, у тебя нет шансов, даже и не надейся.

Когда пикап, радостно урча, пропахал рыхлый прибрежный снег, смял торчащие повсюду черные обмороженные сорняки и двинулся к острову — медленно, осторожно, с хрустом вгрызаясь в лед шипованными колесами, — все мы направились следом, провожая его неторопливое продвижение вперед, как почетный караул. То, что большая серебристая машина ожила и снова служит нам, без сомнения, радовало всех, кроме меня. Казалось, застрянь он, заскользи, забуксуй посреди этой гладкой слепящей пустоши, — они впрягутся, упрутся в него плечами и дотолкают до цели, и только я шагала следом, в самом конце, слушая бьющуюся в ушах единственную мстительную мысль: первый раз из десяти. Еще девять ходок — и всё. И тебе конец.

После третьего рейса, доставившего на остров разобранную веранду с перилами из круглых сосновых балясин и раскладной диван, папа, задыхающийся, побледневший, объявил: «Так, хватит цыганским табором за машиной бегать, два километра туда, два — назад, только задерживаем всех. От нас, девочки, куда больше пользы здесь», — и следующие пару часов мы растаскивали поспешно сваленные в кучу стропила и покрытые лаком половые доски, освобождая место для бревен — тонких, длинных, угрожающих занять весь наш крошечный, свободный от деревьев и камней пустырек. Перекладывая желтые чистые доски, уворачиваясь от торчащих гвоздей, раздражаясь от усиливающейся тупой боли в пояснице, каждую минуту из этих двух долгих часов я чувствовала только иррациональный, комком застрявший в гортани тоскливый гнев, не дающий ни дышать, ни разговаривать. Я схожу с ума, я точно схожу с ума, иначе нельзя объяснить, в какую бездонную дыру провалилась вдруг осторожная, только что народившаяся радость оттого, что этот кукольный, маленький, свежий дом уже почти полностью наш.

Можно было сколько угодно наблюдать с края мостков за тем, как небыстро, размеренно переползает ледяную поверхность озера мощная машина, делая в последней трети повторяющегося своего маршрута большую дугу в том месте, где толстый полуметровый слой льда покрывала беспорядочная сеть наших неумелых рыболовных лунок; как волочится за ней плотная, долгая, туго обвязанная веревками связка бревен, похожая издали на гигантскую пачку спагетти; как слаженно и быстро набегают при малейшем препятствии — поправляя, подвязывая, подцепляя деревянными баграми, — три знакомых темных фигурки, бегущие за машиной, и благодаря их усилиям движение это не прекращается. Можно было даже расслышать негромкое мурлыканье мотора, работающего на пониженных оборотах. Только торчащему в горле тревожному ноющему сгустку не было почему-то до всего этого никакого дела.

— Поднажать бы, — озабоченно сказал Андрей, в очередной раз выбираясь из кабины пикапа, чтобы помочь остальным распутывать, развязывать, растаскивать по одному увесистые обструганные венцы, покрытые теперь, после столкновения с шершавым колючим льдом, свежими царапинами и заусенцами. — Лампочка горит уже, топлива осталось всего ничего. Черт знает, на сколько ходок нам еще хватит. Нам еще бы литров пять — но не просить же *этих*?

— Да в жопу их, — весело и зло рявкнул Лёня, взмокший, источающий ровный густой жар, вытирая лоб изодранной в кровь ладонью. — Почку им, что ли, продать за эти сраные пять литров? Побольше бревен завяжем в следующий раз — ходки за две управимся, не больше. Там осталось-то штук двадцать, Андрюха, и всё.

— Стемнеет скоро, — подхватил Сережа, уставший, с темными кругами под глазами, глядя поверх черных еловых верхушек. — Хорошо бы сегодня закончить, а?

— Закончим, — засмеялся Андрей. — Мне бы только машинку потом еще успеть на берег переправить.

Я смотрела, как они — вымотанные, торжествующие, упивающиеся давно забытой созидательностью простых и честных мышечных усилий, направленных не на безрадостное выживание, а на другое — новое, осязаемое, — погрузились в теплый пикап и покатили назад, за последней частью расплетенных накануне, разъятых стен нашего будущего дома, ожидающих своей очереди по другую сторону громадного спящего аквариума, окружившего наш игрушечный остров. И подумала с завистью, что тоже, черт возьми. Тоже хочу — так. Принять участие, примерить на себя эту радость — чистую, простую, не омраченную дурацкой и смутной необъяснимой тревогой. Хочу увидеть своими глазами, как последняя кучка одинаковых кусков древесины (которые потом соединятся, принимая в себя оконные коробки, дверные панели, и укроются крышей, под которой мы станем жить наконец по-другому, по-настоящему) поволочется по льду, повинуясь

натяжению автомобильного троса, послушная
законам Ньютона, мертвого так же бесповоротно, как мой — и даже Мишкин — школьный учитель физики. И может быть, если я увижу, как это
происходит, то смогу проглотить наконец этот
жуткий безнадежный комок, перекрывающий
мне воздух.

Я не сказала никому ни слова. Просто спрыгнула с мостков и зашагала по льду, думая: два километра пешком займет у меня минимум полчаса.
За это время они успеют и подтащить, и связать
тяжелые нижние венцы, и наверняка уже двинут-
ся мне навстречу; я, скорее всего, застану их
где-нибудь посередине, на полдороге, так что
смогу только вообразить оставшуюся на том берегу пустоту, вытоптанную, смятую, усыпанную
древесной стружкой. Ну и что, главное — я буду
свидетелем, я получу право сказать себе: я была
там, я видела начало и конец, и, может быть, я су-
мею почувствовать то же, что и они.

— Анюта! — крикнул папа мне в спину. — Ты
куда? Аня!

Но обернуться сейчас, увязнуть в объяснениях
означало бы только разрушить хрупкий импульс,
толкающий меня вперед. Ледяной жгучий ветер
впился мне в щеку, нырнул за ворот куртки, лиз-
нул позвоночник. Я замерзла, я устала, я хочу это
видеть, я должна.

Пёс, вынырнувший из ниоткуда, потрусил рядом, тесно прижимаясь к моей ноге, приноравли-
ваясь к моей скорости неохотно, испуганно, а по-

зади уже слышен был торопливый скрип шагов; они все пошли за мной, оставив на берегу только папу и детей, не спрашивая ни о чем, не окликая, быстро, почти бегом, мои девочки, мои девочки, мои девочки.

Мы бежали навстречу неспешно ползущему пикапу, уже отчетливо различимому в ослепительной, обостренной наступающими сумерками белизне; бежали, тяжело дыша, не тратя сил на разговоры, не глядя друг на друга, но как бы мы ни спешили, поравняться со встречной медлительной процессией нам удалось только в последней трети, перед самым поворотом, — там, где предшествующий десяток точно таких же, как эта, медленных проверенных ездок оставил на истерзанном льду глубокую изогнутую борозду, огибающую плавной дугой финальный отрезок, исколотый множеством неумелых дырок, проверченных нами в попытке добраться до черной озерной воды и выцарапать из нее тощую зимнюю добычу.

Мы всё еще бежали, когда двигатель пикапа зачихал, задергался, сообщая нам о том, что топливо наконец закончилось — раньше времени, раньше, чем мы ожидали, и пикап свернул с проложенной, процарапанной колеи напрямик, напролом, сквозь кривую хаотичную гущу торчащих из-подо льда корявых замороженных деревянных костылей; когда Сережа, бегущий следом за двигающейся рывками связкой тяжелых бревен, замахал руками, закричал: «Стой, Андрюха, стой!» Мы еще бежали, когда Лёня — красный, распаренный, с раззявленными полами зимней куртки, хлещущими за широкой его спиной, как неудачные, неспособные к полету крылья, — вцепился вдруг в самый хвост ярко-желтого синтетического троса, словно пытаясь остановить на полном скаку механическую тягу ста сорока трех неживых, запертых под капотом лошадей; когда оба они, безнадежно отставшие на три, пять, десять метров, захлебываясь, надсадно заревели в унисон «дверь, дверь открой, твою мать, открой дверь!»; и потом, когда вокруг уже трещало и хрустело, когда, казалось, сам воздух взорвался, безжалостно вминая внутрь наших заледеневших ушей хлипкие барабанные перепонки, когда тесная паутина трещин разбежалась во все стороны из-под шипованных беспомощных колес, когда толстый, как бетон, лед начал выламываться громадными материковыми кусками, когда вокруг покосившегося, неловко задранного пикапа неожиданно вспухло, выпятилось, делаясь прозрачным, как намокшая бумага, огромное серое пятно, — мы еще бежали.

Сквозь голубоватое лобовое стекло я успела увидеть удивленное, неиспуганное лицо Андрея, а потом тяжелая машина в два стремительных рывка — сначала по верхнюю границу колесных арок, затем сразу же по крышу, по кромку кевларового туристического багажника — облегченно, мгновенно, легко нырнула, погрузилась в черную пластилиновую воду, вспенив напоследок ломкую ледяную крошку, завертевшуюся спиралью поверх жирного белесого водяного бульона.

Трос, сплотивший уже утонувшую, обреченную машину с пассивной связкой катящихся по инерции скользящих бревен, еще балансирующих на грани, сопротивляясь все тем же неумолимым физическим законам, цепляясь за бесплотную, бессильную снежную пыль, за изломанные острые края зияющего свежего провала, натянулся и завизжал — жалобно, обвинительно, отчаянно.

— Так нельзя, — прошептала Наташа за моей спиной в первый раз, и я услышала ее, несмотря на треск, грохот, скрежет и визг неодушевленной материи, бунтующей, сворачивающейся вокруг нас локальным, оглушительным смерчем.

И тут Сережа прыгнул и упал на колени возле самой границы жизни и смерти, воды и суши, и почти нырнул головой в густой смертельный ледяной суп, и принялся пилить, кромсать жизнерадостную яркую полоску троса широким лезвием охотничьего ножа, отделяя мороженую бездонную черную яму от беззащитной, неповоротливой, ползущей к краю деревянной связки.

— Так нельзя! — выкрикнула Наташа во второй раз: Сереже, ножу, облегченно лопнувшему тросу, кипящему ледяному бульону, в этот момент извергнувшему из себя огромный воздушный пузырь, и тогда я обхватила ее руками изо всех сил, до хруста, ощущая сопротивление тонких хрупких костей, напряжение мышц, горькое прерывистое дыхание, отталкивая ее и себя, нас обеих, от растущей мокнущей расщелины.

— Так нельзя. Так нельзя. Так нельзя. Так нельзя, так нельзя, нельзя, нельзя, — повторила она в пятый, седьмой, десятый раз в самое мое ухо, словно это я, именно я была виновата в том, что ей пришлось смотреть, и как бы сильно я ни сжимала ее, она вырвалась, оттолкнулась и запрокинула лицо.

— Так нельзя! — выкрикнула она в равнодушное низкое небо, плоско висящее над нашими головами.

Я уже ощущала спиной и плечами обнимающие нас руки — одна пара, другая, третья, Ира, Марина, Лёня, но сколько бы их ни было, этих рук, как бы плотно, как бы тесно мы ни сжались, ничего, ровным счетом ничего уже нельзя было изменить.

* * *

Если представить смерть как стремительный безжалостный разрез, сделанный неразборчивым и слепым чужим ножом, — болезненный, но мгновенный, почти тут же изолируемый немеющими от шока нервными окончаниями, становится ясно, что все самое мучительное происходит, конечно, уже после, в следующие за нею дни. Осознание смерти и попытка принять ее необратимость длятся, длятся и не желают прекратиться, в точности как послеоперационные отеки, воспалительные процессы, ночные острые приступы боли и бесконечные долгие недели восстановления.

Сбежать нам было некуда. Замурованные аккуратно, в несколько слоев — тощими досками маленького двухкомнатного дома, сотнями тысяч литров окружившей остров замерзшей воды, затем кольцом ошпаренных морозом деревьев и километрами снежной нежилой пустоты, — мы оказались заперты один на один с многоликим Наташиным кошмаром, от которого случайных свидетелей человеческой смерти (а мы и вправду ведь были всего-навсего свидетелями) отгораживают обычно спасительные перерывы между похоронами, девятинами и сороковинами, — дистанция, позволяющая не думать о свежей, только что случившейся смерти ежеминутно и даже на долгие часы или дни не вспоминать о ней вовсе. Дистанция, продиктованная суеверным страхом не соприкасаться с ней и держаться от нее подальше.

А сейчас она — смерть — накрыла нас с головой, оглушила и проткнула всех до единого, не разбирая степени причастности, потому что последовательно, со смаком предъявила нам все без исключения стадии тягучего вязкого ужаса, падающего на беззащитную человеческую душу, которой не дали времени подготовиться к потере — без продолжительной безнадежной болезни, без сгущающихся мрачных обстоятельств и предчувствий. Мы, чужие люди, оказались вовлечены в то, что обычно скрыто от посторонних расстоянием, успокоительными препаратами, самопожертвованием ближайших родственников. Мы не могли не смотреть и не слушать, нам негде было укрыться, и потому мы наблюдали за тем, как Наташа чернеет, высыхает, кричит. Горько невыносимо шутит, впадает в ярость, плачет, собирается умереть сама. Пьет воду, отказывается от еды, пытается есть. Обвиняет по очереди нас, своего мертвого мужа и себя. Швыряет вещи на пол. Собирает их и раскладывает по местам медленно и страшно. Нюхает его одежду. Надевает его свитер и лежит неподвижно и зло, уткнувшись лицом в ощерившуюся занозами стену, самой своей спиной с острыми, торчащими сквозь свалявшуюся шерсть лопатками запрещая нам разговаривать, дышать, жить под одной с ней крышей, думать о чем угодно другом, кроме того, что он умер. Умер. Вчера, позавчера, два дня назад. Только что.

Неизвестно откуда взялась глупая, ничем не подкрепленная наша уверенность в том, что острая мгновенная гибель нам больше не угрожает. Мы поверили в это, когда добрались наконец до озера, перенесли по льду свои жалкие коробки и мешки, преодолели недоверчивые подозрения соседей, основавших на берегу свою маленькую колонию; когда поняли, что сумели-таки убежать от волны, устремившейся за нами почти сразу, стоило нам запрыгнуть в машины и рвануть, почти не разбирая дороги; от волны, оказавшейся на поверку множеством встречных потоков, ревущих селей, несущихся нам наперерез от каждого попадающегося на пути большого города, поджидающих нас за каждым поворотом. Эта уверенность рухнула и растаяла одним махом, утонула под толщей черной воды вместе с Андреем и его пикапом, казавшимися нам одинаково неуязвимыми, безразличными и жизнестойкими. Заговор от смерти, никем не произнесенный, молчаливый, окутывавший нас в течение долгих жутких месяцев, неожиданно выветрился и истек, перестал действовать; мы поняли вдруг и увидели, как любая мелочь — от банального приступа аппендицита и до ржавого неожиданного гвоздя, вспоровшего кожу и выплюнувшего в кровь ядовитую столбнячную палочку, — способна равнодушно умертвить любого из нас внеочередно, случайно и запросто. Дело оказалось не в том, хороши мы или плохи, заслуживаем ли мы спасения. Беспомощный быстрый нырок пикапа под лед заставил нас осознать: в том, что мы выжили, не было никакой предопределенности, и наше везение было всего лишь случайностью, рулеткой, шальным лотерейным билетом, который может быть отозван в любую секунду.

И вот еще что. В крошечном доме, набитом теперь смертью по самую шиферную крышу, не осталось больше места для других мыслей: единственное, о чем мы могли теперь думать, были мертвые — наши собственные мертвые. Которых мы толком не успели оплакать, когда все началось, потому что были слишком заняты бегством, страхом и белой дорогой, и которых мы не оплакали после, добравшись до цели, потому что, ну, потому что ведь кто-то же должен был первым начать, заговорить об этом, нарушить табу, которое длилось столько дней подряд, что стало почти незыблемым. Только слёзы теперь не могли уже принести облегчения, словно и здесь мы опоздали, и подходящее время, казалось, упущено безвозвратно. Острое режущее чувство потери, которое мы привезли с собой на остров, но не дали ему выхода, и которое поэтому должно было остаться нетронутым и свежим, за время долгой безрадостной зимы слежалось и прогоркло, ушло внутрь, как уходят, скручиваясь, разорванные сухожилия — слишком глубоко; и чтобы вытащить его на поверхность, пришлось бы рассечь заторможенные отупевшие ткани до самой кости, задевая и раскурочивая мышцы. Мы оказались калеками с неправильно сросшимися костями; калеками, готовыми хромать вечно, только бы не ломать их заново.

Пожалуй, именно это неуютное кислое чувство почти сразу и выдавило мужчин из дома; у них нашлась масса спасительных дел, за которыми они с облегчением спрятались: нужно было разобрать брошенную на льду последнюю связку бревен и по одному дотащить их до берега, расчистить площадку для нового дома, который обошелся нам гораздо дороже, чем мы предполагали;

нужно было, в конце концов, заняться заготовкой дров, потому что запасы их бесповоротно подошли к концу. Нам, женщинам, повезло меньше, и в течение нескольких дней, последовавших за Андреевой смертью, не было минуты, чтобы мы им не завидовали.

Даже соседи в эти дни оставили нас в покое. Они заглянули всего однажды, спустя час после того, как утонул пикап, но в дом заходить не стали, и потому почти никто из нас их не видел. Сережа вышел к ним на улицу, и все недолгое время — десять минут или четверть часа, — пока они негромко разговаривали снаружи, я простояла возле окна, боясь обернуться назад, в комнату; глядя на то, как они слушают Сережу, курят, качают головами, осторожно жестикулируют, я мечтала только об одном — оказаться по ту сторону тонкой дощатой стены, а лучше — по ту сторону озера. Переждать и не возвращаться, пока всё как-нибудь не утихнет.

Кажется, на четвертый день Наташа решила, что хочет устроить поминки. Она разбудила нас еще затемно, чтобы объявить об этом, и отмахнулась от наших робких отговорок.

— Мы же его не хоронили, — зашептала мне Марина возле входной двери, когда мы собирались идти за водой, — хотя бы девяти дней подождать.

— Вот именно — не хоронили, — сказала ей Ира, выскользнувшая следом за нами из дома, — похорон не было, ну подумай ты головой, пусть займется хотя бы поминками этими, до девятого дня ждать — мы все тут свихнемся.

Мне пришлось пойти с ней на тот берег.

— Спирта больше нет, — заявила она, угрюмо глядя себе под ноги, — не кипятком же поминать. У них наверняка осталось, у них всегда всё находится, они не откажут, — и принялась зашнуровывать ботинки.

На самом деле, она готова была идти одна, и пошла бы; кто знает, возможно, ей и нужно было сейчас остаться в одиночестве хотя бы на полчаса, без сочувственных испуганных наших взглядов, без трусливой готовности, с которой мы прерывали любые свои разговоры, без предупредительной поспешности, с которой пытались заткнуть ей рот, — стаканом воды, утешительными бессмысленными скороговорками, чем угодно, только бы не дать ей плакать, кричать и разговаривать. Она, наверное, устала от нас не меньше, чем мы устали от нее, но в последнюю минуту я вспомнила подернутый тощей весенней ледяной коркой разлом, мимо которого ей придется пройти, — огромную темную язву на белом боку озера, прекрасно различимую даже из нашего окна; дыру, в которую разом провалились все наши жалкие надежды, на дне которой, прижатый к илистому дну толстым слоем тяжелой равнодушной воды, сидел утонувший пикап с ее мертвым мужем за рулем.

— Подожди, — сказала я, — я пойду с тобой.

Не знаю, чего я ожидала, шагая за ней по льду, след в след, не пытаясь ни догнать ее, ни заговорить с ней. Одного взгляда в ее узкую злую спину, похожую на маленький остро заточенный нож, взрезающий нависшую над озером рассветную муть, или даже одного только звонкого жалобного хруста осколков льда, дробящихся под ее подошвами, было достаточно для того, чтобы понять — эта женщина не станет прыгать в воду или падать на колени возле черной ямы с неровными острыми краями. Скорее, она способна сбросить сейчас в эту яму кого-нибудь другого, потому что злость ее гораздо сильнее отчаяния.

Чтобы не отстать от нее, мне пришлось почти перейти на бег. Задыхаясь, оскальзываясь на рассыпанных под ногами ледяных обмылках, проклиная свой бесполезный, никому не нужный порыв, я боролась с искушением повернуть назад. Она бы этого даже не заметила, она вообще ни разу не обернулась. Но навстречу уже поднимались прибрежные сорняки, запахло дымом; мы добрались до берега.

Глядя, как она взлетает по обледеневшим ступенькам крыльца, я была почти уверена, что дверь она требовательно ударит ногой, но она все-таки постучала — сжала в кулак белую от холода руку и стукнула три отдельных, с паузами, раза. Взойти по лестнице вслед за ней я почему-то не решилась, и осталась стоять внизу, прислонившись к деревянным перильцам. Дверь распахнулась, и на пороге возник румяный заспанный Вова, одетый почему-то в щеголеватую костюмную рубашку цвета топленого молока, хоть и сильно измятую («Спит он в ней, что ли?» — некстати подумала я). Увидев нас, он страдальчески, испуганно сморщил лицо и, не говоря ни слова, снова исчез в недрах огромной, скверно освещенной избы, а спустя еще минуту к нам вышел Анчутка — большой, жаркий, с полотенцем, уютно переброшенным через плечо, и тогда она сразу сказала: «Знаете, нам очень нужна водка, у вас же есть, — помянуть». И это была не просьба, и она не назвала имени, как будто была всего лишь непричастным посланцем, явившимся, чтобы доставить сообщение с одного берега на другой. Анчутка молча кивнул и ушел, оставив нас дрожать на крыльце. Вернулся с двумя прозрачными поллитровками — она взяла их, и тут же пошла вниз по ступенькам, и остановилась уже в самом низу.

— Вы же придете, да? — спросила она не оборачиваясь и, не дожидаясь ответа, пошла назад, к озеру. Бутылки, небрежно зажатые у нее под мышкой, легко и нежно звякали одна об другую с каждым ее шагом.

* * *

Что можно сказать на поминках о человеке, с которым ты прожил четыре месяца под одной крышей, но за все время перекинулся от силы несколькими фразами? О человеке, который не был тебе другом; имя которого не всплыло бы в твоей памяти, начни ты мысленно перечислять даже просто своих знакомых, дальний, широкий круг; с которым даже вынужденная совместная зимовка не сблизила тебя ни на шаг, оставив его в точности тем же, кем он был для тебя несколько лет подряд, — мрачноватым незнакомцем, скупым на слова, несколько высокомерным, скорее неприятным. Чужим.

Окажись мы в другом месте, случись эти поминки не здесь, на крошечном острове посреди тайги, мне достаточно было бы просто явиться, приехать на кладбище и выдержать сорок минут, прячась за спинами других, более близких ему людей. Проглотить обязательные пятьдесят граммов водки, неровно разлитой по заскорузлым от холода пластиковым стаканчикам, а затем вежливо высидеть несколько часов в каком-нибудь кафе, ковыряя вилкой подсыхающий оливье, аккуратно сдвигая к краю тарелки обязательную несъедобную кутью, поднимая раз за разом один и тот же едва пригубленный бокал. Уступив право на слова, и на слёзы, и на всё прочее тем, кто в самом деле готов говорить и плакать. Поджидая подходящего момента, чтобы подняться, вполголоса попрощаться и уехать наконец домой, никого не обидев и не нарушив приличий.

Увы, нас осталось слишком мало, чтобы мы могли позволить себе роскошь молчаливого присутствия. По ломаной линии сжатых Наташиных губ, по ее поднятым плечам, по тому, как она металась по маленькой комнате, вся похожая на острый, напряженный восклицательный знак;

по тому, наконец, как она жадно заглянула нам в глаза — каждому по очереди, когда мы уговорили ее сесть к столу и налили ей водки, — было ясно, что нам придется сегодня говорить, всем. Спрятаться за кем-то другим не удастся, потому что у ее мужа, смирно сидящего сейчас на дне озера за рулем своей серебристой машины, уже не осталось никого, кто мог бы горевать о нем сильнее, чем мы.

Сидя прямо напротив Наташи, под ее немигающим настойчивым взглядом, я вертела в ладонях неполную кружку и со страхом листала редкие свои, обрывочные воспоминания, похожие на старую записную книжку. Бог знает, по какой причине мне казалось, что никто так ничего и не скажет ей, и она просидит в ожидании еще десять минут, двадцать, ощущая, как густеет и наливается молчание над столом. Ну нельзя же, в самом деле, сказать «он был отличный мужик» или «настоящий друг», думала я, пригвожденная к месту ее зрачками, узкими, как булавочные головки. Так нельзя говорить, только не этой женщине, которая час назад раздробила подошвами все до единого осколки, оставшиеся от льдины, убившей ее мужа, ни разу не взглянув себе под ноги. Надо собрать расползающиеся, перепуганные мысли и сказать что-то другое, что-то правильное, хорошее, чтобы она перестала так смотреть и так молчать. И тут Сережа дернул своей чашкой и сказал: «Он был отличный мужик, Наташка. Настоящий друг». И она сразу заплакала, отвернулась и освободила меня.

А потом они говорили все разом, перебивая друг друга, поднимая кружки и не позволяя им столкнуться надтреснутыми щербатыми боками. Закуска оказалась скудная — жареная рыба и плошка меда, подаренного нашими щедрыми соседями, так что водка, которой было совсем мало, подействовала сразу, с первым же глотком.

— Спокойный, понимаешь? Спокойный был, как танк, — говорил махом вспотевший Лёня. — А здоровый какой! Ты вспомни, как он эти брёвна...

— Да ладно — брёвна, ну при чем тут... — морщился папа, и на щеках у него уже расцветали красные беспомощные пятна. — Давайте просто выпьем, просто выпьем за Андрюху. — И закончил некстати: — Земля пухом.

«Ну какая, к черту, земля, — думала я, наклоняя голову к исцарапанному фаянсу, делая вид, что глотаю, — почему земля, нет же там никакой земли...»

Марина, заплакавшая мгновенно, одновременно с Наташей, запричитала:

— Так глупо, так обидно, мы же сто раз могли умереть, мы не заболели, мы доехали...

Входная дверь распахнулась после осторожного стука, на который никто из нас не ответил, и Анчутка, шагнувший к Наташе от порога, наклонился, положил ей на плече свою тяжелую ладонь, — а никто из нас ни разу за эти три бессильных мучительных дня не смог прикоснуться к ней, — и тоже забубнил что-то сострадательное и подходящее, потому что внезапно выяснилось, что любой набор слов, совершенно любой, уместен сейчас и нужен.

Щуплый Лёха, незаметно просочившийся внутрь вслед за Анчуткой, выудил из широкого кармана еще одну прозрачную бутылку, хрустнул алюминиевой пробкой и торопливо расплескал водку по подставленным чашкам. Когда он поднял свою, маленькая его синеватая рука едва заметно дрожала — скорее от нетерпения, чем от сочувствия; он сказал просто «ну!..» и опустил лицо, выставив вперед компактную нечесаную макушку, и даже это «ну!» оказалось необходимо Наташе, которая не говорила ничего и только вертела головой, с благодарной невыносимой готовностью вслушиваясь в каждое, пусть самое идиотское слово. Лёхины железные зубы глухо, поспешно звякнули по щербатому фаянсу, и узенькая струйка, не удержавшись во рту, выскользнула и закапала на нестираный вытертый камуфляж.

— А помнишь, как он гонял того мужика? — спросила Ира, повернувшись к Сереже. — У нас на свадьбе, помнишь? Этого гнусного тамаду.

И они вдруг прыснули — все трое: Сережа, Ира и Наташа.

— Омерзительный был тошнотворный урод, — закивал Сережа, улыбаясь. — Не заткнуть его было вообще, и мы три часа подряд слушали херню, которую он там нес, какие-то, не знаю, частушки...

— Он же туфлю, туфлю у тебя украл, Ирка, этот тамада, — сказала Наташа, и прижала обе ладони к лицу, и вздернула подбородок к низкому потолку, словно пытаясь заставить слёзы затечь назад, во внутренние уголки глаз. — Толстый такой был мужик, гадкий... где вы его взяли вообще?

— Да нам было-то лет по двадцать, — пожал плечами Сережа. — Мы там как-то приготовились терпеть, а Андрюха... Ты помнишь, Ир?

— Он прижал его к стене, — сказала Ира. — Отобрал у него мою туфлю. Эта скотина успела туда шампанского плеснуть, и я потом страшно стерла ногу, она мокрая же была совсем. Танцевать было больно.

— И сказал, что сейчас засунет ему эту туфлю. Каблуком вперед, — живо сказал Сережа и засмеялся, низко наклонившись над столом, и не поднял лица, будто кто-то невидимый прижал руку к его затылку, не позволяя ему распрямиться.

— А потом он его выгнал, — проговорила Ира прямо в Сережин затылок, — совсем выгнал. Мы такие были дураки, нам это и в голову не пришло бы.

Она неожиданно с шумом втянула носом воздух и прижалась щекой между плечом его и ключицей, и Сережа, закинув назад руку, положил ладонь ей на макушку.

Они вспоминали еще — сидя рядом, тесно, соприкасаясь локтями, коленями и головами, и нам, остальным, уже нечем было разбавить то, что они говорили друг другу, потому что видный нам отрезок жизни человека, о котором они помнили так много, весь пришелся на последние четыре несчастливых месяца, и об этих месяцах говорить было неприятно и незачем. А у них, у этих троих, оказалась в запасе масса мелочей, крошечных историй, которые они рассказывали не для нас — потому что то и дело прерывали, не доведя и до середины, — а для себя. Нас всех могло бы здесь и не быть, настолько мы были им сейчас не нужны.

Посреди густо заставленного чашками стола скучно тускнела остывшая рыба; к мутному оконному стеклу прижимались снаружи розоватые, уже совсем весенние сумерки, и я ужасно и мучительно вспомнила вдруг маленькую мамину кухню, рыжую, низко висящую лампу и сахарницу, поселившуюся на подоконнике. Надо было что-нибудь съесть, нельзя пить на пустой желудок; четыре жалких глотка — и я уже не могу остановиться: я стою там, в дверях, ощущая отчетливо тесную теплоту, вижу трещинки в потолочной побелке, подкопченную с края прихватку с подсолнухами, незамеченный катышек пыли в углу подоконника, слышу деловитое бормотание холодильника, вдыхаю запахи, домашние, *свои*, и за спиной у меня — за спиной у меня — мне достаточно сейчас обернуться, и я сразу ее увижу, она скажет «Анька, не капризничай, ну давай — полтарелочки супа хотя бы», мне нельзя оборачиваться, нельзя, я не могу сейчас вспомнить, я столько времени не разрешаю себе вспомнить — а сейчас особенно не время, — и оборачиваюсь, и она говорит «Анька», она говорит «Анечка», ничего больше, только мое имя, и смотрит на меня, и стоит близко-близко, вот же она, совсем рядом, а я не могу до нее дотянуться, как будто у меня не осталось рук, совсем.

Я сползаю на пол, осторожно, боясь случайно дернуть головой, моргнуть, вдохнуть слишком глубоко; мне нужна тишина, я должна выползти отсюда. Я понимаю, что не могу потрогать ее руками, я прекрасно, прекрасно это понимаю и не буду даже пробовать, вот они, мои руки, я даже ими не двигаю, мне нужно на воздух, подальше отсюда, я просто очень хочу еще немного на нее посмотреть.

Снаружи, за дверью, на улице, я сажусь на деревянный помост, подложив под себя ладони, чтобы не было искушения протянуть их, потому что их нельзя протягивать; и даже в этот момент она все еще рядом, хотя сквозь нее проступают уже черные елки, разбросавшие по ветру свои растрепанные головы, и неправильное дикое пустое небо без единого электрического провода. Я пока еще вижу ее, но какой-то звук — неприятный, монотонный — мешает мне смотреть; это я, все это делаю я сама, хилые мостки скрипят под моими ладонями, темные следы под ними приближаются — и уплывают назад, и небо, раскачиваясь, пролезает на передний план, загораживая от меня ее лицо холодной сиреневой стеной; мой собственный голос и моя собственная ослушливая голова мешают мне видеть ее, это я качаюсь и скулю, как подстреленная собака, и проходит еще секунда. И я больше ее не вижу.

— Замерзнешь, — произносит Анчутка над моим ухом.

И я не сержусь на него, потому что сама все испортила; выбралась наружу, подальше от голосов, лиц, запахов, — и все равно не смогла удержать ее. Он бросает на меня сверху тяжелую куртку, горячую изнутри, и садится на корточки рядом, прогибая тощие доски помоста. «Мама», — говорю я вытянутому вороту его колючего свитера, остро пахнущего дымом, рыбой и пóтом. «Тихо», — говорит он и наклоняет голову ниже, чтобы мне удобнее было прислониться. «Ма-ма, — шепчу я в эту жаркую чужую шею, — мама». «Ма-ма». «Тихо, — повторяет он. — Тихо».

* * *

— Да ни черта еще не закончилось, — говорит папа возмущенно, упираясь локтями в липкую замусоренную столешницу. — Ну что за ересь ты несешь!

Щёки у него по-прежнему горят — ярко, болезненно, и нестриженая растрепанная борода ерошится, как иголки у обиженного ежа.

— Сколько прошло времени? Ну? Сколько?

Не дожидаясь ответа, он вытягивает вперед большую желтую ладонь с растопыренными пальцами и с размахом, лихо, помогая себе второй рукой, загибает по одному кривоватые свои пальцы с черной каймой вокруг обломанных ногтей, словно это не пальцы, а костяшки на старых деревянных счетах:

— Сентябрь! Октябрь! Ноябрь!

Дойдя до января (ладонь его к этому моменту сжата в плотный, угрожающий кулак), он уже кричит и тычет этим темным, сердитым кулаком прямо перед собой, и Марина, сидящая напротив, крупно вздрагивает от каждого выкрика и от каждого тычка, но не отворачивается и не отводит глаз.

— Февраль! — кричит папа, загибая большой палец на второй руке. — Март!

— Апрель, — тихо, упрямо говорит Марина. — Уже апрель.

— Да хоть май!

Папа с ненавистью разглядывает свои кулаки, а потом разжимает их и кладет обратно на стол, погружая растерзанный рукав в мутноватую лужицу — водки? бульона? воды? — которая мгновенно впитывается и чернит расплетенные шерстяные нитки.

В комнате душно пахнет рыбой, спиртом, затянувшимся нищим застольем. Злостью.

— Семь месяцев — это мало, — говорит папа гораздо спокойнее, обращаясь теперь, кажется, только к собственным своим ладоням. — Был такой грипп — испанка. В начале века. Прошлого века, — поправляется он досадливо. — Эпидемия длилась два года. Два. Ясно тебе? Или чума там какая-нибудь. Годами же!..

— Ну и что, — перебивает она. — Ну и что. Это другое дело. Они же не все умирали, да? Не все. Сейчас ведь не так. Доктор говорил, она закончится. Она быстро закончится, потому что, ну, потому что никого не останется, чтобы ее переносить. Он говорил...

— Ну и где теперь твой хваленый доктор? — хмуро спрашивает папа. — Ты помнишь, что́ с ним случилось, с твоим доктором?

Она отмахивается от этой фразы и от этого воспоминания разом — нетерпеливо, поспешно, и выплевывает испуганной скороговоркой, пока ее снова не прервали. Не смотрит на папу, оглядывает нас, одного за другим.

— Они же все умерли. Все-все, наверняка, ну подумайте сами, никого же не осталось, там никого уже нет, давно, еще с осени, наверное, там пусто. Осталось столько всего — дома, машины, бензин, склады какие-нибудь с едой, с вещами. Там уже не страшно, мы могли бы вернуться, ну правда, мы могли бы...

— Да с чего ты взяла, что там никого не осталось? — говорит папа. — Ты думаешь, мы одни такие умные? Вот прямо на всей планете мы одни сбежали, спрятались, да? Их может быть сколько угодно, таких умников. И я даже не про правительственные бункеры какие-нибудь, черт бы с ними, эти вылезут в последнюю очередь. Нет. Представь себе, что у кого-нибудь были запасы, много, и достаточно мозгов, чтобы не выходить из дома вообще. Месяца, скажем, три-четыре, пока все остальные не вымерли. И вот этот башковитый кто-то сидит у себя на даче или в какой-нибудь деревне в лесу, жрет свои консервы, смотрит в окошко, смотрит на календарик, ну и на себя в зеркало — тоже смотрит. Ай да я, думает он. Молодец. Все вот умерли, а я выжил — можно выходить за покупками.

Папа протягивает руку через стол и хватает Маринино тонкое запястье, потому что она, похоже, готова выскочить сейчас из-за стола, только бы не слушать и не соглашаться.

— И он выходит, — говорит папа. — Он выходит и начинает рыться в первом попавшемся продуктовом магазине. Прется на какой-нибудь аптечный склад. Садится за руль симпатичной чужой машинки. И трогает руками то, что трогать нельзя, потому что ему и в голову не может прийти, что инфекция — контактная. Потому что никто этого не знал. Кроме этих, в бункере, они-то разобрались уже, скорее всего, потому и не вылезают пока.

Марина коротко слабо дергается, пытаясь вырвать руку, но папа держит ее крепко. Мне кажется, он хотел бы взять ее сейчас за подбородок, потому что она вертится и отворачивается, не желая глядеть на него; но он всего лишь прижимает ее узкую кисть своей широкой ладонью и продолжает:

— А потом он возвращается домой, этот умник. Все эти умники, сколько бы их ни осталось, возвращаются к себе домой и заражают друг друга. И начинают бегать по улицам, пока не перемрут, и всё начинается с начала. Там нечего делать. Не этой весной уж точно. Не в этом году вообще.

— Так зима же, Андреич, — ворчит Лёня; не сразу, а через минуту или две, когда становится ясно, что Марина ничего больше не скажет, она зажмурилась и молчит. — Зима, все повымерзло везде, и зараза эта замерзла тоже.

Папа выпрямляется и убирает руки, пожимает плечами.

— Замерзла — оттает, — говорит он. — Как раз к лету и оттает как миленькая. Ты представляешь, сколько там трупов? Они же... потекут там. По улице нельзя будет пройти. По любой улице. Даже в маске. Даже в противогазе — нельзя.

Теперь мы все молчим, представляя себе, конечно, какую-то вполне определенную улицу и определенный дом, и дверь, которую нужно будет толкнуть, чтобы войти — каждый свою; и расстояние, отделяющее нас от этих улицы, дома и двери. И время, которое должно пройти, прежде чем исполинский морг, начинающийся в нескольких десятках километров отсюда, высохнет, выветрится, очистится сам по себе, естественным путем, и перестанет быть для нас опасен. Сколько-то обязательных очищающих циклов — холод, жара, холод, — сколько-то сезонов, сколько-то лет, прежде чем мы сможем вернуться.

— Слушай, — говорит папа примирительно. — Я не говорю, что нам здесь жить робинзонами до конца наших дней. Но сейчас рано, понимаешь? Нельзя сейчас. Еще хотя бы одну зиму. Хотя бы одну...

Сейчас Лёня забубнит опять — «ты как знаешь, Андреич, а я бы попробовал», думаю я тоскливо, чувствуя, как тяжеленная Анчуткина куртка давит мне на плечи, словно кто-то прижимает ее сверху ладонью, что́ он там носит, в карманах, не может обычная куртка весить так много; как не вовремя мы вернулись, сейчас они опять затянут на полночи. Всю зиму мы говорим, говорим об одном и том же, строим дурацкие несбыточные планы — сейчас, пока нас отделяют от необходимости что-нибудь решать еще несколько месяцев непроходимого снега, эти разговоры и безопасны, и бессмысленны, и я знаю наизусть каждый аргумент в этом вялом споре. Если повезет, они не будут сегодня продолжать, думаю я, высвобождаясь из засаленного камуфляжного объятия. Случается, что им надоедает уже в середине. Но тут Лёня говорит «да ладно, ну сколько говорили уже — а жрать мы что будем следующей зимой?», и я отворачиваюсь назад, к двери, потому что сейчас Сережин выход. То, что он всегда произносит в этом месте, мне тоже известно дословно.

— Как — что? — говорю я вполголоса, одними губами.

— Брусника! — шепчу я Анчутке, который смотрит на меня удивленно и весело.

— Утки! — повторяю я вслед за Сережей и чувствую при этом разве что слабую неловкость за то, что передразниваю этот набивший оскомину никчемный спор.

— Грибы! — произносим под конец мы оба, Сережа и я.

Не могу удержаться, чтобы не поднять вверх торжествующий палец; мне даже не нужно оглядываться, я знаю, что копирую сейчас не только Сережины интонации, но и жест, которого не вижу. Анчутка громко смеется, и я понимаю, что угадала.

В отличие от меня, Анчутка слышит этот разговор впервые.

— Ну слава богу, — говорит он, потому что все они сейчас, наверное, смотрят на него. — Я уж думал, вы собрались жить тут до старости.

Он забирает у меня из рук свою куртку, бросает ее на гвоздь и шагает к растерзанному столу.

— Валить надо отсюда, — с удовольствием произносит Анчутка, усаживаясь рядом со спящим Лёхой, монолитно приникшим к железной спинке кровати и больше всего напоминающим сейчас тяжелую, маленькую, неживую тряпичную куклу. — Только в другую сторону. Что вы там забыли, на родине? К чухонцам надо. Попросим у них политического убежища, — говорит он и улыбается. — Как снег сойдет, мы и поедем сразу.

— Расстреляют тебя твои чухонцы прямо на подъезде, — невесело и, пожалуй, с некоторой завистью заявляет папа после паузы. — Если вы вообще туда доберетесь. Не ближний свет.

— Да мы и не попремся через блокпосты, — говорит Анчутка, пожимая плечами. — Мы там были уже. Здесь напрямки до границы не так уж далеко. Мне один мужичок из местных рассказывал, есть тут старая грунтовка. Как все высохнет, можно попробовать. Они и раньше вдоль границы, взявшись за руки, не стояли, а теперь уж тем более. Охраняют только погранпереходы. Не ждут они нас там, дядя. Они, наверно, никого уже отсюда не ждут.

Наступает тишина, в которой слышен только негромкий свист, вырывающийся из Лёхиных запрокинутых к потолку ноздрей, и ровное гудение огня за железной печной дверцей. Так вот почему вы приехали, думаю я почти вслух, так оглушительно стучит у меня в ушах каждое слово. Не было никакой случайности в том, что вы появились именно здесь; вам нужна была эта старая грунтовая дорога, которая приведет вас к самой границе. У вас был дышащий на ладан уазик и пара пистолетов, и вы бы не добрались, конечно, ни до какой Финляндии, застряли бы в снегу, замерзли, умерли бы с голоду — если бы не мы. Если бы не наша глупая трусливая осторожность. Это мы уступили вам всё. Поднесли на блюде. И теперь у вас автоматы, респираторы, куча консервов, и, как будто этого недостаточно, мы только что отдали вам машину. Прекрасную, большую, выносливую машину.

— Так, может, мы тоже? — говорит тогда Марина неуверенно, и голос у нее дрожит от волнения и надежды.

Еще один аргумент в вечном беспросветном споре, всплывший всего однажды — давно, в самом начале нашей жизни здесь, и сразу же забытый, отвергнутый в силу своей неосуществимости. Появившийся снова благодаря постороннему мужику, удобно расположившемуся на пересечении наших взглядов, снова оказавшемуся в центре внимания.

— Может, и нам тогда?.. Ну, попробовать? — спрашивает она не у папы даже, вечного своего оппонента, а у Анчутки, как будто ей необходимо его разрешение. — Раз недалеко?..

Анчуткина улыбка становится пластмассовой, хотя ни одна лицевая мышца, кажется, не задействована в этой мгновенной перемене. Только что это был дружелюбный сосед, приятный мужик, заглянувший поболтать, а теперь сквозь безобидную приветливость его широкого, гладко выбритого лица отчетливо проступает что-то другое, хотя улыбка по-прежнему на месте, она никуда не исчезла.

— Как? — только и успевает спросить папа, прежде чем Марина понимает, что сморозила глупость. — На чём?.. У нас одна машина осталась на десять человек, — скривившись, говорит он, и я думаю об Андрее и его пикапе, одновременно выпавших отовсюду: из несбыточных планов, из неутешительной нашей арифметики и из этого многомесячного спора вообще. Хорошо, что Наташа спит сейчас за перегородкой, в теплой сладкой детской темноте, и не слышит ни этих слов, ни этих моих мыслей.

— Да хоть три машины, — бросает Лёня раздраженно. — Хоть целый автопарк. Чем их заправлять-то?

И разговор снова делает виток, возвращаясь в вытоптанную неоднократно, до смерти надоевшую колею.

— Пешком, — говорит Лёня (в который уже раз). — По весне, — говорит он. — Вы нас тут подождете, а мы с Серёгой налегке, через лес, до Поросозера. Там поселок же был громадный, найдем и топливо, и машин наверняка осталось до черта.

— Гребаный ты бойскаут, — говорит папа (как говорил на прошлой неделе, и две недели назад тоже). — Шестьдесят километров по тайге, не смеши мышей, без навигатора, без ничего. Ты когда по компасу ходил последний раз? В школе? Мы даже костей ваших не найдем!

— А какой выход? — свирепо говорит Лёня. — Выход-то какой?

И тогда наши гости начинают собираться, потому что всё уже сказано и дальше неинтересно; Анчутка, несонный, свежий, трясет за плечо обмякшего Лёху и торопит румяного, раскисшего от водки Вову — «пошли, пошли, пора», и оба они, мутные, непонимающие, послушно поднимаются, словно сломанные затекшие марионетки, и плетутся за ним к выходу.

Мы остаемся наедине с остывшей зловонной рыбой, составленными под столом пустыми водочными бутылками и безнадежностью. Мишка спит, зябко свернувшись на сбившемся в комок спальном мешке. Ира встает, чтобы собрать со стола разбросанные тарелки, а я, прислонившись спиной к истрескавшемуся дверному косяку, пытаюсь ухватить за хвост обрывок какой-то смутной мысли — лоскут, клочок, невнятный фрагмент; и мне страшно мешает папино иссякающее уже, монотонное бормотание «даже если доберетесь каким-то чудом, там же кладбище, там ничего трогать нельзя» и Лёнино «маски наденем, перчатки, да брось ты, Андреич, один раз проебали уже». И как только они замолкают на мгновение, прежде чем Сережа успевает присоединиться, я уже знаю. Я делаю шаг. Я говорю: «Подождите».

— Подождите, — говорю я.

Они смотрят на меня без любопытства, тускло, устало. У Сережи красные бессонные глаза.

— «УАЗ», — говорю я. — Этот их «УАЗ», на котором они приехали. Это же бензиновая машина? Да? И снегоход, — продолжаю я торопливо, — он ведь тоже бензиновый?

Папа кивает нетерпеливо. При чем здесь они и сраный этот «УАЗ», написано на его лице.

— А зачем? — спрашиваю я. — Зачем тогда? Зачем им тогда наш дизельный «Лендкрузер»?

И они смотрят на меня. Лёня понимает раньше остальных и начинает подниматься, тяжело нависая над жалким столом. Как будто увеличиваясь в размерах. Раздуваясь, как торжествующий дирижабль. Он даже протягивает в мою сторону толстый свой палец. Тычет в меня этим пальцем, словно приглашая меня пожать его, и улыбается — раньше даже, чем я заканчиваю свою мысль.

— У них не было дизеля, когда они сюда приехали, — говорю я. — У них ни черта не было, и уж дизеля точно. Зачем бы им дизель, когда у них бензиновая машина? А теперь он у них есть.

Ира бросает липкие тарелки в таз с остывшей водой и оборачивается. Марина жалобно морщит лоб. Папа хлопает себя по колену. Сережа говорит медленно, задумчиво:

— Анька, ты гений. Ну конечно. Вот что они привезли. Та, последняя группа. Вот чего они там все ждали на берегу. И вряд ли там пара канистр. У них там должно быть тонны три, не меньше. А то и четыре. Там целый бензовоз, я уверен.

Это происходит ровно в ту же секунду. Слово «бензовоз» как раз материализуется, обретает форму в нашем воображении: гигантский металлический цилиндр на колесах, со жгучим словом «ОГНЕОПАСНО» вдоль борта; четыре тонны надежды, бесценной разменной валюты, которая дороже консервов, автоматов, респираторов, ношеных кем-то другим камуфляжных курток и армейских прочных ботинок. Невероятное, запредельное богатство, которого хватило бы для любого, самого безумного нашего плана, и ради которого мы сможем, кажется, вынырнуть, наконец, из стыдного беззубого бессилия, в котором увязли с незваными нашими соседями, как мухи в янтаре. За которое стоит побороться. Мы молчим, стремительно и неумолимо утверждаясь в мысли, что любым доступным способом обязаны вернуть себе право воспользоваться шансом. Если не разделить, то украсть. Отобрать. Отвоевать. Вырвать.

Пока мы думаем об этом, ошарашенные нежданным, незаслуженным фартом, случайной второй попыткой, которую нельзя проворонить, снаружи, из-за хлипких дощатых стен, раздается оглушительный, закладывающий уши грохот, который принуждает нас всех — разом — вздрогнуть, присесть и зажмуриться, как будто мы солдаты в окопе посреди войны, а не глупая группа застрявших в лесу гражданских. В один прыжок Сережа добирается до своего ружья, запанно и безвольно висящего на стене, и кожаный широкий ремень, на котором оно дремало, вырывает из стены ржавый непрочный гвоздь. Рубленый, резкий, однократный гром, заставивший нас подпрыгнуть, звучит сильнее, чем выстрел из пистолета, охотничьего ружья или автомата. Он похож на пушечный залп. На взрыв. На что-то, что нам точно не по зубам.

* * *

Назавтра озеро оказалось перерезано двумя кривыми ломаными линиями — толстая крепкая ледяная кора, похожая на крышку застывшего жира над черным бульоном, прорвалась и лопнула, и от острова к берегу змеились теперь два бездонных скользких разлома, начинавшихся в одной точке, почти у самых наших мостков, и разбегавшихся на другой стороне всё дальше и дальше друг от друга, как взбесившаяся колея.

— Началось, значит, — задумчиво произнес папа, перегибаясь через край нависших надо льдом досок и глядя вниз. — Рановато что-то, а, Серёг? Я думал, у нас есть еще недели три-четыре.

— А в чем дело-то? — сказал Лёня беззаботно. — Ну, весна. Лодка у нас есть. Лед сойдет — поплаваем.

— Это озеро, а не река, — хмуро ответил папа. — Течения нет. Льду деваться некуда, пока сам не растает, так что все будет долго. Несколько недель — ну, может, две или три — по льду можно будет ходить, если осторожно. И сети наши постоят еще. А потом здесь будет каша, понял? Лодку твою раздавит, как скорлупу. Сети потонут.

— И... надолго это всё? — спросила Ира, напряженно разглядывая невеселое папино лицо.

Тот пожал плечами.

— Это рулетка, дети, — сказал он. — Иногда до середины мая по этим озерам ни ходить, ни плавать. Перерыв. Не сезон.

И еще раз смерил озеро взглядом — сердитым, неодобрительным, как будто белая равнодушная чаша, наполненная водой и льдом, провинилась перед ним лично, сорвав какой-то уговор, который он, папа, считал нерушимым.

— Ну, раз так, придется нам всё делать одновременно, — сказал он наконец, поворачиваясь, чтобы вернуться в дом. — И строить, и запасы делать. Сети ставим, пока еще можно, два раза в день. Половину рыбы — на мороз.

План звучал просто, но чтобы следовать ему, нам снова пришлось урéзать ежедневные наши порции, только недавно достигшие наконец мало-мальски приличных размеров. Рыбы и правда стало больше, как будто даже там, подо льдом, ощущалось приближение долгожданной весны; но теперь, когда половина ежедневного улова скупо пересыпалась солью и подвешивалась в полотняных картофельных мешках снаружи, к опоясывающим дом деревянным балкам, предназначенным для сушки сетей, чувство голода, только что нас покинувшее, вернулось снова. «Ладно мы, — уговаривала папу возмущенная Марина, — дети-то при чем, ну сколько они там съедят». «Не дам, — отвечал папа хмуро и веско, — пускай едят как все. Хватит, один раз сожрали уже всё подчистую, чуть не вымерли зимой. У нас впереди минимум две недели без рыбалки, а то и больше. Эта рыба нам нужна».

Малыши, безропотно голодавшие вместе с нами в январе, теперь взбунтовались, как будто короткая передышка последних недель, разбавленная ягодами и медом, выдернула их из вялой покорной пассивности, в которой они провели зиму. Из двух плотно укутанных сонных кукол они снова превратились в живых и требовательных человеческих детей: отказывались ложиться спать на голодный желудок и сделались невыносимы днем. Девочка, так до сих пор и не заговорившая, могла теперь часами монотонно ныть и качаться возле полки с посудой, вытягивая вверх короткопалую ручку и стараясь дотянуться до тарелок, пока не разражалась, наконец, сердитым разочарованным плачем; а мальчик от раздраженного нытья стремительно переходил к оглушительному «хочу-у-у-у, хочу-у-у-у». Ни того, ни другую нельзя было больше отвлечь уговорами или играми. Первыми спасовали их беспомощные родители, готовые уступить им собственный урезанный рацион, только бы не слышать голодных истерик, а затем и папа. «Черт с вами, — сказал он мрачно, — кормите их, как хотите, слушать же невозможно. Но не жалуйтесь потом, когда рыбы не хватит».

Только ее не хватило бы все равно, даже если бы дети продолжали есть так же мало, как мы, даже если бы мы замораживали не половину улова, а две трети. Ее не хватило бы, пожалуй, даже если б мы вовсе перестали есть. Десять дней подряд озеро стонало, скрипело и трещало, издавая звуки, напоминавшие то работающий вхолостую двигатель, то скрежет падающего дерева. Похожее на огромного, больного оспой белого кита, оно по утрам предъявляло нам теперь всё новые пятна, трещины и язвы на своей масляно блестящей белесой шкуре. Даже темнело теперь гораздо позже, чем зимой, как будто с каждыми сутками свет отвоевывал у темноты по четверти часа, не меньше. Мы так долго ждали весны, так боялись не дожить до нее, — а сейчас каждое свидетельство ее неумолимого приближения вызывало только тревогу и страх, и ничего больше, потому что место для рыбалки приходилось переносить каждые два дня, а лед вокруг лунок мгновенно покрывался подтаявшей снежной кашей и становился опасно прозрачным; и возня с переносом сетей и установкой деревянных опор отнимала слишком много времени. Как бы мы ни старались, спустя полторы недели на толстой деревянной балке, протянутой над мостками, на скрипучей веревке покачивался всего один неполный мешок замороженной рыбы. Всего один.

Может, для того, чтобы отвлечься от ожидания, всё свободное время между утренней и вечерней проверками сетей мы проводили снаружи, собирая из разрозненных, доставленных с того берега фрагментов дом, о котором столько мечтали каких-то две недели назад, и который почему-то сделался теперь для нас всего лишь еще одним якорем, цепко держащим нас на острове, очередным доказательством того, что нам никуда от него не деться. Пока мужчины восстанавливали сруб, укладывая друг на друга пронумерованные бревна, мы сушили мох, сортировали незатоптанные половые доски и стропила, счищали крошащуюся на морозе монтажную пену с оконных рам. В отличие от рыбалки, эта работа удавалась нам куда лучше и двигалась скоро, и жизнерадостная светлая коробка с пустыми проемами с каждым днем вырастала все выше прямо под боком нашей почерневшей развалюхи. «Ну не красавцы ли мы, — невесело улыбался Сережа, — строители-молодцы. Через пару недель справим новоселье и празднично сдохнем с голоду в новом доме». «Ладно тебе, Серёга, — ворчал Лёня. — Тоже мне, блокада Ленинграда. Один мешок есть, еще хотя бы столько же наловить — и переждем, куда денемся».

Именно этот мешок, выпотрошенный и растерзанный, мы обнаружили на снегу под мостками на следующее утро. Следов вокруг не было. А точнее, их было слишком много: наслаивающиеся друг на друга оплывшие отпечатки наших ног, и собачьих лап, и треугольные птичьи оттиски.

— Это не он, — сказала я папе. — Он всю ночь был в доме, это не он, не вздумайте даже.

Пёс тяжело, неловко спрыгнул с мостков, приземлившись на четыре лапы, спугнув пару растрепанных черных ворон, топтавшихся возле мешка, опустил морду и начал жадно, торопливо глотать, уделяя каждой колючей, облепленной снегом тушке не больше двух судорожных движений челюстью.

— Что же он... — выдохнула Марина. — Он же сейчас... Ах ты гад, перестань, перестань, — и замахала руками, и ринулась вниз, прямо на желтую тощую спину. — Отойди, отойди, оставь!

Пёс прижал уши и глухо, низко заворчал, продолжая глотать, не отвлекаясь ни на секунду.

— Пристрелю, с-сука... — шипел папа, толкаясь во входную дверь, спотыкаясь на пороге.

— Это не он, это птицы! — крикнула я.

— А-а-а-а, — взревел Лёня, — отойди, Маринка! — и швырнул сучковатое тяжелое полено, которое стукнуло в нечесаный поджарый бок, отскочило, крутанулось, покатилось; Пёс по-человечески охнул, согнулся и сиганул прочь, за деревья, не оглядываясь, дожевывая на бегу.

— Это не он, — повторила я, когда мы, сидя на корточках, подбирали надкусанные, расклеванные рыбьи тельца, укладывая их обратно в надорванный мешок. — Не он! Просто он голодный, так же как мы. Это мог быть кто угодно.

— Какая разница теперь, — всхлипнула Марина. — Посмотри, ты посмотри только, как мы будем это есть, тут почти ничего не осталось, это мусор, мусор, господи, что же мы будем теперь делать?

Разницы действительно не было никакой. Уничтожить двухнедельный наш драгоценный запас рыбы мог и какой-нибудь неизвестный вышедший из леса зверь, и вездесущие вороватые вороны, и даже похожие на летающих крыс бледные мелкие озерные чайки. В любом случае это означало, что несколько предстоящих недель без рыбалки обойдутся нам очень дорого.

— Хватит реветь, — сказал Сережа, когда мы вернулись в дом, мокрые, с застывшими исцарапанными руками. — Мы наловим еще. Пока еще можно ловить. В конце концов, мы тут не одни. Мы можем переждать на берегу. Надо пойти к мужикам и поговорить. Я пойду...

— Опять двадцать пять за рыбу деньги! — бухнул Лёня. — Ну, пустят они тебя во вторую избу — и чего? Жрать ты там что будешь? Или ты думаешь, они с тобой тушенкой поделятся?

— Можно договориться.

Упрямо мотнув головой, Сережа поднялся, словно сейчас же, в эту минуту, собрался идти через озеро на ту сторону и снова торговаться и просить.

— Они нормальные мужики. У нас дети, — сказал он и скривился, задергал щекой и снова сел, потому что вспомнил; потому что я вспомнила, и он не мог не вспомнить тоже того человека в дачном поселке под Череповцом, стоявшего возле нашей калитки несколько часов, до самой темноты, не решавшегося подняться на крыльцо и постучать в дверь. Человека, который сказал «у нас дети», и которому мы все равно отказали в помощи.

— Можно договориться, — повторил Сережа негромко, не поднимая глаз. — Я схожу и попрошу.

— Нет, — сказала Ира. — Тебе они ничего не дадут. Ну, или сменяют ящик консервов на нашу последнюю машину, и ты им точно ее отдашь. Тебе нельзя идти.

— А тебе — дадут, — сказал Лёня, нехорошо улыбаясь.

— И мне не дадут, — отозвалась она спокойно. — Может, не будем валять дурака? Мы все прекрасно знаем, кто должен идти с ним разговаривать.

— Кто? — неприятным, напряженным голосом спросил Мишка, и я сначала положила руку ему на запястье и только потом подняла на Иру глаза.

Мы молча смотрели друг на друга — она и я. Совсем недолго, меньше минуты.

— Слушайте, у нас осталось килограммов пять, может, шесть, — начал Сережа. — Лед пока стоит, у нас еще дней десять наверняка...

— До середины мая можем тут застрять, — говорил папа в это же самое время, — ни плавать, ни ходить...

— Мам, — сказал Мишка резко и вырвал руку из-под моей ладони. — Мам! Мам!

— Ты права, — сказала я ей.

И она неглубоко, осторожно кивнула. И улыбнулась мне.

* * *

В том, что я сделала в следующие полчаса, не было ровно никакого смысла: ни в яростном придушенном споре с Сережей, который случился сразу за входной дверью, и каждое слово которого прекрасно слышно было внутри дома, за тощими деревянными стенами; ни в последующем нашем молчаливом, сердитом переходе через озеро, «по такому льду не ходят в одиночку», во время которого он ни разу не приблизился и не оглянулся на меня. Я поняла это раньше, чем закончила пересказывать короткую нашу и бессмысленную, неловкую просьбу, сидя напротив Анчутки в просторной, изрядно теперь захламленной гостиной большого дома на берегу. Раньше даже, чем он распахнул дверь, и оглядел меня без улыбки, неприветливо, и просто молча отступил в сторону, не приглашая, а скорее неохотно позволяя мне войти. Наверное, это было ясно мне еще до того, как я поднялась и стала надевать куртку, игнорируя Мишкино возмущенное «мам! мам!» — потому что именно сейчас, когда голод замаячил перед нами по-настоящему и всерьез, идиотская надежда на то, что чужие, едва знакомые люди, живущие по ту сторону озера, продолжат делиться с нами жизненно важным ресурсом просто так, ни за что, задаром, выглядела особенно абсурдной. Именно сейчас, когда еда сделалась для нас действительно необходима, она приобрела, наконец, свою реальную цену. И цена эта, несмотря на голодных малышей и на Ирину безмолвную просьбу, оказалась мне не по зубам.

Все время, пока я спорила с Сережей, пока шла через озеро, глядя себе под ноги, перепрыгивая толстые трещины, огибая мокрые серые язвы и угрожающе непрочные окопы вздыбившегося ломаного льда; все время, пока я говорила, не отрывая глаз от своих лежащих на столе ладоней; все время я точно знала, что делаю это напрасно, и потому совершенно не удивилась ни паузе, долгой и неприятной, повисшей между нашими головами, когда я замолчала, ни раздраженной гримасе, которую обнаружила на Анчуткином лице, подняв наконец глаза. Кажется, я даже попыталась встать, чтобы уйти, — сразу же, не дожидаясь его ответа, но он сомкнул толстые пальцы вокруг моего предплечья и дернул вниз. И я осталась.

— Я принес вам ягоды, — сказал он наконец. — И мед. Водка вам была нужна — я дал вам водку. Дал я вам водку?

— Дал, — кивнула я обреченно, понимая, что быстро уйти мне не удастся, потому что ему, очевидно, хочется выговориться, а мне придется его выслушать.

— Дал, — повторил он еще раз. — Только, Анечка, котеночек, какого хрена вы решили, что у меня тут гастроном? Дай ложку, дай говна, дай баню, дай еды. Я должен вам, что ли?

— Должен, — сказала я вдруг, неожиданно для себя, выдернула руку и встала. — Ты — должен. Здесь была куча еды, и ты всю ее оставил себе. Меда он принес. Дед Мороз. Сидите тут на коробках с консервами, а мы который месяц...

— Какие коробки? — заорал он громко и зло, и тоже вскочил; в соседней комнате что-то со стуком упало на пол, тонкая филенчатая дверь с легким дребезгом приоткрылась, и в проеме показалась испуганная Вовина физиономия.

— Уйди, Вова! — рявкнул Анчутка не оборачиваясь.

Вова сгинул.

Анчутка шагнул ко мне — большой, сердитый. Он не тронет меня, подумала я без страха, не чувствуя почему-то никакой опасности, и он действительно даже не прикоснулся; напротив, приглашающим жестом раскинул руки в стороны, отчего немедленно сделался похож на железобетонного бразильского Христа-Искупителя, только толстого и обросшего щетиной.

— Давай! — сказал он. — Смотри! Ищи свои коробки! Найдешь — забирай! Нет, ты давай ищи, чего ты кривишься? Вдруг мы тут припрятали чего. Я тебе донести помогу, если найдешь! Не было тут нихера. — Он сбавил тон и опустил руки, успокоившись так же неожиданно, как перед этим разозлился. — Ну, то есть как не было... Было, да. Только мало, поняла? Мало совсем. Мы еще в марте все доели.

— А где же вы берете еду? — глупо спросила я. — Лед же вскрывается, скоро будет не до рыбалки...

— А-а, рыбалка твоя... — Он махнул рукой. — Только задницу морозить. Никакие из нас рыбаки. Мы по округе тут покатались, набрали немного. И еще наберем. Волка ноги кормят.

— Как это — набрали? Где? Тут же нет никого?

Он помолчал, улыбаясь.

— Где набрали — там уже нет. Мужик твой на улице стоит? — спросил он. — Иди, позови его. У меня к нему дело как раз.

Сквозь мутные плачущие окна застекленной веранды видно было Сережу, бесцельно бродящего снаружи. Я взялась за ручку двери, но Анчутка догнал меня, и горячо дохнул в шею, и воткнул тяжелую свою руку в деревянный косяк, преграждая дорогу.

— Подожди, — быстро проговорил он, — подожди-ка.

И я опять не испугалась. Не потому, что Сережа был совсем рядом, за тонким стеклом; просто опасности все еще не было.

— А хочешь, оставайся, — сказал Анчутка мне в затылок, и я не стала оборачиваться, просто ждала, пока он закончит говорить.

— Оставайся, — выдохнул он. — Слышишь? Я тебя не обижу. Ну что тебе там делать. Пропадешь с ними, они ничего не могут. Пацана твоего заберем, оставайся.

Я стояла, разглядывая лепестки облупившейся рыжей краски на дверном косяке; новые вроде дома, а краска уже слезает, и некому будет поправить ее весной, и нечем будет ее поправить. Я представляла себе Сережино лицо, если бы вдруг сказала ему; если бы я вышла сейчас наружу и сказала: «Я остаюсь. Уходи».

— Холодно, — сказала я. — Он там замерзнет сейчас, на улице.

И толкнула дверь. Анчутка убрал руку и вышел вслед за мной по ступенькам. На скрип петель Сережа обернулся к нам.

— Здорово, хозяин, — весело сказал Анчутка, — что ж ты не заходишь? Я по твою душу, — и пошел навстречу, издалска еще протягивая ладонь.

Спустя десять минут мы снова сидели внутри, прихлебывая принесенный Вовой слабо заваренный, полупрозрачный чай.

— В Гимолы я бы не совался, — говорил Анчутка. — Мы туда ездили пару раз, пока снегоход еще бегал. Напрямки через лес и по озеру отсюда не так чтобы далеко, километров двадцать, но пешком если — это впритык, и там заночевать если только. А ночевать там неохота. — Он криво, невесело улыбнулся. — Поселок, конечно, — так, название одно, но магазин у них, детский садик, мы набрали кое-какой еды, бензина даже слили чуток. А по домам не стали ходить. Ребята мои забоялись.

— Это когда же вы там были? — спрашивал Сережа, разглядывая Анчутку с завистью и даже с каким-то восхищением.

— Да с месяц, наверно. Но это ладно. Там у них озеро огромное, слышишь, и две турбазы больших, больше этой, домов по пять. Одна пустая — чай, спички, соль какая-то, а на второй зато — тушенка, масло подсолнечное, водки ящик, макароны. Картошка даже. Померзла, правда, вся. Мед, — добавил он и коротко взглянул на меня.

— А живых? — спросил Сережа. — Живых вы не видели никого? Хоть раз?

— Не было живых, — ответил Анчутка просто. — Жмуров видели, это да. В Гимолах, ну и на базе этой второй. Близко не лезли. Один раз пронесло, и слава богу.

— Турбазы, — произнес Сережа с отчаянием и потер лоб, — вот я мудак. Я же знаю про эти турбазы, я все время про них знаю.

— Я чего и хотел с тобой поговорить, — сказал Анчутка. — Ты же вроде местный почти? И карта у тебя есть. Может, тут в округе еще поищем? Я катался, катался, не нашел ни черта, а если пешком — надо точно знать, куда идти.

— Так, — быстро сказал Сережа. — Так. Только вместе пойдем, да?

— Вместе, вместе, — ласково согласился Анчутка. — Ну?

— Была пара охотничьих домиков на Маткозере, тут недалеко, — маленькие, правда, совсем. Не найдем ничего. Можно в Лубосалму сходить. Там точно база. Точно.

А потом мы возвращались назад, перепрыгивая ледяные надвиги, и Сережа, забывший обо всем, буквально тащил меня на себе и говорил без остановки, возбужденно:

— Анька, все будет хорошо, Анька, если даже не в Лубосалме, я еще пару мест вспомнил. Подальше немного, ну и что, найдем еду, найдем, нам бы только успеть, пока лед не вскрылся! Туда-обратно — два дня максимум, завтра и пойдем.

И отмахивался ото всех моих испуганных возражений: «А что, если этой базы там нет, если она сгорела, например? Это далеко, вы придете к вечеру, где вы будете ночевать?»

— Палатку возьмем, — говорил он. — Спальник зимний. Пойдем налегке, с Лёнькой. Ты только подумай, они целый месяц, гады, таскали еду у нас под носом, а мы как идиоты!

— А если там будут трупы, — говорила я, — если там тоже?

— Респираторы возьмем, — отвечал он беззаботно, — у них же полно респираторов.

— А что, если вы не успеете вернуться и лед вскроется? Если вы там вообще ничего не найдете, никакой еды, ничего?

— Ну всё, хватит, — сказал он, потому что мы подошли к мосткам; новый наш маленький недостроенный дом янтарно и весело смотрел на нас пустыми оконными проемами. — Хватит. Ты ужасная стала пессимистка, знаешь?

Он легко взобрался на мостки, и, нагнувшись, подхватил меня, и выдернул вверх, как ребенка.

— Подожди, — сказала я; края мостков, на которых мы теперь стояли, не было видно из окна. — Подожди, постой немножко, — и обхватила его руками; он был так весел, он буквально вибрировал от радости, я сто лет не видела у него такой улыбки. — Подожди, — повторила я, — подожди.

— Ну что? — Он нетерпеливо, едва заметно дернул плечом, высвобождаясь. — Что ты? Потом, Анька, потом, пошли скорей.

***

Лёня принял Сережино предложение безоговорочно и с восторгом, в точности так же, как вечность назад он мгновенно и с радостью согласился бросить свою оскверненную кирпичную крепость и рвануть из нашей тихой деревни черт знает куда по заметенным снегом, опасным дорогам — не задавая вопросов, по-детски доверившись чужой воле. Он всего-то и спросил — «далеко?».

— Да нет, километров пятнадцать. За день дойдем, там заночуем, назавтра — обратно, — ответил Сережа, и этого оказалось достаточно для того, чтобы сделать Лёню немедленно горячим Сережиным союзником.

— Конечно, пошли, — сказал он, широко улыбаясь. — Прошвырнемся. Не кончим, так согреемся! Эх, твою мать, Серёга, что ж тебе раньше это в голову не пришло? Я думал, тут на сто километров нихрена нет.

На самом же деле, у нас просто не было другого выхода. Это ясно было мне, ясно было всем остальным — даже папе, который, насупившись, долго разглядывал карту, озабоченно чесал бороду, а потом задал Сереже два десятка вопросов, ненамного отличавшихся от тех, что пришли мне в голову, пока мы переходили озеро.

— Да ладно, пап, — отвечал Сережа терпеливо. — Что такое пятнадцать километров? Даже без лыж — реально за день пройти, а не успеем — так палатка же есть. Их двое, нас двое, поместимся, ничего. А лед еще с неделю точно простоит. Мы успеем, пап. А вы пока с Мишкой стропила закончите, положите рубероид, у вас своих дел полно.

У нас действительно не было другого выхода, и потому весь оставшийся день мы провели в сборах (палатка, спальные мешки, ружья, Сережины охотничьи ножи и термос с рыбным бульоном) и в разговорах — глупых, полных надежды фантазиях о том, сколько прекрасных и нужных вещей может найтись в этой неизвестной Лубосалме, о существовании которой никто из нас еще вчера не имел ни малейшего понятия. Мы, обреченные вяло сидеть на месте и дожидаться их возвращения, больше не спорили и не возражали; разве что ночью, лежа без сна под горячей Сережиной рукой, я услышала вдруг тонкие Маринины всхлипывания. «Не ходи, Лёнечка, не ходи, ну пожалуйста, пожалуйста, пожалуйста, не ходи, не оставляй меня», — повторяла она еле слышно, и он что-то отвечал ей — монотонно, успокаивающе, только я так и не сумела разобрать его слов, потому что сонный ровный стук Сережиного сердца под моей лопаткой заглушил внезапно все остальные звуки. «Не ходи, — подумала я громко, почти вслух. — Не ходи». Сережа глубоко вздохнул во сне и убрал руку.

Поднявшись затемно, Лёня и Сережа плотно упаковались в походное свое снаряжение и прямо с рассветом ушли, переполненные нетерпением и энтузиазмом. Как только за ними закрылась дверь, Марина сложила пальцы щепотью и перекрестила дощатое дверное полотно, мелко, три раза.

— Господи, — забормотала она торопливо, захлёбываясь. — Господи, если ты есть. Пожалуйста. Пусть он вернётся. Чёрт с ней, с едой, пусть он вернётся, пусть он просто вернётся, ладно? — И заплакала, некрасиво ссутулившись, свернув вперёд узкие плечи.

Ира сказала недовольно:

— Хватит, Маринка. Ты как на войну его провожаешь. Тут пятнадцать километров всего — тоже мне, кругосветка. Это как Ленинский проспект, слышишь? От «Юго-Западной» до Якиманки.

— Не знаю я никакой Якиманки, — сказала Марина, не отворачиваясь от двери. — При чём здесь Якиманка?..

— Ну хорошо, — устало ответила Ира. — Какая у вас там в Ростове самая длинная улица?

Лицо у неё было бледное и измученное; казалось, что и она тоже ночью совсем не спала.

Мы должны были их отпустить. Мы правильно сделали, что отпустили их; но тревога, придавившая нас ещё ночью, накануне их ухода, с каждым часом ожидания делалась всё сильнее, несмотря на то что бессмысленно было рассчитывать на их сегодняшнее возвращение.

— Пятнадцать километров в одну сторону, девочки, это на целый день, — сказал папа спокойно. — Ничего, там переночуют. Волноваться можно начинать завтра вечером, не раньше. Успеете ещё. Глупо торчать у окна, давайте-ка, давайте быстро, сети надо проверить, детей накормить.

Мишка, пошли, крыша ждет — прибьем рубероид, а после окнами займемся.

Список монотонных ежедневных забот — рыба, сети, растопка печи — иссяк слишком быстро, чтобы надолго занять нас и отвлечь, так что уже к полудню мы снова застыли, парализованные и пассивные, как сонные осенние мухи, и папа, забежавший ненадолго за очередной порцией кипятка, опять принялся тормошить нас.

— Чего сидим? — сказал он сердито. — Переезжать скоро, вещи не собраны! Посуду — поделить, одеяла, одежду. Ира, Аня, у вас тут дел на неделю! Мы достроим раньше, чем вы соберетесь.

День был солнечный, ярко-синий, неморозный, и сквозь тонкие дощатые стены снаружи в дом врывались звуки — бодрое звяканье молотков по стропилам, звонкий хруст лопающегося озерного льда. Сидя на жестком полу, мы разбирали свитера, шерстяные теплые носки и полотенца и действительно на несколько часов забыли о том, что ждем и боимся, поглощенные нехитрыми выяснениями — чьи это перчатки и не видел ли кто-нибудь толстый коричневый Лёнин свитер с горлом, был же, я точно помню, вот здесь лежал. Мы, возможно, отвлеклись бы совсем, если бы еще через три часа с того берега не прибежал стеклянный от ветра тревожный Вова, которого ушедшие утром Анчутка с Лёхой почему-то с собой не взяли — для того ли, чтобы защитить противоположный берег от наших любопытных глаз, а может, и просто для того, чтобы поддерживать тепло.

Он поскребся в нашу дверь и немного посидел внутри, жалуясь, что на той стороне, у самого спуска, этим утром образовалась огромная мокнущая проталина, которую ему пришлось обходить большим кругом; и чертово солнце шпарит так, что к концу недели, конечно, озеро перейти уже будет нельзя.

— Не могу я там один, — признался он под конец. — Можно я у вас посижу? Я вот чаю принес, хотите?

Еще через час, снова зараженные его беспокойством и неуверенностью, мы выгнали его.

— Володя, — заявила Ира. — Чем сидеть просто так, может быть, поможете там? Они крышу кроют, вы бы очень им пригодились.

Он вскочил, расплескивая недопитый чай, и с готовностью принялся натягивать куртку; спустя несколько минут снаружи послышался его ломкий срывающийся голос.

— Неплохой вроде мальчик, — сказала Ира неприязненно. — Но вот убила бы на месте, чертов нытик.

Перед самым закатом — мы как раз возвращались с озера с неполным ведром мокро плюхающей плотвы — небо затянулось и поблекло. Повалил тяжелый весенний снег, липкой сплошной стеной занавесивший горизонт, и сразу всё исчезло: берег с двумя осиротевшими избами, черные лохматые елки, разбегающиеся вправо и влево от острова изрезанные трещинами озерные рукава. Хотя именно солнце было сейчас нашим главным противником, стремительно сокращавшим недолгий срок, отделяющий нас от настоящей, серьезной робинзонады, его неожиданное исчезновение захлестнуло нас новой волной паники. Снегопадов не было уже почти месяц, и мы отвыкли от оглушительной тишины и темноты, бывших им неизменными спутниками, настолько, что в течение первых бесконечных мгновений не могли даже сообразить, в какую сторону возвращаться. Только что остров был вот, совсем рядом, в нескольких сотнях метров, — и вдруг пропал, скрылся, утонул; и даже торопливый, приглушенный снежной завесой стук молотков, забивающих в стропила кровельные гвозди, раздавался теперь, казалось, сразу со всех сторон, не подсказывая направление, а только запутывая нас.

Уже на мостках, возле самой входной двери, Марина поставила ведро, и обернулась, и опустила уголки губ. Не вздумай, подумала я, не вздумай заговорить, достаточно того, что мы все об этом думаем, и мысли наши перетекают из одной головы в другую беспрепятственно и легко: а что, если они не дошли, если заблудились и попали в слепой этот снегопад?

— У них палатка, — сказала Ира резко. — Четыре здоровых мужика, и не холодно же совсем. А ну марш в дом!

И Марина вздрогнула, и толкнула дверь.

Из-за снега юного Вову, замерзшего и напуганного теперь еще и перспективой одному брести через озеро, пришлось оставить ночевать. Он был согласен даже остаться без ужина, удовольствовавшись кружкой жидкого бульона, и облегченно устроился на пустующей железной кровати, на которой и уснул — мгновенно, как отогревшийся уличный щенок; а мы, уложив детей, еще долго сидели без слов вокруг пустого стола и смотрели в окно, в белую тьму, чувствуя себя маленькими, бессильными и одинокими. Легче нам стало, только когда снаружи вдруг требовательно заскребло, зашуршало, зацарапало острым по дереву, и с потоком свежего воздуха в перетопленную комнату просочился желтый, длиннолапый, весь облепленный снегом Пёс, нырнувший на свое место возле печной заслонки и задышавший спустя минуту глубоко и ровно, словно и не пропадал где-то целых двое суток. Именно его возвращение заставило нас поверить в то, что в белой пустоте вокруг не осталось других опасностей, кроме снега, холода и расстояния, и ни одна из этих напастей, даже все они, вместе взятые, не способны всерьез навредить тем, кого мы отпустили, — ни сегодня, ни завтра, никогда.

Уверенность эта выветрилась утром следующего дня, когда, выглянув наружу, мы не смогли разглядеть ни озера, ни деревьев, ни даже края мостков. К оконным стеклам прижималась снаружи одна только непрозрачная, плотная снежная пелена. Чертыхнувшись, папа заторопился:

«Крышу, крышу надо закончить, полный чердак навалило уже», — и сонные и лохматые Мишка с Вовой послушно принялись одеваться. Через несколько часов последний рубероидный лоскут был прибит на место, но, словно не желая возвращаться в дом и вместе с нами смотреть в окно, все трое наспех глотнули чаю и с явным облегчением убежали назад, подальше от нашей тревоги.

— Окна, — сказал папа с напускной досадой. — Окна надо воткнуть. Снег валит, не высушим потом. Гвозди-то мы взяли, это я догадался, но кто мог предположить, что нам понадобится монтажная пена? Ладно, будем по-деревенски. Тряпок у нас, конечно, не хватит — три больших окна, да дверь еще, — так что придется потрошить матрас. Андрюхин возьмем, — предложил он задумчиво, весь поглощенный только важной своей задачей — утеплить окна и двери, и через минуту уже стаскивал тяжелого полосатого монстра на пол и кричал Мишке: — Помоги-ка! Дверь подержи! Вот так!

Наташа, казалось, невольной папиной бестактности даже не заметила. Если возбужденная непримиримая злость, захлестнувшая ее в первые дни, делала ее пугающе похожей на механическую куклу, которая разговаривает и передвигает ноги не по собственной воле, а до тех пор, пока не кончится завод, то пришедшие ей на смену безразличие и апатия позволили нам, уставшим от ее изматывающего агрессивного траура, немного перевести дух, потому что теперь она могла целыми днями просто сидеть на своей кровати, безучастно свесив руки, со взглядом, упирающимся не в окно даже, а в совсем уж негодный для разглядывания фрагмент оконной рамы. Она не отказывалась от еды, но есть не просила; готова была ходить за водой или мыть посуду, но для этого ее всякий раз как будто требовалось будить, тряся за плечо. Кроме того, и это было самое удивительное, она сделалась совершенно равнодушна к детям — равнодушна бесповоротно, почти до брезгливости, как будто не понимала теперь, зачем они нужны.

Обнаженный без матраса, пустой скелет кровати ее мужа нельзя было, конечно, оставить в комнате, однако на то, чтобы вынести его наружу — с грохотом, демонстративно, — у нас просто не хватило бы духу. Боясь вернуть к жизни безжалостных Наташиных демонов, мы трусливо переглянулись и отложили этот неприятный ритуал на потом. Сегодня мы были слишком заняты. Нам нужно было пережить этот день, делая вид, что ожидание наше буднично, не мучительно и не страшно; что приближающийся вечер не может сулить никакого разочарования.

— Костер! — сказала Марина, когда маленькое окно, в которое мы старались не смотреть, из молочно-белого сделалось блекло-синим. — Вот же я идиотка. Нужно разжечь костер на берегу. Они же не найдут нас в темноте! — И бросилась вон из дома.

— Костер! — повторила она вернувшимся папе с Мишкой, уставшим, нагруженным инструментами.

— Костер, — сказала она нам, когда мы вышли за нею следом. — Большой, яркий — такой, чтобы видно было издалека.

— Ты представляешь, сколько дров придется спалить для такого костра? — начал было папа, но, взглянув ей в лицо, осекся и махнул рукой. — Как тебя... Вова! Тащи топор!

Через полчаса высокая и квадратная, с письменный стол, куча дров загудела, запылала — ярко, жарко, призывно.

— Вы идите в дом, — сказала Марина бесцветным и чужим, отсутствующим голосом, не отводя взгляд от непрозрачной синевы. — Я одна могу, я просто...

— Вот еще, — сказала я, глядя ей в спину. — Я тоже. Я с тобой.

— Сейчас, — сказала Ира, — только за Антошкой схожу.

Жар, идущий от огня, защитил нас от холодного ветра и от снега, таявшего на подлете; мы стояли вокруг — три женщины и мальчик, укутанные его теплым рыжим коконом, ослепленные его свечением, благодарные друг другу за молчание. А потом где-то позади, за нашими спинами, застучали по мосткам, заскрипели шаги, и в круге света появился сначала сонный Мишка, который привалился к моему плечу, грея нос над чашкой дымящегося бульона, а потом папа, до самых глаз укутанный в Сережину старую охотничью куртку, и последним — скорбный Вова, длинный и беспокойный.

— Хорошая была идея с костром, — сказал папа спустя много минут тишины, нарушаемой разве что треском лопающегося дерева и приглушенным рокотом шевелящегося где-то впереди, в темноте, тяжелого льда. — Очень хорошая идея. Ты молодец.

Марина кивнула, молча, не раскрывая рта, и вместо ответа качнулась к нему и потерлась щекой, по-собачьи, коротко, о вытертый жесткий его рукав чуть выше локтя.

— Вы же понимаете, — зашептал Вова над моим ухом быстро и неуверенно, — вы понимаете, да, они же не пойдут сегодня, не пойдут ночью по льду, там и засветло-то... если они вообще вернулись — не пойдут же...

— Заткнитесь, Вова, — нежно попросила Ира, глядя в огонь, и покрепче обхватила притихшего сына.

И Вова заткнулся — тут же, на полуслове, всем худым своим длинным лицом выражая недоумение и вопрос. «А зачем тогда, — было написано на этом лице, — зачем вы тогда?» Одному только чужому мальчику с противоположного берега непонятно было, для чего он нам понадобился, этот ритуальный, жертвенный костер, жаркая пылающая молитва, адресованная в никуда, в безразличное небо, в темноту, в снегопад, в упорствующую затянувшуюся зиму.

Огонь успел прогореть и съежиться вполовину, когда дверь стукнула еще раз. Наташа, одетая в Андрееву огромную куртку с болтающимися длинными рукавами, осторожно приблизилась и встала ровно на границе света и тьмы, рыжего и черного, словно не решаясь ее перешагнуть, и заговорила сразу, как если бы все это время — там, внутри, в доме, — складывала вместе эти свои слова, примеряла их друг к другу:

— Они не вернутся. Их там нет. Никому не нужен ваш Александрийский маяк.

Марина втянула носом воздух. Ира сказала легко, тихо:

— Ладно, ладно.

— Их там нет, — повторила Наташа. — Там вообще ничего нет, ясно вам? Такое место. Все умирают. И мы тоже. И мы — тоже.

И ушла назад, в дом, выдергивая ноги из глубокого снега, непримиримо и зло.

Позже, ночью, я проснулась от повторяющихся, странных, захлебывающихся звуков; она сидела на полу возле моей кровати, опустив лицо на согнутую в локте руку, больно упираясь макушкой в мое плечо. Несколько минут я лежала, боясь пошевелиться, не решаясь ни прикоснуться к ней, ни заговорить. Огонь в печи почти догорел, в комнате было совсем темно. Она подняла голову, какое-то время смотрела на меня, неровно и тяжело дыша, и, убедившись, что я не сплю, зашептала сразу, сбивчиво, торопливо: «Вот, вот, смотри, я собрала, тут Андрюшины вещи, теплые, хорошие, термобелье, ботинки, целая сумка, может быть, Сереже подойдет или Мишке, размер, конечно, большой, но какая разница, правда? Какая разница...» Я села на кровати, сетка пронзительно скрипнула, а Наташа выпрямилась и нырнула прямо ко мне в руки; и я держала ее за плечи, а она вырывалась и говорила: «Прости меня, прости меня, они вернутся, обязательно, вот увидишь, прости меня, прости меня».

* * *

Утро третьего дня застало нас на необъяснимом подъеме, как будто мы ожидали заслуженного вознаграждения за то, что провели эти дни за работой, а не в бессмысленной панике; за то, как мы старательно друг с другом не говорили, и даже за вчерашний костер, от которого сегодня осталось только широкое черное пятно, усыпанное головешками и раздуваемой ветром мягкой серой золой. Потому что именно это утро замечательно подходило для того, чтобы маленькая экспедиция, наконец, возвратилась — с трофеями или даже, черт с ним, с пустыми руками, — но возвратилась; ведь снегопад захлебнулся и угас, небо снова поднялось, распахнулось, засинело, и солнце опять деловито взялось за разрушение единственной дороги, связывавшей остров с берегом. Потому еще, что, выглянув в окно, мы не узнали озеро — так оно изменилось, как если бы густо валивший накануне снег и нужен был только для камуфляжа, для того чтобы спрятать от наших глаз стремительный скачок, произошедший именно за эти сутки. Лед вздыбился и торчал теперь покосившимися, неровными серебристыми айсбергами, и там, где позавчера еще оставалась тонкая и подмокающая прозрачная корка, блестела сейчас тяжелая, как ртуть, неподвижная вода.

Часть деревянных опор, на которых, покачиваясь, висели наши сети, опрокинулась и плавала теперь в широких подтаявших полыньях, но сами сети, к счастью, были еще целы; мы не потеряли ни одной. До них даже можно было добраться почти безо всякого риска, и более того, они оказались буквально забиты рыбой.

— Вот как, значит, надо было, — радостно сообщил Мишка, когда они с Вовой втаскивали их, одну за другой, на мокрые мостки. — Не дергать по два раза в день, а бросить на сутки! Тут ведра четыре, не меньше, смотри, мам, ты посмотри только.

— Как же я пойду теперь, как же я теперь пойду, — горестно бормотал Вова. — Не умею я по такому льду, провалюсь, точно провалюсь. Они вот вернутся, а меня нету, и дом нетопленый.

И неясно было, что именно пугает его больше — перспектива провалиться под лед или то, что придется оправдываться перед Анчуткой за бесповоротно вымерзшую огромную избу.

— А вот мы ссйчас вместе и сходим, — великодушно сказал папа. — Заодно посмотрим, как там и что. Мишка, бросай сети, пускай девочки займутся.

Оставив нас выбирать рыбу, они ушли — налегке, вооруженные только длинными корявыми палками; и даже наблюдая с берега за тем, как они шагают — медленно, петляя, огибая огромные рваные дыры, — мы еще не отчаялись, несмотря на безжизненное чистое небо над противоположным берегом, доказывающее, что оба дома по ту сторону озера по-прежнему пусты и нетоплены, как были пусты и вчера, и два дня назад. Даже когда спустя полчаса мы снова увидели на льду две крошечные темные фигурки, даже после того, как стало ясно, что это папа и Мишка, возвращающиеся назад с пустыми руками, мы всё еще надеялись — как будто, прежде чем расстаться с этой надеждой, нужно было позволить им дойти и выслушать то, что они расскажут.

Только когда они уже карабкались на берег — забираясь на мостки, папа неловко, криво навалился на скользкие доски, и вдруг не сумел зацепиться, и покатился назад, едва не опрокинувшись на спину, так что Мишке пришлось, подпрыгнув, ухватить его за рукав куртки и втащить наверх. «Сейчас, — пробормотал папа, задыхаясь, — сейчас, просто быстро шли, сейчас». А мы смотрели на то, как он сидит, покосившись и разбросав ноги, на его дрожащую растопыренную ладонь, прижатую ко лбу. «Сейчас», — повторил он, именно в это мгновение все наши силы — все разом —

наконец закончились. Папа поднял глаза и увидел это на наших лицах.

— Дедушка упал, — сказал мальчик удивленно и засмеялся. — Ты упал, дедушка!

— Да, — кивнул папа, складывая прыгающие губы в улыбку. — Похоже на то. Иди-ка, помоги мне встать. Ну вот что, — сказал он потом. — Я знаю, чем мы займемся.

Именно благодаря ему, вместо того чтобы метаться у окна, плакать, озвучивать очевидные мысли, толкающиеся внутри черепной коробки, мы четыре с половиной часа носили вещи из старого дома в новый — те, что успели упаковать, а потом и остальные; сначала охапками, потом горстями. Мы не спешили, нам некуда было торопиться, и жаль только, вещей этих оказалось не так уж много, потому что готова поклясться, что хотя бы на несколько минут в эти четыре с половиной часа каждая из нас забыла о том, чего мы ждем уже третий день подряд. А когда мы закончили, когда расставили кровати — боже мой, в этой крохотной бывшей бане было три, целых три отдельных комнаты, — когда новенькая железная печка, маленькая, аккуратная, с серебристым металлическим дымоходом, разогрелась и жарко задышала во все стороны сразу, когда Ира объявила: «Всё, больше нет ничего, всё, давайте посидим, сил нет», — мальчик вдруг повернулся от окна в комнату и громко сказал: «Папа. Папа идет. Вон папа!»

Наверное, он провел много времени, прижимаясь лбом к холодному стеклу, потому что и нос, и щеки на маленьком бледном лице выделялись яркими розовыми пятнами.

И мы выбежали на улицу, не надевая курток, хотя две фигуры посреди разломанного льда были совсем еще далеко.

— Это точно они? Точно? Я не вижу отсюда, это они, да? — спрашивала Марина и вставала зачем-то на цыпочки, словно это могло помочь ей навести резкость.

— Они, они, — говорил Мишка. — Да что ж они так медленно? Тащат что-то, мам, смотри! Что-то тащат, я сбегаю, помогу?

— Не надо, — сказала я и не узнала свой голос. — Не надо, Мишка, постой тут. Пусть — так. Пусть они сами.

Я хотела посмотреть еще немного на то, как они возвращаются. И все-таки побежала первая — не сразу, а когда они уже были совсем близко, когда до мостков им оставалось шагов двадцать. Кажется, я даже глупо распахнула руки, но не кричала, точно ничего не кричала, а просто сказала шепотом «Сережа», просто сказала «Сережа». Уже немного смеркалось, уже не было солнца, и видно было неважно; они в самом деле двигались с трудом, сгибаясь под тяжестью раздутых рюкзаков. Я подбежала к краю мостков. Сережа выбросил вперед руку с растопыренной ладонью и что-то крикнул, но я не смогла разобрать слов, хотя было совсем недалеко, а потом я увидела у него на лице черный двурогий респиратор и остановилась. За спиной у меня сделалось очень тихо.

— Пап! — торопливо крикнул мальчик. — Пап, а я первый тебя увидел!

Они приблизились еще на несколько шагов, и Сережа снова заговорил, и в этот раз я его расслышала.

— Аня, — сказал он. — Аня, не подходите пока к нам. Все хорошо, только не подходите, ладно? Надо согреть воды. И разведите снаружи костер. Мы тут подождем.

Так и не получив разрешения приблизиться, мы смотрели издали, как они вытряхивают из рюкзаков плоские консервные банки — прямо в таз с кипятком, выплескивающимся и шипящим, и как вьются на поверхности бурлящей воды отклеившиеся разноцветные этикетки. Как они снимают с себя куртки, брюки, шапки, перчатки и бросают всё, даже опустевшие рюкзаки, в костер, который вначале захлебывается, неспособный сразу пожрать такую огромную порцию, исторгая возмущенные клубы сырого едкого дыма, а затем все же медленно принимается за дело. Как потом — полуголые, закопченные — они стягивают с лиц респираторы.

— Ничего не забыли? — спрашивает Сережа; на щеках у него видны ярко-красные отметины от ремешков.

— Вроде всё, — говорит Лёня, подумав, и с размаху, с наслаждением швыряет свой респиратор в огонь.

— Мы не стали брать ничего, что нельзя прокипятить, — объяснил Сережа с полным ртом —

333

потом, позже, в старом доме, куда мы все вернулись, потому что именно там находился наш единственный стол и там же оставалась вся наша еда, если, конечно, не считать консервных банок, остывающих снаружи, к которым никто из нас пока не нашел в себе силы притронуться.

— Крупы, макароны, сахар — там всё было вскрытое, нельзя было брать.

Они сидели с Лёней друг напротив друга и жадно, обжигаясь и почти не жуя, глотали дымящуюся вареную рыбу; всклокоченные, с мокрыми волосами, с черными от усталости лицами.

— Как же вы, — жалобно сказала Марина, и протянула руку к Лёниной щеке, и не коснулась ее. — Что же вы, столько еды с собой, и голодные?..

— Некогда было кипятить, — отмахнулся Лёня, криво улыбаясь. — Я хотел банку в костер бросить — Серёга не дал. Жадный у тебя мужик, Анька.

— Потому что надо наверняка, — хмуро сказал Сережа, перестал жевать и отложил вилку; по тому, как быстро погасла Лёнина улыбка, стало ясно, что спор этот происходит не впервые.

— Ну хватит, — начал Лёня раздраженно. — Месяц на морозе, а то и два, да что там осталось...

— А ты вирусолог, да? — перебил Сережа, шумно отодвигая стол. — Ты всё знаешь? Надо наверняка!

— Наверняка! — прорычал Лёня. — Наверняка — это тут сидеть и носа не высовывать. Вот это наверняка. А сутки разгуливать с презервативом на морде — это что? Может, мы рано их сожгли?

Может, еще недельку надо было — ну, чтоб точно наверняка?

— Может, и рано! — яростно сказал Сережа и поднялся на ноги. — Может, нам вообще не надо было возвращаться!

— Так, — сказал папа и положил на стол между ними большую желтоватую ладонь. — Стоп. Ну-ка, рассказывайте, в чем дело.

Сережа снова сел и, с отвращением оглядев недоеденную рыбу, отодвинул тарелку; и пока он говорил, Лёня молча кромсал вилкой свой остывающий ужин, превращая его в серую неаппетитную кашу, но ни разу при этом уже не поднял вилку ко рту.

В первый день они базу не нашли. Да, у них была подробная карта и компас, полагаясь на которые им следовало просто идти на северо-восток по старой грунтовой дороге, огибающей вытянутое узкое озеро Лубоярви вдоль верхней его кромки. Именно там, с другого конца озера, к берегу жался бледный кружок с надписью «Лубосалма». Хотя маленькая эта деревня вот уже тридцать с лишним лет оставалась необитаемой и служила теперь не более чем временным пристанищем для сезонных столичных рыбаков и охотников, двухкилометровая карта по-прежнему безразлично фиксировала место, где находились и она, и десятки других давно опустевших крошечных финских поселений. Грунтовка, ведущая к границе, проходила в том самом месте, где почти полгода назад мы наткнулись на пустую пограничную «шишигу». Не заметить эту дорогу и заблудиться было невозможно, это была широкая ровная полоса, проложенная между деревьев, но по ней уже много месяцев не ездил никто, и теперь ее покрывал толстый слой нехоженого снега. А лыж у них не было.

Большую часть пути снега было по колено, но попадались и переметы, где дорога неожиданно уходила из-под ног и ныряла вниз, в открытые, незащищенные деревьями участки, вырубки, как назвал их Сережа, и вот там они иногда проваливались по пояс. Это было тяжелее, чем брести по воде, — преодолевая сопротивление, выдергивая ноги; липкая холодная масса набивалась и в ботинки, несмотря на крепкую шнуровку, и даже в рукава; и главное, было совершенно непонятно, сколько мы уже прошли, сказал Сережа, там же всё одинаковое — лес и лес. Первый четкий ориентир, по которому они сумели сверить расстояние, — мост через речку, соединявшую два маленьких озера, — встретился им только через три с половиной часа. Это означало, что они прошли километра четыре, не больше. Было уже далеко за полдень.

Никакого страха они не чувствовали — четверо нестарых, здоровых мужиков с полупустыми рюкзаками, и всю первую треть пути еще весело перекрикивались и травили байки, подшучивая друг над другом. Потом, после моста, когда стало ясно, что до темноты им точно не успеть, разговоры сделались реже, шутки прекратились; к пяти часам, когда солнце укатилось за деревья, и хотя было еще светло, сразу же резко похолодало, они перестали разговаривать совсем. А еще через час начался снегопад; вот тогда они поняли, что пора устраиваться на ночлег. Срубили кривенькую суховатую сосну, расшвыряли ногами снег и развели костер, в тусклом свете которого прямо посреди дороги поставили маленькую Сережину трехместную палатку, в которой с превеликим трудом разместились вчетвером, затянувшись в спальные мешки, не снимая громоздких зимних своих курток, и всю ночь сквозь тонкие синтетические стенки слушали тревожный треск распрямляющихся веток и глухое уханье липких снежных лавин, сползавших с высоченных, обступивших дорогу елок.

Утром, оглядевшись, они не увидели даже собственных следов. Завтракать не стали — термос с бульоном опустел еще накануне, а возня с костром отняла бы слишком много времени. Им казалось, что они совсем близко — вот-вот должна была показаться развилка, где грунтовка расщеплялась надвое; если верить карте, от нее до Лубосалмы оставалось около пяти километров. Только первое же ответвление, принятое ими за развилку, оказалось не более чем не отмеченным на карте отворотом, который спустя километр привел их к лысой, утыканной крошечными метровыми сосенками вырубке, где дорога бесповоротно закончилась, и ошибка эта — увы, не последняя в этот несчастливый день — отняла у них не меньше часа. Таких отворотов им встретилось еще четыре, и каждый приходилось пройти до конца. Снег валил густо, беспросветно, и как будто этого было недостаточно, ни один из них не имел ни малейшего понятия о том, что́ именно им следует искать, как выглядит сама эта чертова Лубосалма, сколько там домов, видны ли они с дороги или спрятаны за деревьями.

Они нашли ее чудом. Поворот на Лубосалму с основной дороги почти не отличался от предыдущих, ведущих в никуда; этот кусок пути выглядел так же узко и безнадежно, но никак не хотел заканчиваться — они шли уже два с лишним часа, а вырубка все не показывалась. Это внушало надежду, что на сей раз они не ошиблись, потому что рубить лес на таком расстоянии от единственно доступной в этих местах магистрали, какой бы убогой и едва проходимой она ни была, никому не пришло бы в голову. Замерзшие, обессилевшие и голодные, едва передвигая ноги, они добрались до цели только к вечеру второго дня. Опоздай они хотя бы на час, непрозрачные мутные сумерки скрыли бы от них и четыре лепившихся к берегу темных дома с частоколами огромных сосулек, похожих на зубы какого-то глубоководного чудовища, и горстку невзрачных хозяйственных построек, явно переделанных из старых каркасов, оставшихся от старой деревни.

Людей не было. Не было дыма из печных труб, света в окнах, не было ни единого человеческого следа в глубоком синеватом снегу; и потому они вышли из-за деревьев, не боясь и не прячась.

— Разделимся, — сказал Анчутка, развязывая рюкзак. — Еще полчаса — и будет темно, не увидим ни черта. Давайте, мужики, каждому по дому — и вперед. Вот, надевайте, — он вытащил четыре армейских респиратора, — на всякий случай.

Им страшно не хотелось терять время — только не после двух дней пути; важно было успеть до темноты осмотреть все четыре дома, чтобы выбрать наиболее подходящий для ночлега, и еще сегодня убедиться в том, что они не зря столько шли, мерзли, спали вповалку под тонким синтетическим пологом посреди дороги. Это было понятное нетерпение, так что они не стали спорить; натянули респираторы и разбежались в разные стороны, каждый в свою.

Это была идеальная стоянка. Четыре крепких бревенчатых дома на высоких сваях, с чердаками, утепленными песком, с новыми кирпичными печками, добротно сбитой деревянной мебелью; маленькая баня и пяток вместительных пристроек, в одной из которых нашелся даже маленький дизельный генератор — пустой, без топлива, но с виду вполне рабочий.

— Я отвлекся, — рассказывал Сережа. — Бегал там как дурак. В доме почти ничего не нашлось — макароны, пара каких-то банок, а потом я увидел лампочку на потолке, пошел по проводам и у генератора застрял, мы оба застряли — я и Анчутка.

Мы искали бак. У них ведь запросто мог быть резервный бак, литров на сто, к примеру, или хотя бы пара канистр припрятана. Перевернули всё вверх дном, только потом сообразили: ну, какой идиот бросит топливо и уйдет, да? А потом прибежал Лёха и сказал, что нашел их. Что они все там, в сарае.

Скорее всего, люди в Лубосалме умирали не одновременно. Первые несколько тел были накрыты задубевшими от мороза простынями, а остальные уже лежали просто так, и лица их, волосы и ресницы были покрыты инеем, мутной ледяной пленкой. Тела были мужские и женские, так что, скорее всего, это были семьи, несколько семей. Ни Сереже, ни Анчутке с Лёхой не пришло в голову их считать. Они вообще пробыли в этом сарае всего несколько секунд, несмотря на респираторы и перчатки, несмотря на холод; только взглянули раз и выбежали на воздух, ругая себя за то, что вообще заходили. Просто в домах никого не было, дома стояли пустые, чистые.

— Там даже убрано было всё, — сказал Сережа. — А ведь кто-то же должен был их туда носить, в этот сарай, одного за другим. Так куда же он потом делся?

И тогда они наконец вспомнили про Лёню и рванули в последний, четвертый дом. Лёня весело обернулся к ним от стола:

— Живем, мужики! Ужин, — и побулькал бутылкой, зажатой в руке. — Стаканы только найти.

Консервы ладно, черт с ними, с консервами, но я тут сало нашел отличное, копченое, с перчиком, крепкое, как из морозилочки только что, — и зашуршал бумагой, разворачивая. — Я нарезал уже, вы попробуйте только, — сказал он. — Или нет, давайте лучше стаканы сначала. Ну, чего вы там застряли как неродные?

Именно в этом последнем доме обнаружилось одиннадцать картонных коробок с консервами и бо́льшая часть остального — гречка, сахар, рис, макароны; но взяли только консервы, потому что остальные упаковки оказались вскрыты.

— Перестраховщики, — злился Лёня. — Гречка-то вам чем не угодила? Как будто вы ее сырой будете жрать.

И тогда Сережа заставил его снова натянуть респиратор и отвел к сараю; в этот раз они не стали заходить, а просто слегка приоткрыли дверь. Уже почти совсем стемнело, и тела, лежащие на жестком полу, теперь еще меньше напоминали спящих, словно это были уже не люди, а просто твердые застывшие камни.

— Не вздумай больше его снимать, слышишь, — сказал Сережа и похлопал по пластиковому рогатому конусу, закрывавшему Лёнино лицо. — Мы теперь до самого дома их снимать не будем.

Только на этих условиях, с закрытыми лицами и не снимая перчаток, они рискнули заночевать под крышей последнего, «Лёниного» дома. Проворочавшись без сна несколько часов, на рассвете еще раз наскоро прочесали всё вокруг и теперь, засветло, обнаружили то, что непременно упустили бы в темноте: плотно обмотанную тентом ободранную «Газель» с двумя спущенными колесами, сухим баком и разряженным аккумулятором, два стареньких одноствольных охотничьих ружья, десяток коробок самодельных патронов с криво обжатыми пластиковыми гильзами, пару спиннингов, кое-какие инструменты, клубок безнадежно спутанных рыболовных сетей и двух мертвецов, примерзших к полкам в маленькой бане. Еды, кроме найденной накануне, там больше не было.

Сети и топоры, которые было бы слишком тяжело нести по глубокому снегу, они сложили в пристройке, где стоял генератор; вслух рассуждая о том, что обязательно нужно будет вернуться сюда весной. Прекрасно понимая про себя, что ни за что не вернутся. Впереди ждали пятнадцать километров знакомой и понятной уже, но по-прежнему трудной дороги, и потому, рассовав по рюкзакам свои нехитрые трофеи, они с облегчением ушли — поспешно, не оглядываясь.

— Надо было, конечно, сжечь этот сарай, — закончил Сережа хмуро. — Надо было его сжечь. Но тогда мы потеряли бы еще час. А у нас не было лишнего часа.

— Я все думаю, — сказал он потом, после пяти громких минут тишины, которую никто из нас не собирался нарушать. — Мы торчим тут почти полгода, и всего в пятнадцати километрах, вы подумайте только, пятнадцать сраных километров, пешком дойти за день, — целая база! Куча народу... а мы ничего о них не знали.

— Так ведь они же заболели, Сережа, — жалобно сказала Марина.

— Ты не понимаешь, — ответил он нетерпеливо. — Тут в округе всего этого полно — заимки, выселенные деревни, дачи какие-нибудь дикие. Я не говорю — сейчас. Весной. Как только сойдет снег. Мы могли бы поискать. Вы только представьте, если мы найдем еще кого-нибудь. Не может быть, чтобы мы остались здесь совсем одни. Этого просто не может быть.

— По крайней мере, теперь мы точно до этой весны доживем, — тепло сказала Ира. — Вы молодцы. Правда, молодцы. Такая куча консервов... я думала, мы до конца дней уже будем есть только эту мерзкую рыбу...

Она не договорила, потому что Лёня закрыл лицо ладонями и захохотал — всхлипывая, захлебываясь, утирая слезы.

— Ты не поверишь, Ирка, — простонал он, тяжело дыша. — Нет, правда. Это бред, я понимаю. Но там, в этих банках, одна рыба. Ни тушенки, ни сгущенки, нифига. Килька, бычки в томате, шпроты, горбуша. Печень трески.

— Нет!.. — Марина с ужасом закрыла рот рукой и зажмурилась. И засмеялась прямо сквозь растопыренные тонкие пальцы, прижимаясь виском к Лёниному плечу.

Еще через секунду закопченный наш чумазый домик как будто оторвало от земли, закрутило, понесло; даже Пёс, мирно дремавший под печной дверцей, вскочил на ноги и коротко удивленно взлаял. Мы так устали от ожидания, от тревоги, от страха, мы так боялись, что они не вернутся.

— Печень трески! — старательно прокричал мальчик, ему понравилась эта непонятная фраза.

— Печень трески, — повторила я за ним, смеясь, обнимая Сережу, думая: господи, как же хорошо, что вы вернулись, как же хорошо, теперь все будет хорошо, теперь — точно все будет хорошо.

Этой ночью мы спали в новом доме на раскладном диване со смешным велюровым узором — загогулины, лепестки и ромбы, в свежем запахе новых досок, смолы и надежды, впервые за пять месяцев — совершенно одни в комнате, только я и Сережа, без вездесущего проникающего сквозь стены Лёниного храпа, без железного скрипа ветхих кроватных сеток, без чужого сонного дыхания. Все можно починить и наладить, думала я, засыпая, все можно исправить, все будет по-другому, мы живы, мы не умрем, и скоро весна.

Разбудил меня громкий стук в дверь — забытый, почти незнакомый звук. Наверное, я даже проснулась бы не сразу, если бы не залаял Пёс — тревожно, предупреждающе. Новые двери, подумала я, с усилием выдергиваясь из крепкого, спокойного сна. Наверное, мы машинально повернули ручку, когда заходили вчера. От кого нам здесь запираться? Черт бы побрал Лёню с его казарменными замашками, сейчас он примется орать под дверью — подъем, вашу мать! Мог бы и дать нам поспать подольше, хотя бы сегодня. Стук повторился, и Сережа беспокойно задышал во сне, защищаясь подушкой. Я спустила ноги на холодный дощатый пол (ну, держись, засранец), поднялась и вышла в узкий предбанник.

— Ну что? — сказала я закрытой двери. — Что такое, блин, ребята. Дайте поспать хоть раз в жизни.

— Аня, — глухо произнес Наташин голос из-за непрозрачного дверного полотна. — Аня, открой. Лёня заболел. Ты слышишь? Он заболел. Пустите меня.

Я стояла босиком в зябком предбаннике, просыпаясь, приходя в себя, трезвея от этих Наташиных слов, тупо разглядывая покрытую ночным инеем железную дверную задвижку; и прежде чем я успела к ней прикоснуться, прежде даже, чем успела подумать о том, что мне следует прикоснуться к ней и сдвинуть вправо и вверх, над моим плечом протянулась тонкая голубоватая рука — узкая ладонь, длинные прозрачные пальцы с короткими обломанными ногтями — и прижала дверь к косяку.

— Только попробуй, — свирепо зашептала Ира прямо мне в ухо. — Даже не думай. Не смей открывать.

* * *

Ни разу за пять с половиной месяцев обжигающей зимы и голода, ни разу, пока мы мерзли, мочили рукава и ноги в ледяной озерной воде и давились вареной рыбой, ни с кем из нас не случилось даже банальной простуды. Люди в экстремальных условиях идут на резерве, любил говорить папа, полная мобилизация иммунной системы, аварийный запас. Возможно, именно по этой причине нестрашное короткое слово «заболел», произнесенное Наташей из-за закрытой двери, прозвучало так оглушительно. Это слово мгновенно разбудило Сережу и подняло на ноги папу с Мишкой, и когда она повторила — оттуда, снаружи, все так же глухо и настойчиво, — «пустите», а я обернулась, чтобы взглянуть на Иру, вцепившуюся в косяк до белизны в испуганных пальцах, то увидела их всех — сонных, взлохмаченных, полуодетых. Лица у них были одинаковые — все как одно похожие на знаки «Стоп». «Не открывай!» — было написано на этих лицах. И я не открыла.

— Аня, — безнадежно сказала Наташа из-за двери и замолчала.

Она ведь могла ничего нам не говорить. Я часто думаю об этом — она могла дождаться, пока мы откроем, не говоря нам ни слова, просто зайти внутрь, налить себе чаю, подождать. Могла сделать вид, что не слышала ночной суматохи в соседней комнате, Марининой паники. Оставшись с нами, она перенеслась бы за линию карантина (которая неизбежно должна была этим утром перерезать маленький остров надвое), заставив нас принять и разделить риск, которому теперь подверглась. Потому что это ведь был не ее выбор — идти по старой грунтовке в Лубосалму, ворошить чужие опасные вещи, возвращаться на остров, неся с собой невидимый проснувшийся вирус. Даже то, что она этой ночью оказалась не с нами, а в старом доме, было всего лишь случайностью, глупым стечением обстоятельств. Вместо этого она предупредила нас из-за двери, и мы снова дали ей повод почувствовать, как несправедливо, как нечестно все, что с ней происходит: пауза, которую она услышала, стоя снаружи, на ветру, дожидаясь нашего ответа, прозвучала для нее яснее любых наших сбивчивых оправданий; и то, что мы ей не откроем, она угадала раньше, чем мы поняли это сами. Она не стала упрашивать, не стала говорить, что ночевала в соседней комнате, что накануне мы все сидели за одним столом. Вместо этого она просто отошла от двери — наверное, стараясь ступать бесшумно, потому что шагов ее мы не слышали, — и обогнула дом.

— Наташа, привет, — хрипло и сонно сказал мальчик откуда-то изнутри, из-за наших спин, и мы бросились назад, расталкивая друг друга, понимая уже, что за дверью ее больше нет.

Наташа, которую мы знали, запросто могла разбить окно. Разбить и забраться в дом, потому что она ведь предупредила нас, а мы все равно ей не открыли.

Мальчик стоял у подоконника в мятой зеленой пижаме, которая становилась ему коротка, зябко переступая босыми горячими пятками по остывшим доскам.

— А у меня зуб качается. Я его ночью качал языком — смотри. Ну, смотри! — нетерпеливо попросил он, поднимая к холодному стеклу маленькое примятое подушкой лицо.

Она смотрела поверх его головы, смотрела на нас, а потом подняла руку и погладила окно, невысоко, на уровне растрепанной светловолосой макушки, и только увидев эту руку, Ира еле слышно выдохнула сквозь сжатые зубы и остановилась. Нагнувшись, она легко взяла сына на руки, «зуб, мама, зуб, ты видишь?», и понесла прочь, подальше от стекла; но кому-то из нас обязательно нужно было остаться, потому что Наташа все еще ждала с той стороны. Мужчины были сейчас не в счет, а у меня не было ребенка, чтобы спрятаться за ним.

— Это не значит, что я заболела, — сказала она с вызовом, и голос ее звучал из-за тонкого стекла отчетливо и ясно, словно она была с нами здесь, в комнате.

«Я знаю», — кивнула я.

— Я здорова, — сказала она. — Ты слышишь?

«Да», — кивнула я.

— Не все заражаются, — сказала она. — Доктор говорил. Ты помнишь?

«Помню», — кивнула я.

— Вы присмотрите за Маринкой, — сказала она тогда и обернулась к старому дому, молчаливому

348

и черному. — Она там делает Лёне чай. С брусникой. Дура. Дура. Она сказала, что никуда не пойдет. Присмотрите?

И я кивнула снова.

— Это же надо — быть такой дерьмовой матерью, — сказала Наташа жестко и еще раз смерила покинутый дом взглядом.

— Это же надо — оставить девочку там. Я хотела забрать ее. Я правда хотела.

Нос у нее уже немного покраснел от холода, глаза слезились, а губы стали совсем белые; и никакого испуга не было в ее лице. Я точно помню, испуга не было. Только злость.

— Ладно, — сказала она потом. — Ладно. Идите вы к черту.

И нагнулась, поднимая с земли большой брезентовый Андреев рюкзак, и потащила его прочь, не надев на плечи, за одну из широких истрепанных лямок.

«Ты куда?» — хотела спросить я и не спросила, а просто смотрела, как она свирепо, брезгливо расшвыривает снег возле вчерашнего нашего кострища, как выкапывает безликие плоские банки, лишившиеся бумажных наклеек, и кидает их, одну за другой, в распахнутое зеленое нутро, поверх наспех набросанных скомканных свитеров и шапок. Как затягивает веревки и, неловко приседая на корточки, взваливает потяжелевший рюкзак за спину.

— Она что, уходит? — спросила Ира, приближаясь, все еще держа мальчика на руках, словно боясь, что, оставленный без присмотра, он тут же выбежит на улицу. — На тот берег? Они ведь тоже ее не пустят, понятно, что они ее не пустят...

— Она не доберется до берега, — глухо сказал Сережа. — Там кошмар. Там уже суп. Мы с Ленькой и то еле перебрались. Надо предупредить ее.

— Не смей выходить, — быстро сказала Ира и вцепилась в его плечо.

Сережа стряхнул ее руку, вырываясь, и она повторила жестко:

— Не смей!

Он все-таки вышел. Мы не увидели этого, но догадались, потому что входная дверь стукнула, и Наташа, успевшая пройти уже полдороги к озеру, остановилась на мгновение, на долю секунды, и обернулась. Она выбросила вперед голую, без перчатки, руку с яростно поднятым средним пальцем, адресованным одновременно и бесполезным его предостережениям, и нашей трусости, и этот задранный к небу презрительный палец как будто сразу заткнул ему рот. Опустив руку, она продолжила спуск, оскальзываясь и сгибаясь под тяжестью, оттягивавшей ей плечи; и когда высокие, в человеческий рост, черные прибрежные сорняки наконец бесследно проглотили ее и спрятали от наших взглядов, я вдруг поняла — мы больше ее не увидим. Даже если ей удастся пересечь два километра расплавленной ледяной каши, даже если каким-то чудом она сможет найти себе место по ту сторону озера, где-нибудь, где угодно, — мы ни за что не узнаем этого наверняка.

Я привстала на цыпочки, надеясь еще взглянуть поверх сорняков, но широкая оконная рама показывала теперь только кусок безжизненного леса, остывшую черную язву, оставшуюся от костра, притихший старый дом и пустые дощатые мостки. Никто из нас, подумала я. Ни один человек, кроме пятилетнего мальчика. Не сказал ей в это утро ни единого слова.

* * *

Лёня умер через четыре дня.

Мы так и не узнали, сильно ли он мучился, впал ли в беспамятство или оставался в сознании. Не узнали, как скоро — в тот же вечер или только на следующее утро, — Марина не смогла больше делать вид, что жар, слабость и ломоту в костях можно вылечить брусничным отваром, и что́ именно ее в этом убедило — то, как быстро начал умирать ее муж, или то, что заразилась она сама. Для того чтобы знать наверняка, нам пришлось бы пересечь невидимую линию, за которой мы от них спрятались, подойти совсем близко к дому, в котором они остались. В котором мы их оставили. Нам слишком страшно было подходить — потому что они ведь могли открыть дверь или распахнуть окно. Могли попросить нас о помощи, которую мы побоялись бы оказать им.

Эти последние дни — без сомнения страшные, в том числе и из-за нашего дезертирства, — они

351

провели в одиночестве, наедине друг с другом и маленькой молчаливой дочерью. И мы не знали, кто из них поднимался с постели, чтобы подбросить дров в остывающую печь, налить кружку воды или дать девочке поесть; не знали, о чем они говорили, и были ли у них силы разговаривать. В которой из комнат они лежали. На какой из кроватей. Не знали даже, кто умер первым, — Марина или Лёня.

Парализующий стыдный страх, задавивший нас вначале, был вызван не тем, что происходило в маленьком доме напротив. Угроза была заперта вместе с нами. «Инкубационный период, — сказал доктор целую вечность назад, в прошлой жизни, — двадцать четыре часа, — сказал он тогда, — максимум двадцать четыре часа». И до тех пор пока они не истекли, эти первые сутки, мы чувствовали себя вправе думать только о себе, потому что накануне все мы сидели за общим столом, дышали одним воздухом, и в ближайшие часы любой из нас мог почувствовать себя плохо, побледнеть и покрыться испариной, и тогда хлипкая граница, проходящая снаружи, одним махом переместилась бы прямо в эти стены, оправдывая наше бездействие, так что это изматывающее ожидание каким-то образом уравнивало нас с ними, уже обреченными.

А когда мы наконец перестали бояться за себя и вспомнили о них, было уже поздно. Мы сложили под их дверью покаянную кучку консервов и дров. Мы поставили там ведро с водой, мы пугливо заглядывали в окна старого дома; и на третий, кажется, день Сережа даже стучался к ним, готовый мгновенно спрыгнуть с мостков и отбежать, услышав скрип петель или медленные шаги изнутри — и всё это мы делали не для них, а для себя. Они ведь умирали там, за дверью, счет уже шел не на дни даже, а на часы, и важность того, что они могли бы о нас подумать, — если они вообще о нас думали — истекала и обесценивалась с каждой минутой. Нам не нужно было их прощение — только свое собственное; и мы были к себе снисходительны, смиряясь с мелочами вроде дыма из печной трубы или исчезновения ведра с водой и еды. Нам было довольно и этого.

Четыре дня подряд мы ждали, пока они умрут, — не желая их смерти, но принимая ее неизбежность. Мы даже успели обсудить, как именно поступим после. У нас был план: сжечь дом обязательно, не заходя внутрь, не пытаясь спасти сотню-другую бесценных невосполнимых вещиц, которыми он набит. У нас был мальчик, и у нас был Мишка — к счастью, нам нельзя было рисковать. Следовало лишь отсчитать безопасное количество дней с момента, когда дым перестанет подниматься над шиферной крышей, а вода и консервы на мостках, под дверью, останутся нетронутыми. Нас не пугала мысль о том, что мы их сожжем; это был единственный выход. Мы боялись только ошибиться и сжечь их заживо. Наш план был безупречен. Мы даже начали считать дни.

Мы оказались не готовы только к одному. На пятые сутки после Наташиного исчезновения дверь, которую мы караулили, сменяя друг друга у окна — ежедневно, ежечасно, ежеминутно, — приоткрылась нешироко, нехотя, и маленькая плотная фигурка неторопливо, осторожно шагнула на мостки. Она надела ботинки, но комбинезон натянуть не смогла. На ней были шерстяные колготки и легкая, с короткими рукавами майка, измятая и очень грязная. Без помощи с мостков ей было не слезть, разве что она решилась бы спрыгнуть вниз, в рыхлый, неглубокий, ноздреватый снег; но не похоже было, что она собирается прыгать. Она просто вышла наружу и встала на серых дырявых досках косолапо и крепко, засунула палец в рот и стала смотреть в наше окно. Странная трехлетняя девочка, которая четверо суток провела в одном доме с двумя смертельно больными взрослыми. Здоровая, не испуганная, не плачущая. Живая.

Это было нерационально, опасно и очень глупо, потому что мы ведь всё продумали; мы говорили даже о том, с какой стороны развести огонь, чтобы он не перекинулся к нам, о том, что нужно будет выбрать безветренный день, запастись водой и как следует пролить наши стены и крышу, чтобы ни одна искра, чтобы никакого риска. У нас было много времени на то, чтобы все спланировать. Мы даже не плакали — ни разу за эти четыре дня, потому что, прежде чем плакать, нужно было многое сделать и нигде не ошибиться.

Мы выбежали из дома, не одеваясь, — я и Ира. Побежали прямо от окна, сразу обе, столкнувшись в дверях, вырывая друг у друга скользкую непослушную загогулину дверной ручки. На недостроенной веранде я поскользнулась и упала, а она перепрыгнула через меня и пробежала еще несколько шагов, но тут же остановилась и вернулась назад, протягивая мне руку; и только когда я поднималась на ноги, только в эту секунду плотная тугая безымянная сила, вытолкнувшая нас на улицу, — не ослабла и не провисла, нет, и тем более не прекратилась, — она просто немного замедлилась, стала прозрачнее и начала пропускать мысли. И я сказала, все еще держась за ее руку: «Маски». «И горячую воду, — сказала она. — Быстро, она же замерзнет».

Перепачканные измятые одежки — майку, колготки, даже ботинки — мы бросили в кострище, прямо поверх обугленных деревянных осколков, и в первый раз облили девочку водой прямо на улице.

— Потерпи, потерпи, зайка, — говорила Ира через плотную марлю. — Сейчас, сейчас, это быстро, вот так, одну ножку, другую... Аня, давай полотенце, простудится! Давай, давай! Вот, видишь, вот, уже не холодно.

А потом я бежала с девочкой в дом, прижимая ее к себе — мокрую, теплую, и она выпростала руки и ноги из-под застиранной махровой тряпки, в которую мы ее завернули, и цепко, как обезьянка, как ослепленный инстинктом зверенок, обхватила меня и вцепилась; и только когда мы с Ирой — уже внутри, за дверью, — разжимали короткие маленькие пальцы один за другим, бормоча сквозь дурацкие свои маски глупые, бессмысленные слова, — «не бойся, не бойся, отпусти, ну не бойся, умница, хорошая девочка, хорошая, хорошая девочка», сталкиваясь головами и ладонями, держа ее крепко четырьмя руками, — только тогда мы поняли, что плачем. Громко, вслух. Раньше времени. Не дожидаясь исполнения всех пунктов безупречного, полетевшего к черту плана.

Потом мы мыли ее еще раз, в тазу возле печки. Она была нестерпимо, невероятно грязная и пахла, как уличный беспризорный щенок, а у нас не было больше мыла, и мы терли ее просто так, голыми руками, — до скрипа, до перламутрового блеска, до багровых царапин на тонкой коже, и она терпеливо позволила нам все это, без нытья и жалоб. Она выпила чашку бульона и съела целую банку консервов, всякий раз одинаково распахивая навстречу розовой рыбе крошечный белозубый рот и жадно прикусывая гнутую алюминиевую ложку. Наевшись, она заснула — сидя, с ложкой во рту, обмякла у меня на коленях; чистая, горячая и тяжелая. Мы положили ее на кровать и закутали в одеяло. Девочка почти вся, целиком, уместилась на Сережиной подушке.

— Ну, вы даете, — сказал папа, когда нас перестало, наконец, трясти; когда мы снова увидели комнату, в которой находились, и их лица.

— Ну, вы даете, — повторил он, и покачал головой, и засмеялся.

Все закончилось. Все снова было так, как нужно.

* * *

Вопреки всему, что мы знали (или думали, что знали) о деревянных домах, крошечная сморщенная изба, бывшая нам одновременно и спасением, и тюрьмой в течение долгих месяцев, гореть не желала. Чтобы все-таки поджечь ее, потребовалось в десять раз больше усилий и времени, чем нам казалось поначалу. Пришлось разобрать часть мостков, обнимавших дом с двух сторон — разрубить, растащить на отдельные доски; сложить снаружи, на снегу, несколько отдельных костров; и даже после этого серые дощатые стены еще долго сопротивлялись неуверенным огненным прикосновениям, неохотно, медленно чернея, источая сырой жидкий дымок, как будто маленький дом отказывался смириться с нашей неблагодарностью, давая нам время передумать. Сдавшись, однако, он запылал стремительно и сразу весь — загудел, затрещал, обдав нас обиженным густым жаром, стреляя искрами; вспыхнули остатки мостков, подломились сваи, и нам пришлось виновато отступить, отбежать к наполненным водой ведрам, составленным возле новой недостроенной веранды, кашляя и задыхаясь от едкого серого дыма. С хлопками лопались мутные оконные стекла, жалобно хрустели стропила, державшие кровлю, и дрожащий, расплавленный воздух пополз вверх и в стороны, теряя прозрачность, искажая контуры предметов, — к озеру, к небу, к лесу и к нам; яростная обжигающая сфера, мстительное силовое поле, готовое проглотить и наказать. Свежие янтарные брёвна нашего нового убежища уже шипели, испаряя вылитую нами воду; дети плакали, испугавшись грохота и рева; Пёс с поджатым хвостом умчался прочь за деревья, а папа, расхристанный, бледный, с всклокоченной, засыпанной пеплом бородой, кричал сипло и зло: «Сюда, сюда лейте, загоримся сейчас к такой-то матери!»

И каждую секунду, передавая ведра, обливая ноги ледяной водой, вжимая голову в плечи от любого нового звука, исторгаемого умирающим домом, каждую секунду я ждала, что они закричат. Два человека, лежащие там, внутри, посреди груды горящего барахла — проснутся, поднимутся и закричат.

Огонь, который быстро, за какой-нибудь час, превратил дом в неопрятную груду дымящихся обугленных обломков, криво набросанных вокруг покосившегося кирпичного дымохода, совсем успокаиваться не захотел. До самого вечера, до темноты он доедал то, что осталось от дома; возился монотонно и упорно, задуваемый и раздуваемый ветром, вспыхивая и затухая снова. Он больше не был для нас опасен — напротив, мы были признательны ему за терпение, с которым он сделал за нас всю грязную работу; за каждую обрушенную балку, за каждый слой обгоревшей древесины, скрывающий то, к чему нам страшно было бы прикоснуться даже сейчас. На что нам так не хотелось смотреть. Мы были бы даже рады позволить ему трудиться бесконечно, если б только муторные его усилия подарили нам вместо кучи страшного обгоревшего мусора черное масляное пятно, пустое и чистое, которое бесследно заросло бы по весне травой и сорняками. Ночью, вслушиваясь в шорохи и треск за окном, вдыхая горький горелый воздух, я думала: давай, ну давай. Гори хоть неделю, хоть месяц. Пускай всё рухнет и рассыплется в пыль. Не заставляй нас рассматривать лопнувшие черные тарелки, остовы железных кроватей, нетронутые жаром цветные огрызки одежды, не надо. Не надо.

— Спи, Анька, — сонно сказал Сережа. — Хватит вертеться.

Но чертов сон не шел. Я ворочалась, вставала, подходила к окну, стараясь в густой чернильной темноте разглядеть, как сильно огню удалось продвинуться, и мерзла, и снова возвращалась в постель — неприкаянно, раздраженно. И тогда дверь, за которой спала Ира с детьми, приоткрылась, и девочка, одетая в длинную взрослую майку, доходившую ей до щиколоток, замерла на пороге беззвучно и настороженно, как маленький суслик. Я отвернулась от окна и села на корточки.

— Ну что ты? — спросила я. — Не спится тебе, да?

И она зашлепала ко мне босыми ногами по полу.

Потом мы стояли у холодного стеклянного прямоугольника, высматривая искры и крошечные огненные язычки. Я держала ее на руках; волосы у нее пахли гарью, сердце билось напротив моих ребер часто и ровно, и мне вдруг захотелось лизнуть чуть липкий со сна висок, прижатый к моей щеке, или хотя бы просто вдохнуть поглубже горячий младенческий дух и не выдыхать. Вместо этого я осторожно качнула ее и запела, без слов, без мотива, даже не открывая рта, беспорядочно склеивая случайные звуки; и она почти тут же запела со мной, сипло и отрывисто, дыша мне в ухо.

Под одеялом, сжимая в ладони обе ее ледяные пятки, я подняла глаза, и Сережа, проснувшийся, приподнялся на локте и прошептал:

— Надо же. Иммунитет. Должно быть, один случай на миллион. А может, вообще единственный. И никто, представляешь? Никто об этом не узнает. Подумай, как бы с ней все носились. Это же, наверное, важно — когда иммунитет, ну, для вакцины?

— Наверное, — ответила я, засыпая, и еще раз понюхала жаркую, лежащую на моей подушке макушку. — Наверное.

А утром следующего дня Сережа и папа, вооружившись палками, обрушили остатки изъеденных огнем балок, ухнувших вниз с жалобным гнилым треском и взметнувших тучу серого сухого пепла; а потом, как смогли, забросали их обломками расколотого шифера. Эта единственно доступная нам негодная похоронная церемония понадобилась не для того даже, чтобы сохранить достоинство лежащих под ними тел, а затем, чтобы обезопасить нас, обреченных жить в десятке метров от их могилы.

— Подтает — землей надо будет присыпать, — озабоченно сказал папа вместо молитвы и, наклонившись, стряхнул золу с брюк.

Все было кончено; и хотя тоскливый горький запах гари не оставлял нас неделю, равно как и разносимые ветром жирные хлопья сажи, покрывавшие всё вокруг, отказываясь смешиваться с тающим весенним снегом, — мы просто стали жить дальше. Учились не замечать уродливую угольную кучу, норовившую броситься нам в глаза, когда мы шли за водой и дровами. Учились не называть их имен, не ставить для них тарелки на стол, не говорить о них и не вспоминать. Мы начинали привыкать к смерти.

И пока мы были этим заняты, сотни тысяч литров обступившей остров воды сговорились, наконец, с бесстрастно глядящим сверху солнцем, заставили его нагнуть голову ниже, и проснувшееся озеро зашевелилось, перемешивая и растворяя белесые обмылки раскрошенного льда, как кусочки сала на раскаленной сковороде. И день опять удлинился, и ночи посветлели, и снег на открытых местах начал ежиться и высыхать, обнажая спутанные лежалые мхи и прошлогоднюю нерасчесанную траву; и воздух сделался сладким и тревожным. Май, в котором мы почти уже разуверились, был вот, совсем рядом; до него оставалось четыре дня, три, два. Мы добрались до него. Не все, но добрались.

Не знаю, какой это был день недели, но точно помню число — тридцатое апреля. Это случилось тридцатого апреля — Сережа ворвался в дом, не разуваясь; вбежал, оставляя глинистые чумазые следы на светлых досках.

— Пошли! — сказал он. — Быстрее, пошли! Да не одевайтесь вы, тепло же, пошли, ну!

И уже снаружи, пока я щурилась, прикрывая глаза рукой от яркого желтого света и не сдавшейся еще до конца белизны, нетерпеливо схватил меня за подбородок:

— Смотри! Смотри, вот они! Смотри! Я говорил, я говорил тебе, ты видишь? Видишь?

Они летели длинной неровной линией, огромным полукругом, изредка обращавшимся гигантской буквой «М», и рассыпающийся косяк с отдельными точками отстающих, усталых птиц был совсем не похож на узкий стройный клин. Они летели молча, высоко — так, что не видно было ни цвета их крыльев, ни вытянутых шей, одни только трепещущие в слепящей лазури узкие черные росчерки. Они летели мимо — не снижаясь, не замедляя небыстрого утомленного своего полета; им было пока не нужно наше маленькое мелководное озеро. Но они уже были здесь. Сережины утки.

* * *

Мы просто ее сварили — нашу первую утку. Сварили в соленой воде, без картошки, потому что у нас ведь не было картошки; без перца и лаврового листа, без всего. Она была маленькая и сильно пахла болотом. После того как папа снял с нее кожу, осталась крошечная сизая тушка с неровной шеренгой дырок от дроби вдоль левого бока. Разрезанная на части, она совсем потерялась в недрах большой мятой кастрюли и через несколько часов распалась на кучку тяжелых, похожих на ярмарочные дудочки костей, покрытых тонким слоем волокнистого жесткого мяса. Но это все-таки было мясо — настоящее, свежее, и мутный бульон оказался просто восхитительно, неприлично жирен.

— Следующую в глине запечем, все больше толку будет, — пообещал папа, с неодобрением наблюдая, как снаружи Пёс счастливо жует утиную кожу, отплевываясь и кашляя перьями.

— Мы бы и сегодня запекли, — продолжил он со значением, — если б пионер один не пальнул раньше времени, а подождал бы, пока они все на воду сядут, сразу трех бы и взяли!..

Мишка, полубезумный от гордости и восторга, почти не слышал его слов.

— Это я, мам! Мам, это я, ты представляешь? Мы три часа сидели в шалаше, холодно, мокро, а они всё не садились и не садились, а потом я ее увидел, мам! Они не тонут, ты знаешь? Не тонут!

Я когда выстрелил, ее так швырнуло прямо, я подумал — ну всё, ныряй теперь за ней, она уже мертвая была и просто лежала себе на воде, мы подплыли на лодке и веслом ее! Я еще настреляю, вот увидишь. Мы прямо завтра пойдем еще. Пойдем же, дед, да, пойдем?

— Пойдем, — смеялся папа. — Пойдем. Ешь давай, стрелок ворошиловский, и смотри, зубы не сломай. В голову надо стрелять, сколько раз тебе говорил. Всю птицу дробью испортил.

С тех пор как мы увидели в небе первую стаю, летевшую высоко над нашими головами, прошло полторы недели; и не было дня, который не начинался и не заканчивался бы одинаково: Сережиным возвращением с озера.

— Рано, — говорил он. — Рано еще. Не пройдем на лодке. Резиновая, лопнет же, чтоб ее...

И нетерпение, с которым мы ждали исчезновения острых ледяных осколков и дрейфующих громадных зазубренных глыб, изредка сталкивавшихся с оглушительным хрустом, не связано было с голодом. Мы больше не голодали. У нас были консервы и остатки рыбы, наловленной до ледохода, которую следовало съесть как можно скорее, пока горячее майское солнце не превратило ее в зловонную кучу отбросов. Мы были сыты наконец — и тем отчетливее теперь, когда об этом не нужно было больше беспокоиться, чувствовали свое одиночество. Свихнувшаяся, ошалевшая от смены сезонов бурлящая полоса воды и льда отрезала никчемный наш маленький остров надежнее, чем трехметровый бетонный забор. Там, снаружи, была вся жизнь. Там плавились метровые сугробы, оттаивали ведущие в разные стороны грунтовые дороги. Там утки, уставшие от долгого перелета, искали в воде проснувшуюся от тепла рыбу. Там, наконец, всё еще оставались наши соседи, здоровые и невредимые, о чем ежедневно свидетельствовал дым, поднимавшийся над их крышей на том берегу. По эту сторону была только небольшая горка земли, усыпанной камнями, с пучками кривых берез и безразлично торчащих высоких сосен, и страшный горелый могильник, заглядывающий прямо в наши окна; как будто кто-то ехидно поставил нас на паузу до тех пор, пока кусок наполненной воздухом хрупкой резины не соединил, наконец, остров с большой землей. До первой этой несчастной тощей утки. И только когда она кипела в кастрюле, распадаясь на волокна, Мишка наконец снова начал улыбаться — по-настоящему; и улыбался до самого вечера. И сколько бы я ни силилась вспомнить, когда в последний раз видела на его лице улыбку, я так и не смогла этого сделать.

С этого дня они начали уходить каждое утро, поднимаясь за час до раннего весеннего рассвета. Им несколько раз пришлось менять место, разбирая и перевозя на лодке самодельный, укрытый пожухшим лапником шалаш, забираясь все дальше и дальше от острова.

— Нельзя близко, — озабоченно говорил Сережа. — Они осторожные, черти. Рядом с нами гнезд вить не будут.

Возвращались поздно, не раньше обеда, в сырых потяжелевших куртках; иногда с одной или двумя худыми подстреленными птицами, но чаще — с пустыми руками. И с каждым днем папа выглядел слабее и хуже, чем накануне. Длинные пешие переходы по заросшим высокими прошлогодними сорняками берегам, неподвижное ожидание в тесном шалаше и поднимавшийся от непрогретой земли холод обходились ему слишком дорого. Войдя в дом, он устало садился, прислонившись спиной к стене, закрывал глаза и застывал, не реагируя на разговоры, не обращая внимания на вьющихся вокруг малышей, обессилевший и бледный.

— Он плохо выглядит, — шептала Ира Сереже. — Вам не надо брать его с собой, неужели ты не видишь?

— Вижу, — огрызался Сережа. — Ты попробуй сама ему это скажи. Знаешь, какой он...

— Знаю, — отвечала она. — Знаю. Что-то надо придумать.

Придумывать не пришлось. В один из дней папа просто не смог встать с кровати, и Сережа с Мишкой ушли вдвоем.

— Утки эти ваши, — сказал он хмуро, когда мы остались одни. — Сегодня есть, завтра нет. Кому-то надо и рыбу ловить, консервов надолго не хватит.

И с этого дня он большую часть времени проводил на дальней части острова, на камнях, с длиннющим Андреевым спиннингом, жалея, казалось, только о том, что лодка у нас теперь была одна.

Мы всё еще жили одним днем, сегодняшним днем, и всё еще не строили планов, по-прежнему боясь признаться вслух в том, о чем уже можно было думать. Нас было теперь семеро, четверо взрослых, Мишка и два малыша, так что уснувший на том берегу «Паджеро» из бесполезного воспоминания превращался, наконец, понемногу в то, чем и был на самом деле: в наш обратный билет. Несмотря на то что возвращаться нам было и рано, и некуда; несмотря на пустой бак и разряженный аккумулятор, — он был там, по ту сторону озера, он ждал нас. Наверное, нам казалось, что торопиться незачем. Что каждые теплые двадцать четыре часа, заполненные таянием снега, утками, рыбой и ожиданием лета, проходят не зря, не впустую; такая страшная случилась с нами зима, настолько необходима оказалась для нас эта бездумная, бестревожная передышка.

Все это могло подождать. И последняя оставшаяся у нас машина, и обнаруженный нашими соседями запас топлива, в существовании которого мы почти уже не сомневались; и сами эти соседи, выжидавшие на том берегу. Со дня несчастливой экспедиции в Лубосалму прошел уже целый месяц. Они могли появиться на следующий день после возвращения, пока по льду еще можно было идти, — и не появились; могли приплыть спустя две недели, как только озеру надоело быть преградой, — но не приплыли. Конечно, они видели дым. Густой и черный жирный столб, торчавший в небе до самой темноты в день, когда мы сожгли старый дом, — его нельзя было не заметить и вряд ли можно было истолковать неверно. Но две недели подряд с тех пор мы топили печь, и это они видели тоже, как видели и Сережину лодку; они должны были знать, что мы живы. И все равно не желали к нам приближаться; и с этим их нежеланием нельзя было спорить. Нарушить этот негласный карантин могли только они сами. Об этом даже не имело смысла говорить вслух. Никому из нас не пришло бы в голову подплывать к их берегу и тем более стучаться к ним в дверь; и дело было не только в боязни нарваться на пулю. Дело было в Наташе. До тех пор пока они были — там, а мы — здесь, мы ничего не знали наверняка о том, что с ней случилось, однако именно это мучительное незнание терпеть было легче, чем все, что они могли бы нам рассказать.

И только когда они, наконец, приплыли — все трое, в широкой, выкрашенной белым деревянной лодке, похожей на огромную чесночную дольку, погруженную в воду до половины, — откладывать было больше нельзя. Они не пристали к берегу и добрых четверть часа дрейфовали метрах в двадцати, держа весла в воде и рассматривая нас, наши лица и черный огрызок дома за нашими спинами.

— Ну, здоро́во, что ли, — сказал Анчутка, сидевший впереди, на носу.

И тогда мы спросили:

— Наташа у вас? Вы видели Наташу?

Мы в самом деле почти в один голос произнесли ее имя, и только мальчик, подойдя поближе, к самой кромке воды, уточнил неприветливо:

— Ты конфеты привез?

И, словно отвечая на все вопросы разом, Анчутка просто медленно покачал головой: нет. Ему даже не нужно было раскрывать рот, чтобы мы поняли — спрашивать его о Наташе так же глупо, как ждать от него конфет.

И дальше мы уже только отвечали ему. Перед ним. Как если бы в его власти было одобрить или осудить то, что мы делали в эти несколько недель. Как будто мы в самом деле нуждались в его одобрении. Пока мы рассказывали, Вова тревожно глядел на нас из-за его плеча, не выпуская весла из рук, а маленький Лёха мрачно смотрел в воду, не поднимая глаз, и только изредка длинно сплевывал сквозь зубы.

— С едой-то у вас как? — спросил Анчутка наконец. — Консервы доели уже?

И Сережа отозвался:

— Нормально с едой. Утка пошла, стреляем помаленьку.

— Молодца, — хмуро похвалил Анчутка и добавил: — У нас-то не идет пока охота ваша. Херовое, похоже, будет у нас лето.

— Да ладно, — сказал Сережа. — Хочешь, давай с нами завтра, только затемно надо...

— Посмотрим, — перебил его Анчутка, откидываясь назад, словно собираясь скомандовать безмолвным своим гребцам разворачивать лодку, потому что им нечего было больше с нами делать. — Посмотрим.

И я спросила глупо:

— Так вы голодные, может?

И он повернул ко мне голову и посмотрел — коротко, недружелюбно.

Девочка, подойдя, вдруг ткнулась горячим носом в мое бедро, и, пока я наклонялась к ней, пока поднимала ее на руки (она, как всегда, мгновенно вцепилась и прилипла, обхватила руками и ногами), там, в двадцати метрах от берега, что-то неуловимо изменилось. Лодка еще не двинулась с места, но вёсла уже как будто напряглись; сейчас уплывут, подумала я, уплывут, и выпалила, торопясь, не думая, не думая:

— Подожди. Подожди! Давайте меняться. Мы настреляем вам уток. А вы нам — дизель. У вас же есть. Я знаю, что у вас есть.

И тут же, еще до того, как оба весла, словно по команде, дернулись и выскочили на воздух, расплескивая серебристые ртутные брызги, до того, как лодка крутнулась, притапливаясь и загребая носом, — мне стало отчетливо ясно, как сильно и страшно я ошиблась.

— Дура, — сказал папа, когда белая дощатая корма с дурацкой надписью «Переправа» была уже метрах в пятидесяти от берега. — Дура.

ЖИВЫЕ ЛЮДИ

* * *

Они вернулись через день, пасмурным ранним утром. Ни я, ни Ира не услышали, как шлепают по воде их вёсла, как они втаскивают на берег свою тяжелую лодку. Новый наш глупый дом был повернут к озеру не окном, как прежний, а слепой входной дверью и бесполезной недостроенной верандой. Мы кормили детей завтраком; я держала в руке ложку, сидя спиной к двери, и, когда она негромко стукнула, я подумала, что это вернулся папа, и даже хотела спросить — «забыли что-нибудь?» — и успела поискать глазами чайник: тот еще не должен был остыть, мы только сняли его с печки. Ира дернулась на стуле. Деревянные ножки взвизгнули, царапая свежие доски пола. Она обхватила мальчика руками, поворачивая его светлую растрепанную голову, прижимая ее куда-то себе в ключицу; он хрипло пискнул — возмущенно, непонимающе. После этого можно было уже не оборачиваться.

— Хлеб да соль, — странно сказал Анчутка мне в затылок незнакомым, сказочным голосом, и воздух мгновенно загустел и уплотнился, испаряя кислород, замедляя движения.

Я заставила себя протолкнуть вперед немеющую ватную руку, донести ложку до девочкиного рта, собрать с крошечного круглого подбородка четыре, ровно четыре прозрачные капли, отставить тарелку. Положить ладони на стол. Оттолкнуться и встать. Повернуться.

— Попрощаться зашли, — произнес он ласково, поднимая уголки губ и не улыбаясь. — Попрощаться. Мужиков ваших не застанем, да и ладно. Двинем к чухонцам, — сказал он. — А не по-людски как-то без прощания, да, Анюта?

Собственное мое имя липко и неприятно царапнуло ухо. «Дашу забери», — хотела сказать я и не сказала, и с благодарностью услышала шелест и шорох, и скрип позади; как хорошо, что она всегда сначала думает о детях, дети же ни при чем, зачем ему дети, а я просто не успею сейчас повернуть голову. Анчутка коротко, равнодушно глянул поверх моего плеча и проговорил спокойно, возвращаясь ко мне глазами:

— А то давай, поехали с нами. Что там ваши утки, рыба эта сраная, помрете же все равно.

Вова у него за спиной испуганно вздрогнул, и я поняла, что они не договорились, и попыталась поймать его взгляд; мы строили вместе дом, мы жгли костер на берегу, мы не чужие, не чужие.

— Ягоды тебе принес. Я, — сказал Анчутка. — Меда тебе принес. Я.

И с каждым этим «я» он делал шаг вперед, а длинный худой мальчик за его плечом смотрел и смотрел в пол.

— Да кто ты такой, — сказала я тогда, с хрустом сдвигая назад шаткий стул. — Кто. Ты. Такой.

И нижняя моя губа вдруг ужасно, судорожно прыгнула и поджалась, и несколько десятков трусливых лицевых мышц в одно мгновение, хором предали меня, и побежденное горло сжалось, едва пропуская выдох:

— Пошел. Ты.

Это нужно было сказать, и они мне правда почти удались, два бессильных злых слова; и он их услышал.

А ровно в ту секунду, когда у меня кончился воздух, — совсем, как у рыбы, висящей в аквариумном сачке, — Ирин голос, вибрирующий от напряжения, холодно, отрезвляюще произнес:

— Вы обалдели, что ли, мужики? Тут же дети. Вы же не станете при детях.

И мальчик, которого она теперь держала на руках, заплакал сердито и громко.

— Анчут? — позвал Вова неуверенно. — Анчут!.. — повторил он, только было уже поздно.

— Тс-с-с-с-с, — отмахнулся Анчутка, не оглядываясь и не слыша. — Тс-с-с-с-с, ребятки... — сказал он. — У нас тут с Анютой есть один разговор, вы меня тут подождите немножко.

И надвинулся, толкая меня от них — от всех от них, замерших возле двери и сидящих за столом, — внутрь, в дальнюю комнату.

Надо было, конечно, кричать. Везде пишут, что нужно кричать, а я не кричала, потому что подумала вдруг: а что, если она сказала это мне — про детей? «Вы же не станете при детях». Это же нельзя при детях.

Кровать пахла Мишкой. Матрас, подушка, кусачее шерстяное одеяло; а Мишки здесь нет, Мишка далеко и смотрит на воду, дожидаясь, когда пестрая дурацкая птица коснется воды красной трехпалой лапой, и пусть, и к черту, его же здесь нет, его нет, а значит, и меня здесь нет тоже, и не страшно, не страшно, надо просто вдохнуть поглубже, и главное — не драться, не надо драться; тем, кто дерется, выбивают зубы, ломают ребра, я не буду драться, я просто потом забуду все это, просто забуду; ну и что, ну и что, подумаешь, я столько всего уже забыла, глупая удушливая вонючая возня, мне просто не надо было говорить, я зря сказала, лучше было промолчать, ну и ладно, ладно, я никому не расскажу, никому, никому, ну давай уже, давай, скотина, столько месяцев на необитаемом острове, да что ж ты так долго, вот только если бы я еще не скулила, какого черта я так жалко, так гадко скулю.

Он всхрапнул, и задергался, и почти сразу потащил мои джинсы вверх, расправляя по бедрам тяжелыми ладонями; затрещали нитки, царапнула молния. «Будешь как сыр в масле, хорошая, сладкая»; затылок у него был потный, блестящий, склизкий, «не обижу, не обижу», и просто чтобы не трогать его, чтобы невзначай не коснуться липкой и мокрой кожи, я забросила руки за голову; и прямо под подушкой, под Мишкиной тощей подушкой нащупала жесткий кожаный продолговатый чехол. Воткнуть тебе в ухо, с хрустом, насквозь, подумала я, захлебываясь от гадливости; а он уже отклеился и сел — расслабленный, мирный, повернувшись спиной, и звякал ременной пряжкой у себя в паху, устраивая ее под влажным жирным животом. Вот сейчас, сказала я себе, под лопатку или в затылок. Обязательно надо суметь одним ударом — проткнуть, дотянуться, только вдруг не достанет, вдруг не пробьет; я даже не знаю, что это за нож, а вдруг он тупой, вдруг у меня не хватит сил? Тут он обернулся, и сдернул меня с кровати, и потянул на себя дверь.

Глаза у нее почернели от страха; обе хрупкие детские макушки всё так же надежно прятались в ее ладонях, и под этим взглядом нельзя было сейчас ни заныть, ни закричать. Молчи-молчи-молчи, сказали мне широкие страшные зрачки, я знаю, я знаю, сказали они мне, и я вдохнула сквозь сжатые зубы.

Вова попятился, вжимаясь спиной в дверь, пропуская и уступая дорогу, и Лёха — черный, тощий — мертво смотрел в сторону.

— Ну вот, — сказал Анчутка легко и весело, — ну вот. Где твоя куртка?.. А, ладно... — и набросил на меня сверху свою, тяжелую, еще теплую с внутренней стороны.

Солнце за порогом безразлично ударило по глазам, а под ногами не оказалось снега, только вмятые в землю следы — мои, детские, Мишкины, все остальные. А он тащил меня ровно, безжалостно, он даже не смотрел на меня и волок к лодке, как пластмассовый трофей; это ведь еще не всё, думала я, переставляя ноги, ощущая в промежности мерзкую жгучую резь, не всё, он заберет меня, он сейчас толкнет меня в лодку и увезет — отсюда, от всего, от Мишки. Словно услышав мои мысли, он шепнул:

— Пацана твоего, жалко, нет. Ну ничего, еще нарожаем.

И в этот миг острая желтая стрела, взвихренная, оскаленная, вылетела из-за деревьев, растопырив лапы, и воткнулась когтями в землю. Пожалуйста, подумала я, пожалуйста.

— Ах ты бля, — сказал Анчутка, разжал пальцы, и отшвырнул мою гудящую расплющенную кисть, чтобы нашарить в кармане своей куртки серый продолговатый кусок железа, и прицелился; а я все еще думала: ну пожалуйста, ну, ну.

И только когда грохнуло, когда голенастое тощее тело с визгом развернулось в воздухе, недопрыгнув, беззвучно рухнуло вниз, под ноги, — только тогда я, уперев локти в широкую, толстую Анчуткину грудь и запрокидывая голову, закричала, и свела руки у себя за спиной, раздирая надвое рыжие кожаные ножны, и ткнула лезвием в короткую толстую шею, и выдернула, и воткнула, и воткнула еще — забрать — меня — забрать — забрать — меня, — жмурясь от горячего и липкого, брызжущего навстречу, — сдохни — сдохни — сдохни; он лежал под моими коленями, хлюпая, чавкая, распадаясь, и, когда я не смогла, наконец, вытащить застрявший в тканях нож, лица у него уже не было, и его самого больше не было.

Ира сидела на недостроенном крыльце, громко, отчетливо стуча зубами, сжимая в побелевших прыгающих ладонях забытый папин карабин. Мокрая медная кучка шерсти лежала в пяти метрах, у самой воды, в бурой растущей луже.

— Ничего, — сказал папин голос прямо мне в ухо. — Ничего, Аня, Анечка, отпусти, отпусти, вот так, вот.

И я разжала пальцы.

— Ну, давай, — сказал он. — Поднимайся. Брось его.

И я послушалась, встала, сделала несколько шагов, только папа вдруг перестал держать меня за плечи и замолчал, и мне нужно было посмотреть на него; тогда я вытерла щеки Анчуткиным камуфляжным рукавом и обернулась.

Ему пришлось бежать двести метров, с другой стороны острова, с камней. Он ничего не слышал, кроме выстрела, для него все началось с выстрела, а когда он добежал, когда деревья больше не мешали ему смотреть, он увидел меня — с черным от чужой крови лицом, воткнувшую колени в мертвый безнадежный кусок мяса. Бог знает, что он подумал. Я очень хотела бы знать, что же именно он подумал. Но он сначала прикоснулся ко мне и даже попытался поднять меня на ноги, и только потом, только когда я встала, только после этого он сел на землю, черпнув талой весенней грязи большими своими валенками, неловко, болезненно подвернув ногу.

— Сейчас, — сказал он. — Сейчас. Я просто посижу.

Лицо у него стало сизое и страшное.

— Ира, — закричала я. — Ира! — И стала рвать скользкими пальцами воротник его свитера, а глаза у него закатывались, обнажая желтоватые белки.

И со стуком рухнул на пороге брошенный карабин, и она на четвереньках, не успевая подняться на ноги, поползла внутрь, в черноту, в дом, и пока она еще ползла, еще даже не успела закрыться дверь, он умер.

— Извините, — тонким голосом произнес Вова у меня за спиной.

Я повернула к нему то, что час назад еще было моим лицом, и он попятился, отступил в воду, бледный, жалкий, с мучительно сведенными бровями.

— Извините, пожалуйста, — повторил он.

— А ну стой, — захрипела я, и он тут же послушно замер, дрожа и не глядя мне в глаза.

— Заберите, — сказала я хрипло. — Отсюда. Это. Отсюда. Заберите.

— Конечно, — сказал Вова, мелко и поспешно кивая, так что похоже было, будто у него сейчас оторвется голова.

И они с Лёхой, кряхтя и оступаясь, зацепились, впряглись и поволокли, с ужасом пачкая руки и одежду, перебросили *это* через деревянный задранный лодкин борт; и потом, не оглядываясь больше, дотолкали лодку до воды; а я всадила пальцы в мерзлую землю, ломая ногти, выцарапывая волокнистый некрупный комок, и швырнула им вслед, «суки, — провыла я, — суки, суки-и-и»; только вместо лодки мой кусок земли стукнул по впалому неподвижному желтому боку, который неожиданно дрогнул и поджался болезненно, хрупко.

И всё, это было всё, этого никто уже не смог бы вынести.

Еще я помню комнату. Не ту, другую.

Каким-то чудом Ире удалось дотащить меня к себе, в узкую бывшую парилку с крошечным прямоугольным окошком у самого потолка; но с кроватью она уже не справилась. И потом, с ней ведь были дети, все это время с ней были дети, и ей нужно было как-то постараться не напугать их непоправимо, их нельзя было пугать. Я открыла глаза и поняла, что лежу на полу, на желтых незатоптанных досках, и что она сумела снять с меня куртку, а ее самой не было. Длиннокостное тощее пылающее тело, такое же бессильное, как мое, лежало рядом, и, нырнув лицом в спутанную пахучую шерсть, я зашептала: «Ты больше ничего мне не должен, ничего, ничего» — и услышала звуки за стеной, она что-то говорила детям спокойным, правильным голосом. Потом открылась дверь, и я вначале увидела ее глаза и почувствовала себя грязным, гнилым червяком, а через мгновение она была уже рядом, на полу, и положила холодную руку мне на лоб. Не говори ему, подумала я, не вздумай ему говорить. Я не скажу, пообещала она в самое мое ухо, прижимаясь бледной щекой к шероховатому дереву; не скажу, не скажу. И прямо из-под ее руки девочка, лежа на животе, вползла в эту тесную четверть пространства, занятую умирающей собакой и нашими с Ирой остывающими неловкими головами.

— Нет, — отчетливо сказала она, прикасаясь коротким горячим пальцем поочередно к вывернутому наизнанку желтому уху, к моей разбитой бесчувственной губе, к Ириным зажмуренным глазам.

— Нет, — сказала она еще раз. — Нет.

И больше никто не умер.

* * *

Похоронили папу той же ночью, подальше от берега, у самой границы прозрачного соснового частокола, наступающего хлипким, составленным из тощих молодых деревьев авангардом на расчищенную от леса прогалину, посреди которой одиноко торчал теперь наш дом. Сырая, едва начавшая оттаивать глина сопротивлялась, не желая покоряться коротким автомобильным лопатам, и Сережа с Мишкой копали долго, до сумерек, сменяя друг друга в тесной мокнущей яме, не прерываясь на еду и не отдыхая; а когда стемнело, они развели костер — высокий и жаркий — и стали копать дальше. Все время, пока они были там, снаружи, я провела возле туго спелёнутого полотенцем собачьего тела, дыша влажным густым запахом свалявшейся шерсти, и девочка горячим спокойным кульком лежала рядом, прямо под моим локтем. Несколько раз приходила Ира; осторожно открывала дверь и недолго стояла на пороге, не говоря ни слова, и ее молчаливые короткие посещения оказались милосерднее яростного Сережиного недоумения и Мишкиной беспомощной паники, потому что она не пыталась забрать девочку или уговорить меня подняться с пола, не трясла меня за плечи и не шумела, мешая слышать вразнобой стучащееся в уши, отражающееся от нагретых половиц, перепутанное и неравномерное буханье сердец — моего, детского и собачьего.

Пыльный солнечный луч, начавший путешествие с дальнего конца маленькой комнаты, много часов назад робко лизнувший мой забрызганный грязью ботинок, потом тепло погладил меня по колену, а после в один прыжок переместился на рыжеватую детскую макушку и, прежде чем втянуться назад, в узкое окошко, долго обиженно висел у меня прямо за ресницами теплым ярким пятном. Открывая глаза, я видела только невесомый древесный мусор и отстающие от досок, пропитанные светом крошечные янтарные волокна. Мне нельзя было шевелиться. Я и не хотела. Я с радостью лежала бы так и месяц, и два, не чувствуя и не вслушиваясь, проваливаясь в сон, как будто именно от моей неподвижности зависела непрерывность наших трех переплетенных пульсов, означающих, что мы живы; но солнце село, и наступила ночь, и холод, и звуки снаружи рассказали мне о том, что времени не осталось.

Я слышала за перегородкой, уже в темноте, негромкий настойчивый Ирин спор с Сережей.

— Не понимаю, — говорил он мучительно и раздраженно. — А как же? — говорил он. — Ну подожди, надо же вместе.

— Оставь ее, — говорила она, — оставь. Мы сами. Пошли, пошли, не надо.

И стук входной двери освободил меня еще как минимум на час. Я слышала, как они вернулись, и тонкий сонный голос мальчика, которому давно пора было спать. И звяканье посуды, и шорохи, и шаги. И приглушенный шепот. Я позволила Ире унести девочку, которая, когда ее поднимали с пола, тихонько протестующе заскулила. Я вытерпела четверть часа, пока Сережа сидел у меня за спиной, и его неуверенную обиженную руку на своем плече, и не обернулась, не открыла глаз, надеясь, что он устанет ждать и уйдет. А когда Сережа, наконец, в самом деле ушел, вернулась она с ведром горячей воды, глухо лязгнувшим об пол, и сказала вполголоса:

— Всё. Вставай. Я оставлю и уйду. Тут полотенце и чистая одежда, я положу вот здесь, ты слышишь меня?

Только тогда я оттолкнулась руками от пола, и села, ощущая, как гудят затекшие от неподвижности мышцы, и повернула к ней голову.

— Стой, — сказала я. — Не уходи.

В тусклом свете луны, зажатом внутри маленького окна, я не видела ни собственного тела, ни цвета воды. Я зачерпывала ее горстями, проливая на пол, и терла, и руки были словно не мои, и тело тоже было постороннее, не мое — просто чужая бесчувственная кожа, которую требовалось отмыть. Пока я была этим занята, она молча сидела рядом и поднялась только затем, чтобы собрать с пола груду перепачканных тряпок, и, когда дверь за ней закрылась, я снова легла на пол. Я была еще не готова к кровати.

А потом все звуки в доме смолкли и прекратились, и я снова услышала слабый, размеренный стук его сердца, бившегося где-то под смятой махровой тканью и желтой растрепанной шкурой, за тонким слоем бессильных мышц и костей, и протянула руку, и прикоснулась, и он сразу вздрогнул и задышал громче, как будто спрашивая — ну что ты так долго.

— Сейчас, — сказала я. — Сейчас, сейчас.

Я украла ведро, стоявшее за дверью; алюминиевая ручка предательски звякнула. «Тс-с-с, — сказала я ручке, — тс-с-с»; я зачерпнула воду ладонью и смочила бумажный, подсохший по кромке собачий язык и закрытые глаза, и широкий лоб, и горячие изнутри уши, а потом просунула под него руки и перетащила, «потерпи, потерпи», сухое легкое тело в середину яркого лунного квадрата на полу. Полотенце, которым Пёс был обернут, отставало от слипшейся шерсти нехотя, с хрустом, и его пришлось намочить тоже. Пуля оставила две жаркие воспаленные дырки, болезненно пульсирующие под моими пальцами, — возле правой подмышки и с другой стороны, на спине.

— Я не врач, — сказала я ему. — Не врач. Все, что я могу, — вымыть тебя, только вымыть. Ни лекарств, ни антибиотиков, чистая холодная вода и дурацкая зеленка — и всё.

— Я буду тебя кормить, — прошептала я потом, снова затягивая на впалом боку тугой узел из смятой махровой ткани, — буду носить тебя на руках на улицу, если ты не сможешь ходить. Но дальше ты сам.

Ранним утром в бледно-розовом рассветном полумраке он поднялся — нетвердо стоя на трех лапах, поджимая переднюю, — и несколько минут жадно, отфыркиваясь и кашляя, пил воду из полупустого ведра, а после прижался лбом к закрытой двери и замер, дожидаясь, пока я выпущу его. Мы прошли через спящий дом к выходу и вывалились в прохладное сладкое утро, задохнувшись от свежести и света, которого так мало было внутри и так много снаружи. Он скатился с веранды и заковылял, шатаясь и не поднимая головы, как бессильный хромой старик. Только не падай, подумала я, садясь на холодные доски и глядя ему вслед, не падай и приходи назад.

Мы вернулись вдвоем в полутемную комнату с подсыхающими лужицами розоватой воды и нетронутой, аккуратно застеленной кроватью и проспали несколько долгих спокойных часов, не слыша, как проснулись дети, как Сережа с Мишкой собрались на тот берег. Когда я открыла глаза, дом был пуст. Птичьи детские голоса звенели издалека, с улицы, и солнечный свет в маленьком окошке под потолком уже снова загустел и сделался оранжевым; нужно было выходить. Выпить воды и поесть, рассмотреть собственное лицо в зеркале; отыскать ножницы и бинт. Может быть, даже вымыть пол.

— Пошли, — сказала я Псу.

— А-ня.

Девочка протянула ко мне палец и засмеялась, морща маленький нос. И руки, и колени у нее были перепачканы оттаявшей рыжей глиной.

— Извалялись, как поросята, — сказала Ира, оборачиваясь. — Ты посмотри на них. Дети подземелья. И в дом не загонишь. Такое болото вокруг — никакой одежды не хватит. Веселенькая у нас будет весна, пока тут все не высохнет.

— Ну, будем стирать каждый день, — сказала я. — Подумаешь.

— Там суп на печке, теплый еще, наверное, — сказала она тогда. — Ты бы поела.

— Успею, — ответила я, присаживаясь рядом.

День катился к концу — почти нормальный, почти такой же, как три или четыре недели назад. Мне просто нужно было не упустить момент, когда появится лодка, чтобы успеть вернуться назад, в комнату с маленьким окном, и закрыть дверь; я все время помнила об этом и выглядывала, и прислушивалась, и все равно пропустила их возвращение. Мы сидели на полу, все четверо, и смотрели, как Пёс выбирает бледным языком прилипшие к стенкам миски мясные волокна; именно тогда они и вернулись. Мокрые, мрачные и очень, очень грязные. Свалили рюкзаки и ружья в углу возле двери, и, пока Мишка бессильно прыгал на одной ноге, стаскивая ботинок, Сережа опустился на стул.

— Ну что, — сказал он неприязненно. — Дизеля у нас теперь литров девятьсот.

Я оказалась права. Двенадцать человек, декабрьская отставшая группа, которую мы так и не успели увидеть, привезла с собой не только заразу, убившую в течение недели и их самих, и тех, кто ждал их в лагере; они приехали на шестиколесном армейском «Урале» с жестким камуфляжным кузовом, под которым прятались пять рядов обтянутых целлофаном автобусных сидений, а вместо шестого, выкорчеванного, жались друг к другу металлическими боками высокие, в человеческий рост, бочки с дизельным топливом. Судя по всему, прежним нашим соседям слишком скоро стало не до дизеля: вместо того чтобы выгружать и перепрятывать бочки, они занялись собственной смертью. Так что замерзший грузовик с несметным богатством в кузове до конца февраля простоял нетронутым, и Анчуткина маленькая компания оказалась уже слишком малочисленной для того, чтобы справиться с этой задачей в одиночку. Они могли попытаться спрятать от наших глаз только весь грузовик целиком, и потому его нельзя было подогнать к избам и нельзя было оставить на дороге.

— Они его утопили, — с отвращением сказал Сережа. — Гребаные бараны. Загнали поглубже в лес, чтобы мы на него случайно не напоролись, а теперь там все растаяло к чертям, и все — болото, колес уже не видно. Даже если б мы сумели его завести, нам его не вытащить.

— Да зачем нам этот грузовик? — спросила Ира удивленно. — У нас же есть машина.

Сережа молчал, глядя в пол.

— Они ведь ничего не сделали с нашей машиной?

— Они забрали только Лёнькин «Лендкрузер», — сказал он наконец.

— Их, ну... Их же двое только осталось. — И он посмотрел на мое колено, старательно не поднимая глаз выше. — Они много чего побросали. Там теперь натуральный автопарк: снегоход, «УАЗ», грузовик в болоте. Почти тонна дизеля... И ни одного аккумулятора. Ни одного. Они даже из снегохода выколупали.

— А наш? — спросила Ира. — Как же наш? Мы же забирали, мы же...

— А наш — сгорел, — сказал Сережа с дикой улыбкой и потер лоб, размазывая по лицу зеленоватую болотную грязь. — Сгорел, понимаешь? Он стоял у Лёньки под кроватью. Мы сами его сожгли.

* * *

Медленные одинаковые дни прибывают, укладываясь друг на друга с сухим плотным стуком, как костяшки на счетах, как бильярдные шары в треугольнике, как белые Тамерлановы камни у обочины, — безликие ровные дни-близнецы; ранние рассветы, поздние сумерки.

Сморщенные сугробы отступают под деревья, чернеют и съеживаются, испаряясь, оставляя высохшие оболочки молекул, и стряхнувшая снег земля осторожно дышит, выталкивая из себя прозрачную траву и разноцветные невысокие мхи, небыстро, без южной суеты, без восторга, без сил.

Я похожа на старый столетний дуб с мертвыми ветками и твердой морщинистой корой. На ящерицу с оторванным хвостом. Я провожу дни на теплом камне, вдыхая согретую солнцем пыль, и не хочу просыпаться и разговаривать; сижу с закрытыми глазами — без мыслей, без слов; я ничего не чувствую. Мне нужны только покой и тишина, больше ничего. Серая щербатая глыба, к которой я прилипаю с восходом и от которой с трудом отрываюсь к вечеру, аккуратно уложена в изголовье невысокой глиняной дюны, под которой неделю, полторы, две недели подряд лежит папа; и я хотела бы сказать, что прихожу сюда ради него, но это будет неправда. Я прихожу сюда ради себя. Мне здесь тихо.

Иногда к моему камню приходит хмурая худая собака с выстриженным зеленым боком и недолго лежит рядом; или дети — мальчик и девочка с грязными коленками и высокими голосами. Никого из них не удивляет ящерица, в которую я превратилась, и поэтому я им рада. Когда солнце закатывается за деревья, приходит Сережа. Ему кажется, он должен со мной разговаривать. Это трудно, потому что мне некогда ему отвечать. У меня много других дел — я прислушиваюсь к тому, как медленно, с негромким треском остывает мой камень, и дожидаюсь момента, когда слабый за-

катный луч поднимется до десятого снизу сучка на сдвоенном сосновом стволе у меня перед глазами, и опустится тень, и нужно будет возвращаться в дом. Ящерицы могут прекрасно обойтись без слов, но совсем не могут без тепла.

Он уверен, что без слов не получится.

— Поговори со мной, — просит он. — Накричи на меня. Заплачь.

Он просит прощения и много раз повторяет «я виноват». Он сердится. Он обижен.

— Это у меня, — говорит он. — Это был мой отец!

Он вскакивает и кричит: «Да оставайся!» Расшвыривает ногой прошлогодний мох. Возвращается и снова садится рядом.

— Я так больше не могу, — говорит он. — Я должен был сам его убить, я знаю, но я правда больше так не могу.

Я смотрю на сучок. Через несколько минут граница света и тени доберется до него, и тогда нужно будет подняться и идти в дом. Я надеюсь, рано или поздно Сереже надоест сюда приходить, потому что он очень мне мешает.

Если бы он только не разговаривал. Если бы не разглядывал меня, а просто подходил, зажмурившись, и сразу отворачивался, или смотрел поверх моей головы; если бы все время было темно, и мы лежали бы беззвучно, как две рыбы в горячем неподвижном иле, шевеля жабрами и плавниками. Ночью, когда он спит, у меня ненадолго получается стать рыбой, и тогда мне снова легко рядом с ним, потому что он не смотрит, не спрашивает и не ждет ответа. Мне по-

прежнему нравится, как он дышит во сне. Если бы один из нас мог заснуть хотя бы на месяц, я сумела бы снова отрастить свой оторванный хвост. Я вернулась бы обратно — к дому, к общему столу, к Мишке и малышам, и даже в Сережину постель — да, да, разумеется, я не буду бесконечно торчать у глупого камня, я ведь не сумасшедшая и знаю, что скоро мне захочется назад. Я планирую вернуться, просто мне некуда торопиться. Дом, в котором я пережидаю ночи, пока тактично обходится без меня. Там все так же крутятся часовые стрелки и бежит время, перелистывая последние майские дни, там топится печь, готовится еда, а на веранде сохнет одежда, покачивая на ветру рукавами и штанинами, и сидящие за столом мужчина и женщина говорят друг с другом поверх детских макушек, а на полу возле их ног лежит хромая собака. Дому не важно, есть я в нем или нет, он может и подождать.

Много дней подряд я сижу на пыльном куске породы, выпавшем миллион лет назад из ползущего мимо ледника, наблюдаю за небыстрым вращением солнца вокруг рыжего соснового ствола и жду. А потом наползают тучи, небо тяжело вжимается в ртутно-серую воду, и компактный холодный смерч, лизнув землю, изгибается и подбрасывает вверх колкий сухой мусор, наклоняет березы, выворачивая наизнанку испуганные листья; озеро дрожит и вспучивается, как взбесившееся зеркало в черно-белом фильме, и выплевывает десяток бьющихся вдребезги огромных ледяных капель, и воздух, чернея, взрывается наконец с облегченным ревом, распадаясь на озон и воду, и обрушивается на берег, вымы-

вая застрявшую между растопыренными пальцами деревьев липкую вчерашнюю труху, разжимает мои челюсти и врывается в уши, и смывает меня с чертова камня, и тащит меня к озеру.

Непослушными пальцами прямо на бегу я рву скользкие шнурки, и, отшвырнув ботинки, впиваюсь голыми ступнями в раскисающую клейкую глину, и стаскиваю через голову мокрый тяжелый свитер, и сдираю джинсы, вырывая с мясом стальные хлипкие пуговицы, и шагаю, проваливаясь по щиколотки в стылую прибрежную грязь, расталкивая воду до тех пор, пока она обжигающим ледяным кольцом не сжимает ребра; и я подгибаю ноги и позволяю ей сомкнуться над моей головой. Открываю глаза в мутном придонном мраке и готовлюсь вдохнуть, открываю рот, чтобы впустить в легкие бурый илистый глоток. И не вдыхаю, и упираюсь ладонями в вязкое дно; отталкиваюсь, разгибая колени, расслабляя сведенные мышцы ног. И озеро разваливается надвое, выпуская меня. Я задираю голову и взбиваю ладонями тусклую холодную пену, а низкое небо, выгибаясь дугой, ревет мне в лицо — сизое, злое, и я выплевываю воду и реву в ответ чужим незнакомым голосом, перекрикивая громовые раскаты, без слов, без слез, без свидетелей, ну давай, давай, что еще ты придумаешь для меня, это все, что ты можешь, ха, ха, это все, что ты можешь, это все, это все?

— Хватит, — кричит Сережа, — хватит!

У него в руках моя мокрая одежда. Я поворачиваюсь и бреду назад, оскальзываясь, цепляясь за жгучие жесткие сорняки, которые вырываются легко, целыми пуч-

ками, как волосы после химиотерапии. Он заходит по колено в бурлящую черную накипь, и хватает меня под мышки, и тащит к берегу; и ветер толкает меня в затылок, выгоняя из воды.

— Перестань! — кричит Сережа. — Перестань сейчас же! — И набрасывает на меня комок кусачей шерсти. — Оденься, ты, ненормальная!

А я отталкиваю его руки и с размаху бью его головой в подбородок, и все вокруг на мгновение становится черно-белым, ярким; небо лопается с оглушительным треском, заворачиваясь в тугую чернильную воронку, и земля крупно вздрагивает под ногами. Он еще пытается удержать меня, он сжимает в ладонях мое лицо и трясет меня.

— Хватит, — говорит он, — хватит.

Я не могу отвернуться и вижу вблизи его отвращение и страх, его разбитые губы и кровь, размываемую дождем, и тогда мой беспомощный пустой желудок рывком подлетает к диафрагме, рот наполняется горечью, и я брызгаю желчью, пеной, водой прямо ему в глаза, в лицо, на грудь, и он отпускает меня. Я сгибаюсь пополам, отплевываясь, выталкивая из себя последние кислые клочья, удивляясь тому, что, кажется, нарочно стараюсь попасть ему на ботинки.

Потом я выпрямляюсь. Поднимаю с травы свой испачканный мокрый свитер и натягиваю его. Вытираю рот рукавом.

— Вот теперь хватит, — говорю я хрипло. И возвращаюсь в дом.

* * *

Я все так же считаю дни; нелепая привычка, приставшая еще в прошлом декабре, пока не отпускает меня. Бесполезная причуда, глуповатая традиция — проснувшись, я прибавляю к вчерашней дате еще день и думаю: шестое июля. Седьмое. Десятое. Мне кажется, я потеряла несколько дней, навряд ли много — от силы два или три, но почему-то теперь, когда я не уверена в точности своего условного календаря, мне стало неловко говорить о нем вслух, словно кто-то в самом деле поручил мне эту незначительную задачу — знать, какое сегодня число, — а я не справилась с ней. Никто и не думает ловить меня на лжи, потому что вся эта ерунда — число, день недели, даже точное время — не имеет здесь никакого значения. Четырнадцатое июля, думаю я, просыпаясь. День взятия Бастилии. Хотя очень может быть, Бастилию взяли позавчера.

Даже если бы я не вела этот молчаливый счет, мы все равно узнали бы июль, крошечное северное лето длиною в месяц, туго сжатое между затянувшейся прохладной весной и уже стоящей на цыпочках нетерпеливой осенью: длинные сухие дни, белые полярные ночи, когда солнечный диск не закатывается, а как будто укладывается набок, прижимаясь к горизонту невидимым тонким боком, источающим тусклый рассеянный свет. Белые колокольчики брусничных цветов, теплый пар, стелющийся по ночам над согревшейся за день водой, поглупевшие от изобилия неосторожные рыбы. Солнце, зовущее раздеться и лежать под ним безмолвно и неподвижно, впитывая костями и кожей негромкий ровный жар.

Днем входная дверь всегда распахнута настежь, приглашая теплый внешний воздух разбавить прохладу полутемных комнат; чтобы вместе с теплом в дом не налетала вездесущая болотная мошкара, дверной проем по-деревенски затянут белой тюлевой занавеской — еще одна часть наследства, спустя полгода наконец доставшегося нам, и наследство это некому больше оспаривать. Переждав всех своих соседей, мы безраздельно владеем двумя большими избами, стоящими на том берегу, и всё, чем они заполнены: деревянные кровати, столы и стулья, постельное белье, посуда, топоры и лопаты, плащ-палатки, дождевики и крепкие ботинки, хозяйственное мыло, соль, спички в больших картонных коробках — тоже теперь наше, как и уснувший в заболоченном подлеске огромный грузовик с пятью железными бочками дизеля в кузове. Для того чтобы владеть всем этим богатством, необязательно переселяться на берег. Мы привыкли к своему острову, окруженному двухкилометровым крепостным рвом, до краев полным холодной озерной воды; нам уютно в маленьком доме. Нам больше в нем не тесно.

Мы наливаем воду в продолговатое железное корыто, привезенное Мишкой с другого берега, и, пока дети с визгом плещутся в нем, загорелые, с перепачканными травой пятками, мы полощем свежевыстиранные простыни прямо в озере. Прежде чем набрать влаги и погрузиться в желтоватый придонный сумрак, широкие полотна мокрой ткани раздуваются, хлопают и рвутся из рук, как непослушные паруса.

Детям здесь хорошо. Невозможно заблудиться на маленьком, заросшем деревьями и травой лоскуте земли, и мы не боимся выпустить их из вида. Полуголые и босые, они прыгают по камням, два крошечных исцарапанных дикаря, две чумазые суматошливые белки, и роют тайники под густым влажным мхом, и строят корявые шаткие шалаши, и не отзываются, когда мы зовем их к столу; нам ни к чему следить за ними — у них есть прихрамывающая лохматая дуэнья, которая всякий раз возмущенно и хрипло лает, стоит им забраться повыше.

Даже озеро в конце концов подчинилось нам — прирученное, нестрашное, смирное, оно щедро набивает наши сети жирной летней ряпушкой, маленькой серебряной рыбкой, которую можно есть целиком, с плавниками и головой, и подсовывает под прицел Мишкиного ружья непуганых и рассеянных, ошалевших от безлюдья уток. Он поджарый и длинный — выше меня почти на голову, мой маленький взрослый сын, с выгоревшими длинными волосами, с черными плечами, молчаливый, неулыбчивый, спокойный. В одиночку он ворочает тяжелые сети, рубит дрова и снимает кожу с толстых подстреленных птиц.

— Завтра новое место попробую, — говорит он за ужином, не поднимая глаз от тарелки, и в его голосе не бывает теперь вопросительных интонаций.

— Опять ведра таскали без меня, — замечает он потом. — Говорил же: я сам, мне нетрудно.

И недовольно качает головой.

Вечерами, когда красный солнечный шар ныряет к черным верхушкам сосен на горизонте, мы переглядываемся — она и я — и уходим из дома, спускаемся к воде. Это наше время. Дети сонно возятся за закрытой дверью, за отвернувшимися от озера окнами, и никто не видит, как мы скидываем одежду и перешагиваем жалобно скрученные вывернутые джинсы, сброшенные в траву майки. Остывающая земля холодит босые ноги, предзакатная свежесть покалывает кожу, но вода теплая — мутная, полная солнца питательная среда. Мы заходим в нее, беззвучно охая, захлебываясь, приседая на корточки и зачерпывая горстями, смывая сухой долгий летний день со своих локтей и коленей, а потом отталкиваемся от жирного заиленного дна и плывем — без цели, просто вперед, навстречу оранжевым тускнеющим лучам. Почти сразу я отстаю, не стараясь нагнать ее; это глупо, но любое прикосновение бурой подводной травы, любая неосторожная рыба пугают меня, и я всякий раз инстинктивно поджимаю ноги, боясь случайно коснуться жесткой холодной крыши лежащего где-то внизу пикапа. Я разворачиваюсь и гребу назад, торопясь вернуться туда, где смогу снова достать до дна, а вернувшись на мелководье, погружаю щиколотки в горячий прибрежный осадок и только потом смотрю ей вслед, определяя расстояние, которое отделяет меня от ее головы, темнеющей на маслянисто блестящей глади; загадывая минуты, потому что даже теперь каждой из нас необходим этот маленький кусок одиночества.

Она выходит из воды на добрых четверть часа позже меня, и, пока она отжимает волосы, пока стряхивает ладонями серебристые тяжелые капли, я сижу на траве и смотрю на нее. Еще ничего не заметно. По-прежнему плоский бледный живот, обтянутый прозрачной, обсыпанной веснушками кожей, и впалая запятая пупка. По-настоящему очевидным все станет не раньше осени, в сентябре или позже, и только тогда нам придется сказать Мишке; мы обе страшимся этого дня и не торопим его. Но я знаю. Женщина, хотя бы однажды носившая ребенка, способна почуять ничтожные намеки, крошечные приметы — невольно вскидывающиеся к животу ладони, обреченную плавность движений; ей стоило дважды всего побледнеть от запаха сырой рыбы, отшатнуться от птичьих пылающих потрохов, и даже если бы я ни разу не застала ее стоящей на коленях и выплевывающей за деревом вспененный взбаламученный завтрак, я догадалась бы. Я — догадалась бы все равно.

Она не прячется от меня. Ей слишком страшно знать об этом одной. Отсчитывать дни. Ей нужен союзник, сообщник — любой, даже такой предвзятый, как я; нас слишком мало теперь, чтобы она могла позволить себе разборчивость. Она поделилась бы с Сережей и только с ним, повесив на него унылую обязанность готовить нас и объяснять, оправдываться, протягивать цепочки между иллюзией и реальностью; и он бы смог. Эта непростая задача обошлась бы ему дешевле, чем нам. Он мог бы вспомнить удушливый месяц, проведенный мной на зарастающем мшистой плесенью папином камне, и мое несвоевременное, ничем в его глазах неоправданное безумие; свою усталость, нашу общую изнуряющую зависимость от него. Вот только Сережи нет. Его нет. Уже целый месяц и неделю, если довериться моему неточному календарю, мы на острове одни.

Он ушел давно, через семь дней после первой грозы; налегке, с туго свернутым спальным мешком под мышкой, небольшим запасом безликих консервных банок на дне рюкзака и осиротевшим папиным карабином, отмахнувшись от наших запретов и уговоров. В этот раз мы обе дали ему настоящий бой и, не стесняясь, позволили себе и крик, и слезы; мы были готовы висеть у него на ногах, лишь бы он передумал — но он все равно ушел. Виноват во всем был чертов сгоревший аккумулятор, забытый нами в зараженном доме. Крошечный обидный фрагмент в нехитром пазле нашего спасения; единственный, которого не доставало теперь, когда обнаружилось топливо, всю зиму проспавшее в бочках на том берегу.

— Подумайте только, — говорил он раздраженно, пока мы еще могли разговаривать без крика. — Ведь мы могли бы уехать хоть завтра! Просто сесть в машину и уехать отсюда в любую сторону, да хоть в Финляндию. Прошли бы, не знаю, какой-нибудь карантин, узнали бы — что там, дома?.. Ну как вы не поймете, а вдруг там все кончилось, все как-то наладилось уже, а мы здесь. Вы разве не хотите домой?

О, мы хотели домой. Очень хотели, но этот его горячечный, нетерпеливый энтузиазм был слишком похож на обреченную Лёнину браваду. Сережа тряс перед нами картой:

— Вот они, Гимолы. Ну посмотрите сами, не больше тридцати километров, это пара дней, ну ладно — три, три дня — туда, и три — обратно. Целый поселок, школа, магазин. Достаточно одной какой-нибудь ржавой «копейки» — не может быть, чтобы там вообще не осталось машин. Нужно будет просто раскрутить аккумулятор, это легко, возьму с собой дизеля литров десять — мне хватит, мне только завести бы и зарядить на ходу — и все, как два пальца. Я возьму респиратор, я никуда не полезу, ну не в машинах же они там лежат, елки, с каких пор вы сделались такими паникершами?

— Вот с этих, — зашипела Ира, швыряя карту на пол, подтаскивая его за рукав к окну, за которым чернела подернувшаяся зеленью, проросшая сорняками уродливая груда обломков. — Вот с этих пор, идиот.

— Ты не можешь опять нас оставить, — сказала я ему в спину, в упрямо вздернутые плечи. — Не можешь еще раз — нас — оставить. А если кто-нибудь придет, если снова кто-нибудь... а мы здесь одни. Не вздумай, не вздумай даже, я не пущу тебя, я просто тебя не пущу.

— Я все исправлю, — сказал он нам, прежде чем сесть в лодку. — Все будет хорошо. Дайте мне неделю. Одну неделю, и мы уедем, нам нельзя здесь, вы сами знаете, нам больше здесь нельзя.

И хмурый Мишка отвез его на берег и вернулся на лодке один.

Тридцать восемь одинаковых дней спустя вопросы «когда?» и «почему?» успели побледнеть, выцвести и почти перестали нас мучить; по крайней мере, на них мы знаем ответ. Их место мгновенно заняли другие, и безусловными фаворитами по-прежнему остаются «где?» и «как именно?». Стоило нам осмелиться заговорить об этом, мы тут же поняли, как много доступных и разнообразных способов умереть готова предложить тайга самонадеянному одиночке. Болото или сломанная нога. Медведица с парой детенышей, стая облезлых волков, гадюка, заползшая в спальный мешок. Разбившийся компас. И вирус, дремавший на том конце маршрута, вполне мог оказаться не при чем, поскольку любая из этих случайностей, которые мы сумели предположить, точно так же, как и любая из тех, что даже не пришли нам в голову, способна была остановить Сережу еще по дороге в Гимолы. Он мог до них не дойти.

Пожалуй, у нас остались и другие вопросы — из тех, что не принято задавать вслух. К примеру, что именно он имел в виду, когда сказал, стоя в лодке, «я все исправлю»? Мне правда хотелось бы это знать, хотя чем больше проходит времени, тем меньше у меня шансов догадаться.

Недавно она коротко обрезала волосы — неровно, обычными ножницами, и теперь, когда мы склоняемся над водой, дрожащие и нерезкие отражения наших лиц ничем больше не отличаются одно от другого.

— Ты подумай, — говорит она без злости. — Жук, ну какой же жук, опять он сбежал, выкрутился, как всегда, лишь бы со всем этим не возиться, — и тихо смеется, качая головой.

Я погружаю в озеро ладонь и стираю ее улыбку.

Когда не знаешь, что делать дальше, делай, что должно, и будь что будет. Жаль, я не помню, кто это сказал. Теперь, когда все вопросы заданы, а ответов у нас не осталось, мы можем только это — развешивать под солнцем белые простыни, хлопающие, как паруса. Перешивать из грубого военного камуфляжа детские куртки и штаны. Сушить грибы. Солить рыбу. Учиться не спрашивать — что с нами будет дальше.

Эпилог

Крошечный, не заслуживший на двухкилометровой карте даже имени синий кружок размером с подушечку указательного пальца на деле оказывается широким водоемом с неприступными крутыми спусками, заросшими осокой и камышами. Он преграждает нам путь так же надежно, как пятиметровая бетонная стена. У нас нет лодки; нести ее оказалось слишком тяжело, и мы ее бросили — давно, три дня назад, повесив туго спеленутый резиновый кулек на дерево на уровне глаз, надеясь, что сможем найти ее на обратном пути, в том случае, если нам придется идти обратно. В том случае, если мы сумеем вернуться той же дорогой.

На следующей стоянке мы оставили воду, два спальных мешка, связку железных кружек и половину патронов. Густо исчерканная синим карта обещает нам, что, по крайней мере, жажды бояться не стоит, но мы двигаемся пешком, а дети не могут идти быстро; на самом деле, часто дети не могут идти вообще, а нам слишком трудно нести их, и потому маленький папин термос нередко успевает опустеть задолго до того, как мы добираемся до места, где его можно наполнить заново. Ружья бросать нельзя; ночной лес наполнен чужими голосами, треском и шорохом — особенно теперь, когда мы свернули с заросшей грунтовки; но если мы не доберемся сегодня к вечеру, если нам хотя бы еще один день придется брести, проваливаясь по щиколотки в топкие мхи, перелезая усыпанные поганками мокрые опрокинутые деревья, таща на себе хныкающих обессилевших малышей, вдыхая кислый запах собственных зудящих тел, мы бросим и ружья.

Безымянная плоская серая тарелка, недоозеро, нелепая неглубокая лужа, которую мы недооценили и которую придется теперь обходить, вызывающе торчит из-за рыжих сосновых стволов. Это значит — лишних два или три километра. Болото со скользкими подвижными кочками, убегающими из-под ноги. Это значит — дети идут пешком, рыдая и жалуясь, вырывая из наших рук липкие маленькие ладони, садясь на холодную землю.

Мишка опускает девочку, выскальзывает из рюкзака и отклеивает от спины измятую майку с темными пятнами пота. Сжав зубы, растирает плечи — искусанные, с двумя яркими вздутыми полосами от брезентовых лямок.

— Вот, — говорит он, втыкая грязный палец в растрепанный комок карты. — Вот оно. Похоже, мы здесь.

— Похоже... — стонет Ира и скидывает в сухую лежалую хвою скрученные спальники и ружье. — Похоже или точно?

— Точно, — отвечает он хмуро и неуверенно. — Хочешь, сама посмотри. Теперь обойти его только, вот тут, справа, и дальше по прямой. Сегодня не успеем, конечно, но завтра — все, завтра дойдем.

— Мне надо было посчитать, в который раз ты это говоришь, — мрачно язвит она и садится прямо на землю, прислонившись спиной к кривому березовому боку, с облегчением разбрасывая ноги.

— Нужно спуститься, — предлагаю я. — Умыться, воды набрать.

— Я сейчас, — устало отзывается Мишка, не трогаясь с места. — Сейчас.

— Пить хочу, — сразу же вспоминает мальчик у меня на руках и крутится, как пойманная рыба, и вытягивает шею. — Пить хочу, мама, пить хочу!

— Вот и идите, — глухо говорит Ира, свесив голову; я вижу только ее спутанные влажные волосы и узкий бледный затылок. — Идите, идите без меня. Я вас тут подожду. Мама сегодня не будет умываться. Мама сейчас ляжет и сдохнет.

Она возится, опускаясь на локти, пристраивая голову.

— Ты сидишь в муравейнике, — замечаю я без выражения, и она вскидывает на меня круглые светлые глаза.

Я надеюсь, что она улыбнется, но заранее никогда не угадаешь. Эта многодневная экспедиция обходится ей дороже, чем мне и Мишке, дороже даже, чем нашему трехлапому Псу. Мы не даем ей нести детей и отняли рюкзак, но вот уже два дня она отказывается от еды и почти не может идти, и высокие расшнурованные ботинки режут ей посиневшие и раздутые щиколотки.

Именно в это мгновение, пока я жду, улыбнется она мне или заплачет, он звучит снова — ровный глубокий голос, заставивший нас бросить безопасный остров и нырнуть в тайгу. Сегодня он опять ближе и отчетливее, чем накануне. Каждый день, много часов подряд слушая только хруст умерших веток, сырое чавканье под ногами и собственные бессильные выдохи, мы успеваем забыть его и усомниться в том, что вообще его слышали — невозможный здесь, подмосковный, успокаивающий и далекий стук железных колес, грохот бьющихся на жестких сцепках, тяжелых вагонов. Уютный и сонный воскресный звук из дачного детства: скрипящий выгоревший гамак, солнце, проникающее сквозь шелестящие над головой кроны, звон тарелок с веранды; бабушка накрывает к обеду, мама идет со станции с кульком бледной земляники, до школы полтора месяца. Шесть дней назад он раздался впервые — точнее, впервые мы узнали его, выплели из скрученных между собой птичьих голосов, плеска воды и шелеста листьев, «поезд, Ира, это поезд, поезд», и мы ревели, захлебываясь, больно столкнувшись головами, хватая друг друга за руки, обнимаясь, отмахиваясь от озадаченных визжащих малышей, гадая: сколько дней подряд он звучал неузнанным? сколько дней мы уже потеряли?

А потом швыряли вещи на пол — где-то была, где-то точно была эта чертова зеленая книжечка... Вот, вот, она здесь одна — железнодорожная ветка, проложенная сквозь зелень и синеву, сквозь редкий топографический курсив; совсем недалеко, полтора сантиметра в лаконичном автомобильном масштабе и тринадцать — в другом, подробном. Нельзя заблудиться, нельзя не найти — долгая прерывистая полоса, и в каком бы месте мы ни вышли к ней, нам нужно будет просто ждать. Просто ждать, потому что всякий поезд — это машинист, проводники, охрана и живые люди по обе стороны: в точке отправления и там, куда он следует, и мы остановим его. Заставим затормозить и забрать нас отсюда.

К вечеру следующего дня мы были уже готовы. Вещи уложены в рюкзаки: консервы, топор, патроны, компас, термос, спальные мешки, запас воды; и прямо на обращенной к озеру желтой стене была уже выцарапана ножом суеверная, безнадежная надпись «СЕРЕЖА МЫ УШЛИ К ЖЕЛЕЗНОЙ ДОРОГЕ ПОЕЗД»; и грохот, и стук, которых мы ждали, чтобы убедиться, раздался снова, длясь не меньше минуты — перед самым заходом солнца, последние пару недель нырявшего уже ниже горизонта. Мы провели в доме последнюю ночь, странную, бессонную и прощальную, а с утра вышли, в два приема переправились на берег, и идем уже пятые сутки, грязные, обессилевшие, каждый вечер боясь, что он больше не прозвучит. Готовые к тому, что поезд, который мы слышали вчера, был последним.

— Ты сидишь в муравейнике, — говорю я и смотрю ей в лицо, надеясь на ее улыбку, хотя она ведь может и заплакать; и тут он снова наполняет нам уши, оглушительно близкий теперь грохот тяжелых колесных пар, *гремящий прямо по ту сторону глупого неподписанного картографами пруда, и она облегченно закрывает глаза.*

Она улыбается.

Позже, в сумерках, где-то высоко за спиной стучит Мишкин топор, умытые дети спят в скомканном спальнике. Я веду ее к воде — босую, безвольную; она ступает доверчиво и сонно, почти не глядя под ноги, и усаживается там, где я отпускаю ее, похожая на марионетку с обрезанными веревками. Я стаскиваю с нее Сережину вытянутую футболку. Ее руки послушно поднимаются и падают на колени ладонями вверх. Я полощу мятый кусок хлопка, отжимаю его, холодный, потяжелевший, и протираю осунувшееся белое лицо, остро торчащие ключицы, маленькие распавшиеся груди, выпуклый твердый живот; виски, запястья и опухшие болезненные щиколотки.

— Все будет хорошо, — говорю я.

Хорошо, хорошо, хорошо. Она едва заметно кивает, и прядь ее неровно обрезанных волос щекочет мое плечо.

— Завтра, — говорю я отекшим бледным ступням. — Зав-тра.

Мы возвращаемся к горячей оранжевой точке костра, и Пёс, тяжело припадая на переднюю лапу, ковыляет за нами.

— Завтра, — говорю я и ему тоже.

*Вернувшись к костру, я наклоняюсь над спальным мешком и проверяю девочку — жаркую, спящую, **мою**. Мне нужно понюхать крошечную влажную щеку и шепнуть в спутанные легкие волосы — «завтра». Завтра. Мишка сидит у огня, локти на широко расставленных* коленях; круги под глазами, темные тени на щеках, возле левого ботинка — беззащитно распахнутый рюкзак.

— Сколько осталось? — спрашиваю я вполголоса.

— Шестнадцать банок, — шепчет он. — Мясо или рыба? — И протягивает мне безликий жестяной кружок без этикетки.

Ничего, думаем мы без слов, пока я втыкаю консервный нож, слизываю с ребристой крышки выступивший сок, подцепляю пальцами колючие шпротные хвосты. Завтра. Нам все равно не хватит на обратный путь, не хватит на пятерых. Позади, далеко, под наспех застеленной рубероидом крышей мы оставили еще три с половиной коробки плоских банок-близнецов — слишком много, чтобы тащить на себе к железной дороге. Слишком мало для того, чтобы дожить до следующей весны. Мы не умеем принимать роды, а пойманная нами рыба, развешенная сушиться на солнце, гниет и пахнет смертью. У нас все равно нет выбора. Нам нужен этот поезд.

Наутро мы просыпаемся, замерзшие, с мокрыми от росы ресницами, и уменьшаем количество банок до десяти.

— Ешь, — говорю я Ире. — Тебе нужно поесть.

И она с отвращением глотает жирную холодную треску — затем лишь, чтобы спустя минуту закашляться, побледнеть и выплюнуть прямо себе под ноги кучку почти не изменивших цвет белесых скользких кусочков.

— Ненавижу рыбу, — говорит она, задыхаясь и вытирая рот рукавом. — Ненавижу, ненавижу эту чер-

тову рыбу. Нет ни у кого соленого огурца? Или лимон, лимон бы очень подошел.

Мальчик засыпает к полудню, обмякший у меня на руках, и разжимает ноги. *Нести его теперь тяжелее, но будить нельзя — проснувшись, он снова примется тонко, негодующе причитать мне в ухо. Спи, думаю я, чувствуя плечом влажный жар под его щекой, спи, не шевелись; и шагаю почти на ощупь. Белый и зеленый мшистый ковер пружинит под ногами, похожий на морское дно, на мягкий живой коралловый риф; скоро, скоро, ско-ро, лямки рюкзака режут спину, двуглазый масляный ружейный ствол стучится в бедро, набивая синяк. Я ловлю ртом сумрачный лесной воздух, ско-ро, ско-ро, сомкнутые руки немеют, я не чувствую пальцев; только бы не пошел дождь. В затылок дышат низкие, обвисшие на верхушках деревьев, толстые тучи. Шесть километров. Пять. Полчаса я лежу на спине, зажмурившись, где-то недалеко журчит вода, шумно глотает Пёс; нужно наполнить термос, к черту, к черту, не могу шевелиться, не могу.*

— Ты знаешь, он ведь может идти пешком, — говорит Ира, внимательно заглядывая мне в лицо.

— Нет, — отвечаю я. — Нет, он слишком медленно идет, надо спешить. Давай, чемпион, залезай, цепляйся, вот так, поехали.

Перед глазами скачут белые злые круги, во рту кисло, как будто кто-то сунул мне в зубы огромный железный ключ. *Четыре километра. Три.*

Я представляю себе, как это выглядит сверху, из-под полупрозрачных, вяло пересекающих небо облаков, — *гигантский темно-зеленый ломоть безлюдной тайги, по-*

хожий на мягкое махровое покрывало с неровными прорехами серых озер, с желтыми пятнами зарастающих вырубок, с извилистыми шелковыми строчками рек. С такой высоты наши желания и потери, надежды и страхи незначительны и скоротечны, и долгая наша страшная зима не более чем секунда, одно движение самой тоненькой стрелки на огромном циферблате, а мы — всего лишь крошечные, невидимые точки, отбившиеся от дома муравьи, упорно, медленно ползущие назад, к своему разрушенному, обваленному муравейнику, который даже не заметил пропажи. Мы не нужны своему муравейнику; доберемся мы или нет — ему безразлично. Пройдет время — и он исторгнет новых солдат и рабочих, строителей и нянек, залечит зияющие проломы и восстановит крышу. С нами или без нас, позже или раньше — он сделает это; мы не нужны ему, это он нужен нам. Нам не справиться без него.

Деревья расступаются неожиданно, и мрачная бессолнечная громада леса со вздохом запрокидывается за нашими спинами, распахивая разбегающуюся в обе стороны просторную светлую просеку. Свободный от препятствий ветер колышет белесые августовские сорняки, штурмующие поредевшую гравийную насыпь, в верхней точке которой блестит нетронутая ржавчиной, широкая сдвоенная серебряная лента. Разбрызгивая подошвами сухие и твердые каменные горошины, мы вырываемся наверх, перешагиваем ближайший из смыкающихся к горизонту бесконечных железных рукавов и разжимаем руки. Смиренно сгибаем колени.

ЖИВЫЕ ЛЮДИ

Касаясь ладонями щербатой изъеденной древесины, я ложусь на рельсы. Я замираю. Проросшая между шпал невысокая трава щекочет кожу. Я втягиваю носом летний запах нагретого солнцем железа и чувствую, как тугая металлическая струна под моей щекой начинает легко, едва заметно вибрировать.

Литературно-художественное издание

Вагнер Яна Михайловна

ЖИВЫЕ ЛЮДИ

Роман

Содержит нецензурную брань

Главный редактор *Елена Шубина*
Редактор *Вероника Дмитриева*
Художественный редактор *Константин Парсаданян*
Корректоры *Лариса Волкова, Максим Кривов*
Компьютерная верстка *Елены Илюшиной*

http://facebook.com/shubinabooks

http://vk.com/shubinabooks

Подписано в печать 19.12.2019. Формат 84х108/32.
Печать офсетная. Усл. печ. л. 21,84.
Тираж 7 000 экз. Заказ №13179.

Отпечатано с готовых файлов заказчика
в АО «Первая Образцовая типография»,
филиал «УЛЬЯНОВСКИЙ ДОМ ПЕЧАТИ»
432980, Россия, г. Ульяновск, ул. Гончарова, 14

Общероссийский классификатор продукции
ОК-034-2014 (КПЕС 2008); 58.11.1 — книги, брошюры печатные

Произведено в Российской Федерации
Изготовлено в 2020 г.

ООО «Издательство АСТ»
129085, г. Москва, Звёздный бульвар, дом 21, строение 1, комната 705,
пом. I, 7 этаж
Наш электронный адрес: www.ast.ru
Интернет-магазин: www.book24.ru

«Баспа Аста» деген ООО
129085, Мәскеу қ., Звёздный бульвары, 21-үй, 1-құрылыс, 705-бөлме,
I жай, 7-қабат

Біздің электрондық мекенжайымыз: www.ast.ru
E-mail: astpub@aha.ru
Интернет-магазин: www.book24.kz
Интернет-дүкен: www.book24.kz
Импортёр в Республику Казахстан ТОО «РДЦ-Алматы».
Қазақстан Республик сындағы импорттаушы «РДЦ-Алматы» ЖШС.
Дистрибьютор и представитель по приему претензий на продукцию в Республике
Казахстан: ТОО «РДЦ-Алматы»

Қазақстан Республикасында дистрибьютор және өнім
бойынша арыз-талаптардықабылдаушынынөкілі
«РДЦ-Алматы» ЖШС, Алматы қ., Домбровский көш., 3 «а», литер Б, офис 1.
Тел.: +8(727) 2515989, 90, 91, 92, факс: +8(727) 2515812, доб. 107
E-mail: RDC-Almaty@eksmo.kz
Өнімнің жарамдылық мерзімі шектелмеген.

Өндірген мемлекет: Ресей

Яна Вагнер
ВОНГОЗЕРО

«Вонгозеро» — роман-катастрофа, антиутопия, роуд-стори, постмодернистский триллер. Вошел в лонг-листы премий «НОС» и «Национальный бестселлер», был переведен на 11 языков и стал финалистом премий Prix Bob Morane и журнала Elle. На платформе PREMIER выходит его экранизация — киносериал «Эпидемия».

«Город закрыли вдруг, ночью. Я точно помню, тревоги еще не было. Невозможно было представить себе, что карантин не закончится за несколько недель. По телевизору в эти дни говорили "временная мера", "ситуация под контролем", "в городе достаточно лекарств, поставки продовольствия организованы". Это было по-своему даже приятно — внеурочный отпуск; наша связь с городом была не прервана, а просто ограничена. Идея пробраться туда казалась несрочной… Все случилось так быстро. Мы ужаснулись тому, какими были беспечными. Четыреста тысяч заболевших!» Так начиналась эпидемия.

Яна Вагнер

КТО НЕ СПРЯТАЛСЯ

История одной компании

Роман «Кто не спрятался» — это история девяти друзей, приехавших в отель на вершине снежной горы. Они знакомы целую вечность, они успешны, счастливы и готовы весело провести время. Но утром оказывается, что ледяной дождь оставил их без связи с миром. Казалось бы — такое приключение! Вот только недалеко от входа лежит одна из них, пронзенная лыжной палкой. Всё, что им остается, — зажечь свечи, разлить виски и посмотреть друг другу в глаза.

Это триллер, где каждый боится только самого себя. Детектив, в котором не так уж важно, кто преступник. Психологическая драма, которая вытянула на поверхность все старые обиды.